D1047908

L'HOMME RE-NATURÉ

DU MÊME AUTEUR

AUX MÊMES ÉDITIONS

Les médicaments
coll. « Microcosme – Le rayon de la science », nº 29, 1969

AUX HORIZONS DE FRANCE

Évolution et sexualité des plantes,
1970 (2e éd. 1976)

Drogues et plantes magiques
1971

JEAN-MARIE PELT

L'HOMME RE-NATURÉ

ÉDITIONS DU SEUIL
27, rue Jacob, Paris VIe

ISBN 2-02-004589-3.

A ROGER KLAINE

Ce livre né de notre amitié
et de notre effort

« Aventurer la vie, tout est là. »

Sainte Thérèse d'Avila.

Avertissement

Cet ouvrage risque de surprendre. Il s'inscrit mal dans les genres habituels et se situe en marge des grands courants contemporains. Il se laissera difficilement récupérer par telle ou telle tendance écologique ou politique, et paraîtra donc suspect à tous. Comme son auteur.

Qu'on veuille y voir simplement les réflexions d'un biologiste engagé dans la cité. Un biologiste qui aime les fleurs des champs et n'étudie pas les plantes dans les herbiers, quand elles sont mortes; qui croit moins à la magie des équations mathématiques qu'aux aléas des laborieuses expérimentations et à l'alchimie des méditations hasardeuses; qui redoute le parti pris d'abstraction propre à notre temps, car il vide le réel de son contenu, prive la vie de saveur et de couleur et enfante les monstres froids qui nous étouffent.

Traitant de crise, de récession et d'inflation, ce livre semblera d'actualité. Mais ce n'est qu'une apparence. Car il ne s'attache aux faits que pour mieux saisir les processus dont ils sont l'aboutissement. S'il analyse des comportements individuels ou collectifs, c'est pour mieux déceler les motivations qui les sous-tendent. Et dans les attitudes de nos contemporains, dans la mouvance d'une insaisissable et imprévisible évolution, c'est bien l'homme et la vie de toujours qu'il croit reconnaître... Et dont il est urgent de mieux comprendre aujourd'hui les règles de fonctionnement. Faute de quoi tout est possible, y compris le pire.

On reprochera à cet ouvrage de mélanger les genres. De fait il préfère les chemins de traverse aux grands axes balisés et ne dédaigne pas l'école buissonnière. Il saute en diagonale de la biologie aux sciences sociales, cherchant à réconcilier ces deux sœurs ennemies, brasse dans un même creuset l'économie et l'écologie, effleure la philosophie, aspire à dégager une éthique, voire une anthropologie. A cet apparent désordre, une certaine manière de voir, de sentir et d'agir tente de donner consistance et cohérence, en rassemblant ces éléments disparates dans une vision de synthèse.

Plus riche d'intuitions que de démonstrations savantes, il ne prétend pas apporter aux problèmes de l'heure des solutions pratiques qui seraient périmées demain. Les situations évoluent en effet et, avec elles, leurs remèdes. Il s'attache davantage à dégager les permanences profondes, et les grands invariants dont une meilleure connaissance permettrait d'éviter bien des erreurs.

Le champ des analyses proposées recouvre l'ensemble du sous-système que forment, sur la planète, les sociétés industrielles d'Occident et, plus particulièrement, d'Europe. Car elles ont connu, depuis la première révolution industrielle, des évolutions historiques semblables et se trouvent confrontées aux mêmes difficultés.

L'auteur livre ses réflexions sans prétention, comme elles lui sont venues : spontanément, mais non sans un long cheminement. S'il donne parfois l'impression d'avoir la dent dure, c'est plus au « système » qu'il s'en prend qu'aux personnes qui, pour s'y être aliénées, n'en restent pas moins dignes de respect. Il sollicite l'indulgence pour les inévitables insuffisances, les manques de rigueur, les omissions patentes, car il est hasardeux de sortir du territoire familier, de camper en lisière, de vivre dans l'insécurité des frontières. On oublie toujours quelque chose quand on part en voyage. Mais ce qui compte, c'est partir. Et laisser ouvertes les portes de l'aventure et de l'espérance.

J.-M. Pelt.

PREMIÈRE PARTIE

La fin d'un monde

découvre du même coup son altérité par rapport à elle : pour mieux voir, il se situe en dehors. Mais il développe alors une fâcheuse tendance à se percevoir lui-même comme autonome, séparé d'un environnement qu'il perçoit comme extérieur à lui : l'émergence induirait la rupture des solidarités profondes qui lient l'homme à son milieu.

II. DE LA RÉVOLUTION COPERNICIENNE À LA RÉVOLUTION DARWINIENNE

La notion de milieu pourtant n'est pas nouvelle. Elle a d'abord été interprétée dans son sens restrictif d'habitat : telle est d'ailleurs l'étymologie du mot écologie, proposé en 1866 par Ernst Haeckel. Mais ce grand biologiste allemand sut donner d'emblée une acception très large et étonnamment moderne au terme qu'il proposait. L'écologie représente à ses yeux « la somme de toutes les relations amicales ou antagonistes d'un animal ou d'une plante avec son milieu inorganique ou organique, y compris les autres êtres vivants ». C'est, ajoute Haeckel, « l'ensemble de toutes ces relations complexes considérées par Darwin comme les conditions de la lutte pour la vie ».

Haeckel, on le voit, avait été influencé, comme beaucoup de scientifiques de son époque, par les travaux de Charles Darwin et notamment par son ouvrage mémorable : *De l'origine des espèces par voie de sélection naturelle,* paru quelques années auparavant (1859).

Des interrelations complexes.

Dans cet ouvrage, Darwin insistait sur la complexité des rapports entre êtres vivants, même très éloignés les uns des autres dans l'ordre de la nature. Par exemple, il avait été frappé par les liens étroits qui lient les fleurs du trèfle rouge aux bourdons qui les fécondent. Cette observation a donné lieu à une étonnante série de rebondissements relatée par Roger Dajoz [1] : « Le bourdon, écrit Darwin, visite seul le trèfle rouge, parce que les autres abeilles ne peuvent pas en atteindre le nectar; nous pouvons donc considérer comme très probable que, si le genre bourdon venait à disparaître ou devenait rare en Angleterre, la pensée et le trèfle rouge deviendraient aussi rares ou disparaîtraient complètement. Le nombre des bourdons dans un district quelconque dépend, dans une grande mesure, du nombre des mulots qui détruisent leur nid et leurs rayons de miel. Or, le colonel Newmann, qui a longtemps étudié les habitudes du bourdon, croit que plus des deux tiers de ces insectes sont détruits chaque année en Angleterre. D'autre part, chacun sait que le nombre des mulots dépend essentiellement de celui des chats, et le colonel Newmann ajoute : j'ai remarqué que les nids de bourdons sont plus abondants près des villages et des petites villes, ce que j'attribue au plus grand nombre de chats qui détruisent les mulots. Il est donc parfaitement possible, conclut Darwin, que la présence d'un animal félin dans une localité, puisse déterminer, dans cette même localité, l'abondance de certaines plantes en raison de l'intervention des souris et des bourdons! Haeckel ajouta alors que le trèfle, abondant grâce aux chats, sert de nourriture principale au bétail et que les marins mangent surtout de la viande de bœuf; donc les chats contribuent à faire de l'Angleterre une grande puissance maritime. Thomas Huxley alla plus loin en suggérant que les vieilles filles anglaises, en raison de leur amour immodéré pour les chats, sont à l'origine de la puissance de la marine anglaise. »

Enfin B. Fischesser [2], poussant la pointe humoristique à son terme, estime que la puissance maritime de la Grande-Bretagne, en privant les épouses de leurs maris et en vouant beaucoup d'hommes au célibat, a une évidente incidence sur le nombre de vieilles dames anglaises amoureuses de leurs chats. La boucle de rétroaction est donc fermée.

On saisit ainsi, sur le vif, la multiplicité et la complexité des relations entre les êtres vivants, donc leur nécessaire solidarité.

1. R. Dajoz, *Précis d'écologie,* Dunod, 1972, 2e éd.
2. B. Fischesser, *Richesses de la nature en France. Réserves et parcs naturels,* Éd. Horizons de France, 1973.

L'écologie, cette « économie de la nature », comme disait Haeckel, visera donc à mettre en lumière des interrelations insoupçonnées.

La perspicace analyse de Darwin, et la mise en évidence de la complexité des rapports entre les êtres vivants, débouchait naturellement sur l'idée extrêmement riche d'équilibre : au sein d'un *écosystème* [1] donné, et dans la nature tout entière, les êtres vivants, plantes, animaux, hommes, entretiennent des relations dialectiques de compétition et de coopération; et c'est de ces deux forces centrifuge et centripète que résultent à tout moment les équilibres fondamentaux de la vie. De cette nouvelle vision de la nature allaient surgir, au milieu du siècle dernier, les notions de lutte pour la vie, de tension, d'adaptation, de résistance, d'affrontement et de crise, qui joueront désormais un rôle essentiel dans l'interprétation des phénomènes vivants.

La sélection partout à l'œuvre.

Pour Darwin, cette « sélection naturelle » exercée par les milieux les plus divers sur les espèces végétales ou animales apparaît comme le moteur de l'évolution biologique, que Lamarck – sans doute trop injustement ignoré aujourd'hui – avait déjà décrite sous le nom de transformisme. En effet, la sélection favorise systématiquement, au sein d'une population, les individus les plus aptes et élimine les autres. Le milieu trie en quelque sorte, un peu comme le font les éleveurs ou les horticulteurs dont les méthodes d'amélioration des races domestiques avaient impressionné Darwin. Pour lui, la nature en fait autant, d'où la lente « dérive » des formes et des êtres, c'est-à-dire le phénomène d'évolution [2].

1. *Écosystème :* unité d'organisation biologique composée d'êtres vivants en relation avec le milieu physique dans lequel ils vivent. Cette unité est définie par son fonctionnement, c'est-à-dire par l'ensemble des interrelations dynamiques et fonctionnelles existant entre tous ses constituants.

2. Le rôle de la sélection naturelle dans l'évolution biologique est fort discuté. Si tout le monde s'accorde aujourd'hui à reconnaître ce rôle au niveau des variations qui affectent les espèces (microévolution), il n'en est pas de même lorsqu'il s'agit d'expliquer l'apparition des grandes unités biologiques, telles que les embranchements par exemple (macroévolution). Les néodarwi-

La fin d'un monde

Avec l'idée de sélection se trouvait fondée, dans son principe, l'inégalité fondamentale des conditions d'existence imposées aux individus par la vie et par la société.

La notion de compétition biologique, en dehors de la signification nouvelle que Darwin lui confère lorsqu'il en fait le moteur de l'évolution, avait déjà été perçue par les auteurs de l'Antiquité [1].

Mais il fallut attendre le XIXe siècle pour que les notions de milieu et d'évolution entrent presque simultanément dans la science. Évolution et milieu sont désormais des notions indissociables. Elles s'imposent aujourd'hui dans toutes les sciences, car il est impossible d'interpréter correctement un phénomène quelconque, qu'il soit biologique ou social, sans rechercher le faisceau des facteurs qui le déterminent : son histoire; et les conditions dans lesquelles il se produit : son environnement.

L'effondrement des mythes.

Les conceptions évolutionnistes portèrent le coup de grâce à la tradition culturelle alors dominante en Occident. Le transformisme, comme on disait alors, changeait radicalement la vision du monde. Après la révolution copernicienne qui avait délogé la terre et l'humanité du centre de l'univers, la révolution darwinienne arrachait l'espèce humaine à son rêve de pérennité. Au

---

niens, attachés à « la théorie synthétique de l'évolution » qui fait de la sélection naturelle l'agent fondamental de l'évolution, sont désormais contestés par de nombreux biologistes, dont le chef de file est, en France, P.-P. Grassé.

1. Dans son *Évolution du vivant* (Albin Michel, 1975), P.-P. Grassé cite Aristote pour qui « les animaux sont en guerre les uns contre les autres quand ils habitent les mêmes lieux et qu'ils usent de la même nourriture. Si la nourriture n'est pas assez abondante, ils se battent, fussent-ils de la même espèce ». Mais Aristote n'a pas poussé son raisonnement jusque dans ses ultimes conséquences, puisque l'idée d'évolution lui était absolument étrangère. Pourtant, il s'était demandé « si, de cette lutte, n'auraient pu résulter l'extinction des formes insuffisamment adaptées aux conditions d'existence et la conservation des formes bien adaptées »... Intuition géniale, mais aussitôt rejetée, car il estimait que les ressources de la nature sont suffisantes pour rendre impossible la destruction d'une de ses œuvres, « puisque tous les animaux ne sont pas en lutte, il en est aussi qui sont amis ».

même titre que les individus, les espèces apparaissent comme des passagères de l'histoire; elles aussi naissent, vivent et meurent. A l'antique représentation fixiste de l'univers se substituait peu à peu une conception dynamique et évolutionniste, qui renouait d'ailleurs avec l'authentique tradition judéo-chrétienne. Le mythe de la nature éternelle s'effondrait, en même temps que les systèmes philosophiques qui n'en étaient que l'expression culturelle, en particulier la conception aristotélicienne d'un univers fondé sur un ordre immuable. Non point que la nature tout entière sombrât dans l'anarchie, mais un ordre nouveau désormais s'imposait à l'esprit, fondé sur des équilibres en mouvement, continuellement remis en cause et continuellement restaurés par des mécanismes régulateurs. Bref, en cette fin du XIXe siècle, la vie devenait « dialectique », comme les philosophies qui tentèrent de l'exprimer dans sa réalité du moment, et notamment celle de Marx.

III. LE PESSIMISME DE MALTHUS ET LE MESSIANISME DE MARX

Joël de Rosnay[1] a extrait de la correspondance échangée entre Marx et Engels, ces quelques propos significatifs des influences qu'exercèrent à l'époque les sciences biologiques sur les sciences sociales et inversement. Le 12 décembre 1859, Engels écrit à Marx : « au demeurant, ce Darwin que je suis en train de lire est tout à fait sensationnel. On n'avait jamais fait une tentative d'une telle envergure pour démontrer qu'il y a un développement historique de la nature, du moins avec un pareil bonheur ».

Marx, qui vit à Londres, a l'occasion de rencontrer Darwin. En juin 1862, il écrit à son tour à Engels : « ce qui m'amuse chez Darwin que j'ai revu, c'est qu'il déclare appliquer la théorie de Malthus aux plantes et aux animaux. Il est remarquable de voir comment Darwin reconnaît chez les animaux et les plantes sa propre société anglaise avec sa division du travail, sa concur-

1. J. de Rosnay, *Le Macroscope. Vers une vision globale,* Le Seuil, 1975.

rence, ses ouvertures de nouveaux marchés, ses inventions et sa malthusienne lutte pour la vie ».

Marx et Darwin ont été l'un et l'autre influencés par Malthus qui, dès la fin du XVIIIe siècle, avait insisté sur la dépendance qui lie le volume des populations aux ressources disponibles dans le milieu qu'elles occupent.

« Malheur aux pauvres. »

Les prévisions pessimistes de Malthus ont été partiellement démenties au XXe siècle dans les économies à forte croissance. Mais elles risquent fort de se vérifier au XXIe siècle à l'échelon planétaire. Car le célèbre « malheur aux pauvres » de Malthus reste profondément biologique et repose sur une analyse très pénétrante de la cruauté des régulations naturelles qui maintiennent l'équilibre des populations par la lutte pour la nourriture, et le cas échéant, par la famine. Ce qu'on peut reprocher à Malthus, c'est de n'avoir pas saisi, en ce XVIIIe siècle finissant, que l'homme était capable, s'il le voulait, de dépasser la loi de la jungle, en assurant une meilleure répartition des ressources entre tous. La mauvaise réputation du malthusianisme n'est donc pas tout à fait injustifiée : mais ce n'est pas tant l'œuvre scientifique qui prête le flanc à la critique, que les conséquences sociales que Malthus en tire.

Marx politise la nature.

Si l'histoire est injuste pour Malthus, authentique précurseur bien que d'un pessimisme austère, elle l'est moins pour Marx, qui sut donner un contenu politique et mobilisateur aux intuitions de Malthus et de Darwin. Saisissant l'occasion offerte par la première révolution industrielle et le bouleversement des conditions de vie et de travail qu'elle entraîna en quelques décennies, Marx développa ses idées sur la lutte des classes, expression sociale de la compétition biologique et sur le sens de l'histoire, elle aussi désormais « travaillée » par l'évolution. Mais les processus sociaux amplifient et accélèrent les phénomènes biologiques. Ainsi, tout naturellement, l'évolution débouche sur la révolution. La dictature du prolétariat, présentée comme inéluctable par l'auteur du *Capital,* annonce la dominance prochaine d'un nouveau groupe, point de départ d'un nouveau *phylum* [1]. Comme les plantes à fleurs ont succédé aux fougères, ou les mammifères aux reptiles, le prolétariat succédera à la bourgeoisie qui détrôna jadis la féodalité : et c'est en ce grand soir qu'éclatera, à ses yeux, le sens de l'histoire. Bref, Marx « politise la nature » et applique à l'évolution sociale, plus ou moins consciemment, les idées nouvelles introduites par Ch. Darwin. Il substitue une philosophie du devenir à l'ontologie immobile, la dialectique à la scolastique. Désormais le marxisme, incarnant le mouvement de l'histoire, exprime la poussée de la vie : c'est pourquoi il semble irrésistible. Fondé sur les apports des sciences du XIXᵉ siècle, il se veut « scientifique ». Il exprime les lois profondes de la nature; or tout est nature; donc tout est politique. Autre dogme du marxisme. Et la dialectique devient l'instrument privilégié de cette pensée nouvelle en son temps, qui exprime le mouvement essentiellement fluctuant, oscillatoire et tensionnel des phénomènes vivants.

IV. LES CALCULS DE MENDEL ET LES ANALYSES DE FREUD

Déjà fortement ébranlées par les trois grands du XIXᵉ siècle, Malthus, Marx et Darwin, qui laisseront chacun un système en « isme », les anciennes anthropologies vont subir, à l'aube du XXᵉ siècle, deux autres coups décisifs.

Mendel et le déterminisme de l'hérédité.

En 1900, on redécouvre les travaux publiés par le moine tchèque Mendel dès 1865 et qui n'avaient jusque-là connu aucun

1. *Phylum :* on désigne sous ce nom une lignée évolutive, c'est-à-dire une série d'êtres vivants reliés les uns aux autres et résultant d'une même poussée de l'évolution biologique.

succès. Mendel avait croisé deux races de pois dans le jardin de son monastère de Brünn (Brno) et en avait examiné la descendance. En travaillant sur plusieurs générations, et en comptant les divers types de descendants obtenus, il avait pu établir les lois rigoureusement mathématiques qui président à la transmission des caractères des parents à leurs descendants. Mais la biologie de son époque, dominée par les thèses évolutionnistes de Darwin, avait négligé ces travaux qui plaidaient en faveur de la fixité de la descendance, donc des espèces. De plus Mendel, en véritable précurseur, avait exprimé ses résultats en termes mathématiques, ce qui les rendait inintelligibles aux biologistes de son temps.

Or, en 1910, Morgan, par ses travaux célèbres sur la drosophile, petite mouche du vinaigre, vérifie les lois de Mendel et montre que cette transmission héréditaire des caractères s'effectue par les chromosomes, porteurs de l'information génétique. Que les pois et les mouches soient soumis aux mêmes déterminismes génétiques confirmait l'universalité des lois biologiques et des mécanismes de transmission des caractères héréditaires. Un nouveau déterminisme, rigide et rigoureux, imposait ses contraintes à la condition humaine.

Freud et les conditionnements de l'enfance.

Vint Sigmund Freud, dont l'analyse ajoute un nouveau conditionnement à ceux que les décennies précédentes avaient révélés : celui de l'inconscient, cet océan sans limites où il arrive que des psychanalystes s'égarent à leur tour...

L'homme moderne voit ainsi brusquement le champ de sa liberté se restreindre au point de s'évanouir. L'aptitude au libre arbitre que l'animal pensant s'était attribué pour se démarquer de tous les autres apparaît désormais comme une illusion : déterminé par son hérédité, marqué par son enfance, programmé par la société, conditionné par son environnement, le voici en somme victime de la biologie, de la psychologie, de la sociologie et de l'écologie! Bien plus, les moyens modernes de déplacement dans l'espace et dans le temps, grâce notamment au développement des télécommunications, lui font découvrir d'autres civilisations, et achèvent de le relativiser, en démontrant le caractère fondamentalement contingent de ce qui était perçu autrefois comme immuable, universel et éternel : mœurs, coutumes, droit, morale, religion.

V. LA MORT DE L'HOMME ET LA RÉSURRECTION DE L'ANIMAL

Certes, Nietzsche avait déjà annoncé la « mort de Dieu », et la grande voix de P. Teilhard de Chardin ne suffit point à le ressusciter aux yeux des philosophes contemporains; car le marxisme, le freudisme et l'existentialisme se liguèrent pour libérer l'homme de cette domination millénaire. Mais voici les « maîtres du soupçon » démystifiés à leur tour, comme les derniers épigones des temps métaphysiques et les derniers avatars de l'humanisme. Après la mort de Dieu, le structuralisme annonce aujourd'hui la « mort de l'homme », abstraction vide et sans contenu. Seuls demeurent des ensembles structuraux, des cultures et des langages, phénomènes objectifs et scientifiquement appréhendables. L'homme n'est plus qu'un épiphénomène, un produit de l'évolution et du milieu, prisonnier des structures intrinsèques (mentales) ou extrinsèques (sociales) qui le précèdent, le conditionnent, le piègent et l'aliènent intégralement. Étrange convergence avec tant de philosophies antiques, auxquelles la découverte du sujet pensant et les valeurs de l'humanisme avaient été arrachées de haute lutte à travers toute l'histoire de la pensée occidentale. Et ce n'est pas l'un des moindres paradoxes de notre temps que le mot « aliénation » connaisse une si grande vogue dans un univers philosophique où Dieu et l'homme ont été systématiquement et successivement condamnés. On en vient alors à se demander qui aliène qui, et qui est aliéné [1]?

1. Maurice Clavel, *Qui est aliéné?*, Flammarion, 1973.

Des morts en chaîne...

La mort de l'homme annonce naturellement celle de l'art, puisque celui-ci naît de celui-là; conséquence contre laquelle Soljénitsyne s'élève avec vigueur lorsqu'il s'écrie dans son discours de prix Nobel : « ils se trompent et ils se tromperont toujours ceux qui prophétisent que l'art va se désintégrer et mourir. C'est nous qui mourrons, l'art est éternel ».

Comme on savait aussi, depuis Paul Valéry, que « les civilisations sont mortelles », il ne restait plus que la nature à pouvoir durer. Mais la voici à son tour condamnée à terme par la crise de l'environnement; à moins qu'elle ne s'anéantisse dans quelque cataclysme nucléaire. Ainsi selon les plus pessimistes, si le XIXe siècle a tué Dieu et le XXe l'homme, il appartiendrait au XXIe siècle de tuer la nature!

Déjà, au sein du mouvement écologique, des tendances radicales se font jour, où l'amour de la nature et le spectacle de sa dégradation entraînent une étrange aversion contre l'humanité. Ce courant s'exprime par exemple dans une remarquable nouvelle de science-fiction [1], où l'auteur, après avoir évoqué la mort du dernier des hommes, chante la joie des créatures enfin débarrassées du pire de leurs ennemis. Désormais, « le monde est à elles ». Ce parti pris misanthropique est particulièrement net dans certains groupes militants, et exprime souvent un irrésistible instinct de mort. L'homme n'est plus qu'un animal dénaturé, dont la nature devrait se débarrasser au plus vite pour reprendre enfin paisiblement son chemin. On croit entendre la folle de Chaillot qui s'écrie, au dernier acte de la pièce de Giraudoux : « il n'y a pas que des hommes ici-bas; occupons-nous maintenant un peu des êtres qui en valent la peine! ».

1. J.-P. Andrevon, *in* Jeury, Curval, Renard, Andrevon (Utopies), *Le Monde enfin,* Laffont, 1975.

...et la mort de la mort.

Pour achever le massacre, il resterait à tuer la mort. Malheureusement, c'est la mort qui tue les philosophes. Faute de pouvoir l'éliminer, les sociétés productivistes, capitalistes ou marxistes, se liguent avec une belle complicité, pour l'évacuer du devant de la scène où elle trônait sans complexe depuis l'émergence de l'homme à la conscience. La mort moderne est médicalisée, instrumentalisée, aseptisée – mais non exorcisée.

Certes, elle est parfois longuement différée, dans ces comas dépassés artificiellement maintenus à l'état de vie végétative, et qui n'ont plus rien d'humain. Mais cette douteuse victoire ne suffit point à ressusciter, dans la pensée moderne, les grandes espérances d'éternité. C'est au contraire cette espérance qui meurt, chez tant d'hommes pour lesquels le célèbre « mort où est ta victoire? » est désormais vide de sens.

Un processus de réanimalisation.

Ainsi, sous l'influence convergente de la science et de la philosophie, la position de l'homme dans la nature est-elle totalement bouleversée. Si la plupart de nos contemporains manifestent peu d'intérêt pour les derniers raffinements de l'exégèse marxienne, freudienne ou structuraliste, tous, en revanche, sont concernés par les données fondamentales de la biologie moderne. Pour la première fois sans doute, dans l'histoire de la pensée occidentale, l'homme ne se sent plus radicalement séparé du monde animal dont il commence au contraire à percevoir qu'il partage les déterminismes fondamentaux. Fils parricide de Dieu ou de Prométhée? Peut-être. Mais aussi, fils de la nature et de la terre, intégré à la biosphère et au monde animal, dont il sait désormais qu'il est solidaire.

L'humanité n'est plus, à ses yeux, qu'une espèce parmi d'autres. Comme toutes celles qui l'ont précédée ou qui, aujourd'hui, l'accompagnent dans la grande aventure de la vie, elle naquit un jour sur un rameau du phylum des primates, et pourrait connaître, comme tant d'autres, le déclin et la mort. Cette prise de conscience, jusqu'ici limitée aux seuls spécialistes, commence à se répandre dans le public et marque le début d'une « révolution culturelle » peut-être sans précédent dans l'histoire.

Darwin avait d'ailleurs parfaitement perçu les conséquences de ses théories et, dans un ouvrage publié en 1871, *la Descendance de l'homme et la sélection sexuelle,* il s'en inquiétait quelque peu. Une lady anglaise, informée de ses travaux, ne confiait-elle pas à un ami : « Descendants des singes, mon cher, espérons que ça n'est pas vrai. Et si ça l'était, pourvu que la chose ne s'ébruite pas! »

La chose, hélas, s'est singulièrement ébruitée, et nos contemporains mettent un curieux acharnement à compenser la perte de leur « statut spirituel » par les bruyantes et festives retrouvailles de leur animalité. Le corps est promu, le bronzage « paye », le nu se vend et la mode colle aux formes comme les jeans collent aux fesses. Le sexe, sacralisé dans les sociétés primitives, puis occulté par la morale de l'époque victorienne parce que trop évocateur des liens évidents qui nous unissent à « nos frères inférieurs », est désormais réhabilité et consommé. En 1948, le célèbre rapport Kinsey, appliquant les méthodes des sciences expérimentales à l'étude du comportement sexuel de l'homme, avait fait scandale; quel chemin parcouru depuis!

Dans une société qui consomme, il est normal que le tube digestif retrouve sa place, lui aussi. D'où le succès d'un film qui fit quelque bruit [1], et les manifestations scatologiques qui, dans le cinéma ou la littérature, prennent désormais le pas sur les préoccupations eschatologiques. De l'eschatologie à la scatologie... nous avons fait du chemin.

Faut-il ne voir dans ces excès qu'une crise passagère, sorte de défoulement collectif après les excès d'un angélisme hypocrite, du puritanisme et de la contre-réforme? Qui fait l'ange fait la bête... Annoncent-ils au contraire la décadence? L'avenir le dira.

1. *La Grande Bouffe,* 1973.

VI. LA RELIGION DE LA SCIENCE

Voici donc l'homme nu et solitaire, dépouillé de son statut millénaire, animal parmi d'autres, perdu dans l'immensité du Cosmos sans le recours de la foi en un monde transcendant. Événement culturel d'une portée incalculable, et qui ne prend sa pleine signification que replacé dans une perspective historique : nous arrivons au terme de l'ère postconstantinienne. Après des siècles d'enracinement dans le christianisme, l'homme d'Occident rompt massivement avec la foi de ses ancêtres et dérive au gré des courants contraires et mouvants d'un océan sans limites et sans fond. La perte de ce référent fondamental conduit la machine cybernétique du cerveau, fût-elle la plus intelligente, à tourner désespérément sur elle-même. Elle enferme la pensée dans une bulle qui l'emprisonne à jamais et brise tout élan libérateur; on songe à la guêpe, butant indéfiniment sur une fenêtre close.

Pour Jacques Monod [1], « l'homme sait enfin qu'il est seul dans l'immensité indifférente de l'Univers d'où il a émergé par hasard. Non plus que son destin, son devoir n'est écrit nulle part. A lui de choisir entre le Royaume et les ténèbres ».

Mais ce n'est plus du Royaume de Dieu qu'il s'agit : c'est du « Royaume transcendant des idées, de la connaissance, de la création ». Un royaume où, décidément, l'homme se sent bien seul... D'autant que Monod, dans un jugement sans appel, liquide toutes les métaphysiques et toutes les religions. Étrange résurgence du scientisme, en cette fin du XXe siècle, et qui évoque si curieusement l'attitude positiviste d'un Auguste Comte.

Science et Foi.

On voit mal pourtant de quel « principe d'exclusion compétitive [2] » pourrait bien se prévaloir la science, au détriment de la

1. J. Monod, *Le Hasard et la Nécessité,* Le Seuil, 1970.
2. L'exclusion compétitive est l'expression moderne de la sélection natu-

pensée philosophique ou religieuse. Les domaines, les « niches écologiques » étant différents, pas de compétition, et donc pas d'exclusion possible. Mais c'est précisément cette séparation des domaines qui est désormais contestée : la science exclurait toute spéculation qui échapperait à son appréhension, au nom d'un « postulat d'objectivité ». Malheureusement, les postulats sont indémontrables. Et la célèbre phrase de Kant : « j'ai limité le savoir pour faire place à la foi », garde toute sa valeur.

En fait, la science ne nous apprend rien de neuf sur le destin et la condition humaine. Un Monod l'intègre dans son système de valeurs, un Teilhard dans le sien. Mais ils ne tranchent pas plus dans un sens que dans l'autre. Et la « religion de la science » n'est pas pour demain. Monod avoue d'ailleurs que sa vision est « austère »; et que « cette religion compte peu d'adeptes ». Il conçoit que la mort des « animismes » puisse donner « mal à l'âme ». « S'il est vrai, comme je le crois, écrit-il encore, que l'angoisse de la solitude, et l'exigence d'une explication totale, contraignante, soient innées, que cet héritage issu du fond des âges n'est pas seulement culturel mais génétique, peut-on penser que cette éthique austère, abstraite, orgueilleuse, puisse calmer l'angoisse, assouvir l'exigence? Je ne sais [1]. »

VII. LES NOUVELLES ÉGLISES

Il est clair en tout cas que pour l'instant, elle ne la calme pas. Désarçonné, dépouillé, solitaire, l'homme tente de réinvestir le sens du religieux et du sacré qu'il porte en lui dans de nouvelles croyances et de nouveaux engagements.

---

relle : elle explique le recul ou le déclin d'une espèce (ou, ici, d'un courant de pensée) en compétition avec d'autres espèces ou d'autres courants plus « compétitifs » et par conséquent plus « conquérants ».

1. J. Monod, *op. cit.*

Rome et Moscou.

Il arrive que ceux-ci s'incarnent dans de nouveaux systèmes, et de nouveaux messianismes : le communisme en est un. Comme une religion, il saisit l'homme dans sa totalité, réconciliant foi et politique, science et philosophie, pensée et action. Et comme tout système, il sécrète aussi ses clercs, sa hiérarchie, ses notables, sa morale, ses valeurs normatives : de nouvelles églises naissent sous nos yeux, plus intransigeantes que celles d'hier.

Mais tout naturellement, le système sécrète aussi ses oppositions. Muselées à l'intérieur, celles-ci s'expriment au-dehors où déjà les réformateurs sont à l'œuvre. Le secrétaire général du Parti communiste espagnol ne disait-il pas, en 1975, à la deuxième conférence nationale de son parti : « Il faut en finir avec l'époque où le communisme était une sorte d'Église, avec ses dogmes, une espèce de secte fermée dépositaire de vérités indiscutables, avec sa mystique conservée pure par la persécution et le martyre »?

Les courants qui agitent le communisme international évoquent le phénomène de spéciation, si caractéristique de l'histoire de la vie des espèces [1].

On sait que sous la poussée de l'évolution biologique, la vie se ramifie en de multiples phylums [2], dont chacun se diversifie à son tour en d'innombrables espèces; d'où la pluralité, mais aussi la discontinuité des formes vivantes dans l'espace et dans le temps.

Comme en témoignent par exemple deux mille ans d'histoire chrétienne, les grands courants d'idées évoluent de manière similaire : n'a-t-on pas vu le christianisme se fragmenter et se diversifier en de multiples Églises, correspondant souvent à des aires géographiques séparées : l'orthodoxie à l'Est, le catholicisme dans le monde latin, la réforme dans les pays anglo-saxons, ces Églises représentant autant *d'espèces* différentes de christianisme,

1. En latin *species,* d'où « spéciation », qui signifie « formation des espèces ».
2. Voir note, p. 23.

bien qu'appartenant au même courant idéologique, à la même *famille* d'esprit [1].

En fait, le déterminisme culturel est moins rigide que le déterminisme génétique. Celui-ci interdit à jamais la formation d'hybrides féconds entre des espèces non affines dont le patrimoine héréditaire et les caractères sont trop différents. Il n'en est pas de même des cultures qui peuvent s'hybrider par échange et amalgame d'éléments empruntés à plusieurs systèmes, même fort éloignés : les diverses formes de progressisme qui résultent de la « fécondation » du christianisme par le marxisme et réciproquement (d'autres parleraient de « contamination ») illustrent bien ces potentialités d'hybridation. Seul l'avenir dira si de tels hybrides sont fertiles. En tout cas, ils existent.

Le communisme subit depuis quelques décennies une évolution comparable à celle du christianisme, mais à un rythme accéléré. Moscou, la deuxième Rome, n'a pas su, mieux que la première, demeurer le centre unique du mouvement. A l'Est, Pékin est une nouvelle Constantinople scandaleusement schismatique, tandis qu'à l'Ouest, les tendances centrifuges s'affirment avec vigueur : le jeu subtil des réformes et des contre-réformes se développe sous nos yeux, avec naturellement les excommunications mutuelles qu'elles appellent.

De sectes en sectes.

A l'autre extrémité de l'horizon social, la prolifération actuelle des sectes exprime également le besoin « de se raccrocher à quelque chose », de retrouver, dans la chaleur et le prosélytisme d'un groupe militant, un remède à la solitude, de se donner tout entier à une cause qui dépasse l'égoïsme individuel. Ces mêmes valeurs sont d'ailleurs vécues aussi dans les églises, où le « petit reste » retrouve au sein des communautés renaissantes les grandes ferveurs des premiers siècles du christianisme.

Pourtant la plupart de nos contemporains échappent plus ou

1. Le vocabulaire, on le voit, traduit bien cette réalité biosociologique où les lois biologiques s'appliquent aussi à la vie sociale.

moins à l'influence de tout système organisé : le décalage entre l'éducation reçue, le mouvement des idées, et le train d'enfer de l'actualité est tel que l'homme d'aujourd'hui ne sait plus qui il est, ni ce qu'il croit : à peine a-t-il le temps de se demander d'où il vient et où il va. Temps de flottement et de disponibilité, somme toute favorable aux grandes reconversions collectives. Elles ne tardèrent point : l'homme orphelin s'est reconverti en consommateur, et les hypermarchés remplacent les cathédrales!

2
Une expansion qui s'emballe

« Nos soins se doivent étendre plus loin que le temps présent, et il est bon d'omettre les choses qui apporteraient quelque profit à ceux qui en vivent, lorsque c'est dessein d'en faire d'autres qui en apportent davantage à nos neveux. »

R. DESCARTES.

I. LA RECONVERSION EN CONSOMMATEUR

Si la science bouleverse les fondements intellectuels et spirituels de l'Occident, elle ne prend sa pleine dimension et n'atteint les masses que par ses applications techniques et ses conséquences sociales. En moins de cinquante ans, l'Europe est passée d'une société rurale et artisanale à une société urbaine, technicienne et industrialisée. Brusquement, grâce aux progrès conjugués des sciences et des techniques, les hommes de cette génération voient s'ouvrir devant eux un monde auquel leurs ancêtres n'auraient jamais osé prétendre : celui de l'abondance.

Le paradis tout de suite.

Dans ses *Essais de morale prospective* [1], Jean Fourastié analyse pertinemment les conséquences de ce phénomène sans précédent. Depuis les origines, aucune communauté humaine n'avait réussi

1. J. Fourastié, *Essais de morale prospective,* éd. Gonthier Médiations, 1966.

à assurer à la majorité de ses membres, la sécurité élémentaire et la possession des biens essentiels : l'alimentation, l'hygiène, le confort, la santé, la connaissance, les loisirs. Privés de ce paradis terrestre auquel ils aspirent depuis toujours, les hommes avaient fait de leur terre un « ici-bas », projetant dans « l'au-delà » l'espérance d'un monde meilleur. La démarche du prolétaire attendant le grand soir n'est en rien différente, à cet égard, de celle du chrétien. Ils sont tout entiers animés l'un et l'autre de la vibrante espérance d'un monde meilleur. Or, voici que surgit brusquement ce paradis si ardemment souhaité, porteur et annonciateur de toutes les richesses. Comme le pèlerin qu'une longue marche au désert a laissé épuisé, l'homme moderne se précipite vers l'oasis tant attendue et accomplit enfin le rêve millénaire : posséder et jouir, tout avoir et tout de suite.

C'est le vertige de la consommation, de l'accumulation des biens, de la quête des loisirs et des plaisirs... Une ivresse, un abandon. Bref, à peine s'est-il senti orphelin, qu'il s'est reconverti en « consommateur ». Et l'environnement matériel qui assure la sécurité par l'abondance et l'argent, vient à point se substituer à l'environnement spirituel défaillant et contesté. L'augmentation du niveau de vie devient le but de la vie, et le progrès économique la grande idole des temps modernes.

Du travail et du pain.

Depuis quelques décennies en effet, le « progrès » s'est peu à peu identifié à la croissance économique. La notion de progrès économique fait partie de tous les discours. Elle désigne une production croissante de biens matériels, donc une constante augmentation du niveau de vie, supposée engendrer un bien-être accru et, implicitement au moins, le bonheur pour tous. De là le postulat fondamental des démocraties occidentales, selon lequel la justice sociale est l'aboutissement normal de l'expansion économique : plus on produit de biens, plus on peut en distribuer. Dans cette perspective, l'amélioration du sort des classes les moins favorisées dépend immédiatement du taux de croissance. Seul un taux de croissance élevé leur permettra de bénéficier des « fruits de l'expansion »; et non seulement des fruits de l'expansion présente mais, par le jeu des emprunts et des dettes cumulés (plus ou moins épongés par l'inflation) de l'expansion déjà escomptée pour l'avenir. De plus, une forte croissance assure le plein emploi. En somme, pour tous, du travail et du pain : et du beurre sur le pain.

La crise de l'environnement et celle de l'énergie, l'essoufflement de la croissance démographique et les spasmes de la croissance économique bouleversent aujourd'hui ces dogmes confortables. Après les certitudes sécurisantes de l'accroissement continu du niveau de vie, voici venu le temps des incertitudes et des remises en cause. Arrivée au sommet de la puissance industrielle, l'évolution sociale débouche sur une impasse : ne voit-on pas se détériorer les subtils équilibres de la vie économique internationale, tandis que se dégradent en même temps les grands équilibres écologiques de la planète?

Or, il est aisé de démontrer que le malaise économique et le désarroi moral actuels sont les conséquences naturelles d'une conception exclusivement quantitative et matérielle du progrès. Cette vision purement productiviste a profondément marqué les deux premières étapes de l'histoire économique de l'après-guerre : celles de la reconstruction et surtout de l'expansion. Une mécanique implacable a été mise en marche. Pour tenter de la maîtriser, il faut d'abord comprendre comment elle fonctionne et quelle est sa logique.

II. L'ILLUSION QUANTITATIVE

Le succès de la « reconversion en consommateur » dépendait de la capacité de produire beaucoup et vite. On fit donc du quantitatif.

L'universalité, voire l'exclusivisme des critères quantitatifs, durant les deux dernières décennies, s'impose à tout observateur. Ils imprègnent inconsciemment nos modes de pensée et nos comportements. Tandis que les économies des pays développés abandonnaient aux initiatives individuelles ou à la création artistique le soin des préoccupations qualitatives, elles ne prenaient en considération dans leurs évaluations et dans leurs prévisions que ces seuls critères quantitatifs. Ainsi voit-on les villes rivaliser pour le nombre de leurs habitants, les universités en faire autant pour le nombre de leurs étudiants et les hôpitaux pour celui de leurs lits. Dans les trois cas, la puissance est fonction du nombre, avec tous les phénomènes agressifs et compétitifs parfois violents qui en découlent. Quant à l'idée qu'une université pourrait être « meilleure » qu'une autre, il y a longtemps que le nivellement et la perte des particularismes locaux ou régionaux l'ont fait s'évanouir dans l'esprit de nos contemporains. Tout au plus pensera-t-on, dans cette logique quantitative, qu'une grande université vaut mieux qu'une petite. Mais comment prouver qu'on est mieux soigné dans un « grand hôpital » ou qu'on vit mieux dans une « grande ville » que dans une ville moyenne? La qualité n'est pas objectivement indexée à la quantité. Mais le dogme est simple : c'est grand donc c'est bon [1].

Un gigantisme de fin des temps.

On a reproché aux hommes politiques de la IIIe République d'avoir vu petit et de ne pas être allés jusqu'au bout de leurs entreprises. Même la grande réalisation nationale de l'entre-deux-guerres, la ligne Maginot, s'était arrêtée en chemin; elle n'était, si l'on peut dire, que la moitié d'elle-même. En la poussant jusqu'à Dunkerque, n'aurait-on pas arrêté l'envahisseur nazi?

Désormais on allait voir grand. Mais dans le sens du gigantisme, plutôt que d'un grand dessein. Tel centre psychothérapique regroupait 3 000 aliénés, tel hôpital, 2 000 lits, tel lycée, 3 000 élèves. Les universités firent mieux encore : au quai Saint-Bernard à Paris, la halle aux vins disparut en faveur d'une masse impressionnante de métal et de béton dans laquelle on s'empressa d'entasser 30 000 étudiants.

1. Dans *Small is beautiful* (Londres, Bland and Briggs, 1973), ouvrage qui connaît un grand succès outre-manche, E.-F. Schumacher prend le contrepied de cette idée : pour lui ce qui est petit est beau.

En stricte logique productiviste, le raisonnement paraissait inattaquable. A nombre de pensionnaires égal, la dissémination des établissements coûterait plus cher que leur regroupement. De plus, une forte concentration permettrait d'offrir « un plus haut niveau de service » aux utilisateurs (bibliothèques plus riches, services spécialisés rentables seulement au-dessus d'un certain seuil, etc.).

Cette course au gigantisme a de quoi inquiéter. Elle évoque l'extinction des grands reptiles, qui disparurent à la fin de l'ère secondaire victimes de leur monstruosité : la taille énorme et la fragilité de leurs œufs précipitèrent leur perte; il ne nous reste que leurs squelettes.

Imaginer les squelettes métalliques de nos universités gigantesques, de nos hôpitaux ou de nos tours, sinistrement dressés comme des reliques dans le ciel du XXIe ou du XXIIe siècle, relève peut-être de la science-fiction? Mais l'on envisage déjà très sérieusement de noyer d'ici une trentaine d'années les centrales nucléaires, trop dangereuses pour être démontées, sous des millions de mètres cubes de béton, se préparant ainsi à faire surgir, dans les paysages de demain, les grandes pyramides des temps modernes.

En biologie, en tout cas, le gigantisme apparaît comme une caractéristique de certaines fins de phylum. La taille réduit les facultés adaptatives : ainsi, les arbres s'adaptent-ils moins bien au changement que les herbes. L'arbre consacre l'essentiel de ses ressources à construire et à entretenir à grands frais sa structure; l'herbe au contraire, avec la modestie de son appareil végétatif, se contente de peu; son aptitude à produire des graines au bout de quelques semaines lui permet de résister aux situations les plus difficiles; et la brièveté des générations qui résulte de cette prolificité facilite une rapide accumulation de mutations favorables, donc une meilleure adaptation à des conditions nouvelles. On comprend que les espèces herbacées soient particulièrement abondantes sur les continents ayant subi de grands bouleversements géologiques et climatiques, auxquels la plupart des espèces arborescentes ont succombé. Dans *le Chêne et le Roseau,* La Fontaine avait déjà pressenti la fragilité de l'arbre.

Et que dire du grand palmier des Seychelles, avec ses graines monstrueuses, pouvant peser plusieurs kilogrammes? Ce palmier est naturellement condamné à ne subsister que sur une île de l'archipel; car des graines de cette taille n'ont aucune chance d'être entraînées par les courants marins ou emportées par les oiseaux. Les hommes, cependant, suppléent à cette carence : car l'énorme graine, au nom suggestif de « cul de négresse » ou de « coco-fesse » a une forme si évocatrice et si insolente qu'elle fait le bonheur des touristes, et envahit peu à peu les salons.

Dans la nature, on le voit, le gigantisme est de mauvais augure. Ce qui laisse perplexe devant la floraison des tours qui envahissent nos villes.

La tour de Babel.

En matière d'habitat, les critères de rentabilité exigeaient qu'un maximum de logements fussent construits sur un minimum de place. Le sol étant en outre rentabilisé selon sa valeur marchande, on peut, à partir des centres-villes, dessiner trois cercles concentriques : le premier, en grande banlieue, est affecté aux lotissements de maisons individuelles; le second est consacré aux grands ensembles collectifs des périphéries, voués à l'habitat et aux hypermarchés; le troisième enfin, au centre même des villes, est occupé par les orgueilleuses tours de verre, de béton et de métal réservées aux banques ou aux bureaux des grandes entreprises nationales et internationales. Ce sont les centres « directionnels [1] ». Ici le principe d'exclusion compétitive élimine les bistrots au profit des banques, et l'épicier au profit de l'hypermarché. Celui qui paye emporte le terrain. Puis il y met des tours.

Par leurs tours, les villes modernes affirment leur puissance et les groupes promoteurs leur dominance. Autour de ces constructions orgueilleuses, voire phalliques, naissent et se nourrissent les conflits d'usagers en matière de « consommation » de l'espace ou les affrontements sur les conceptions architecturales. L'érection des tours alimente la contestation et déchaîne l'agressivité; on est

1. Dans le langage de l'aménagement du territoire, on désigne sous ce terme les nouveaux quartiers des centres urbains, réservés aux bureaux et aux affaires.

« pour » ou « contre ». Car depuis la construction de la plus célèbre des tours, celle de Babel, il est notoire que ces symboles de puissance par lesquels les hommes aiment défier le ciel, les opposent plus qu'ils ne les rassemblent. En tout cas ils leur font perdre l'art de se comprendre, comme l'enseigne le récit biblique [1].

Cette appréciation éminemment quantitative de l'évolution urbaine a entraîné la destruction massive du patrimoine artistique d'un grand nombre de villes européennes, et du même coup la perte de leur personnalité et de leur identité. Mais elle les a, en revanche, ouvertes à l'envahissement des automobiles, dont l'afflux centripète embouteille les centres chaque matin, avant que le reflux centrifuge ne les vide de toute animation chaque soir.

Aujourd'hui, le processus de « babelisation » des villes semble marquer le pas, du moins en France. Mais même si la construction de tours était bloquée dans les villes comme il en est fort heureusement question, nous n'avons pas fini d'en voir, à la campagne cette fois, avec la nouvelle génération de tours que le pari nucléaire fait surgir dans nos paysages. Déjà les dimensions des gigantesques réfrigérants atmosphériques déclenchent de puissantes contestations : plus de 100 mètres de diamètre à la base et jusqu'à 180 mètres de hauteur. De quoi y enfourner trois cathédrales gothiques : pour arracher le feu de la terre, Prométhée s'élance jusqu'au ciel!

Les pièges de l'industrialisation.

Comme on évalue un grand ensemble au nombre de ses logements, on apprécie une zone industrielle, quand on la crée, au nombre de ses hectares. Puis, quand elle fonctionne, au nombre de ses emplois.

Exclusivement quantitative fut en effet l'attitude de la plupart des responsables de la vie économique et politique en matière de création d'emplois. Dans une société avide d'expansion, l'implantation d'activités industrielles nouvelles, quelles qu'elles soient,

1. Genèse, XI, 4-7.

était jusqu'ici considérée comme un bien absolu. Chaque municipalité s'employait, comme une fleur déployant ses pétales, à attirer l'industriel en lui faisant miroiter les avantages mirifiques de son implantation sur une zone équipée tout exprès pour l'accueillir; le nectar des primes à l'industrialisation qui lui étaient consenties, devait être plus que compensé par les apports substantiels des patentes, sorte de pollen fécondateur procuré par l'implantation nouvelle. Bref, chaque industriel qui s'installait faisait une fleur : il convenait donc de l'accueillir un bouquet à la main. Il a fallu attendre les années toutes récentes pour que les conséquences d'une implantation sur l'environnement, le choix d'un site, le caractère plus ou moins polluant des industries envisagées, la nature des emplois créés, la qualité des conditions de travail, l'architecture industrielle proposée soient pris effectivement en compte à l'occasion d'une décision d'implantation.

Comme la réalisation d'un grand ensemble, la création d'une zone industrielle est un acte d'aménagement. L'aménageur entend mettre de l'ordre là où mille décisions individuelles non concertées mettraient la pagaille. Il a raison. Pour cela, il divise l'espace et l'affecte à des fonctions précises; mais comme il voit grand lui aussi, les portions sont énormes. Tel pôle industriel aura 5 000 hectares : la moitié de Paris. Telle zone de loisirs 1 000 : ainsi pourra-t-elle accueillir chaque dimanche 100 000 personnes. On réservera 1 000 hectares à l'urbanisation, 200 au développement des universités. Chaque espace trouve son affectation, strictement monofonctionnelle : ici, des usines et des travailleurs, 50 000 sur un même pôle; là des grands ensembles et des résidents : 40 000 regroupés; là encore des étudiants : 30 000 sur un campus, et là des « consommateurs de loisirs ». Ici boulot, là dodo. Entre les deux : auto, moto, métro... Il n'y a même plus de place pour le bistrot.

Cet aménagement-là semble condamné, tué par ses propres excès. Et chacun de se demander désormais quoi faire et comment faire?

Quant au monde économique il fut, lui aussi, jusqu'à ces toutes dernières années, entièrement dominé par des critères d'appréciation quantitatifs, c'est-à-dire aisément quantifiables. L'évolution de la démographie, le produit national brut, les taux de croissance, les bilans des collectivités publiques ou privées, les chiffres d'affaires et les bénéfices s'expriment par des chiffres. Et ces chiffres révèlent une évidence : la croissance globale de la population, de la production et de la consommation. Il y a de plus en plus d'habitants, de plus en plus d'étudiants, de plus en plus de logements, d'usines et donc de réfrigérateurs, de télévisions, de machines à laver, de brosses à dents électriques, de voitures... et d'accidents de la route!

III. DU PRODUIT NATIONAL BRUT AU PRODUIT NATIONAL NET

Philippe Saint-Marc [1] dénonce avec humour l'absurdité de ces évaluations purement quantitatives, et les aberrations auxquelles peut conduire le maniement abusif de certains indicateurs économiques. Il ne se contente pas, après tant d'autres, de remettre en cause la notion de produit national brut (PNB), mais choisit quelques exemples où l'on voit ce PNB se gonfler en cumulant ... des pertes.

Une critique radicale de l'automobile.

Ainsi en est-il des accidents de voitures qui stimulent d'autant plus l'industrie automobile qu'ils sont plus nombreux et qu'ils mettent plus de voitures hors d'usage. Ils stimulent de la même manière la productivité des entreprises vouées à la réparation des véhicules accidentés (les garages) ou des individus blessés (les hôpitaux). Ils stimulent aussi l'industrieuse activité de ceux que le langage écologique appellerait les « décomposeurs » : ferrailleurs ou récupérateurs pour les véhicules, pompes funèbres pour les décédés. Cette activité nécrophile est évidemment proportionnelle à la cadence du taux de remplacement de la population, et donc à

1. Ph. Saint-Marc, *Socialisation de la nature,* Stock, 7e éd. remise à jour, 1975.

la diminution de la durée moyenne de la vie humaine! Et que dire de l'industrie des prothèses qui a tant gagné à la multiplication des accidents par la promotion de toute une technologie compensatrice et réparatoire, de la jambe de bois aux appareils ultrasophistiqués de la chirurgie moderne?

A l'inverse, le PNB chute lorsqu'une sage réglementation de la vitesse horaire sur route réduit le nombre et la gravité des accidents : tel service de neurochirurgie voit fondre sa clientèle au grand désarroi de la direction de l'hôpital, qui déplore la perte de journées d'hospitalisation et la « non-rentabilité » du service qui en découle. Pour l'hôpital, c'est une catastrophe; et pour le simple mortel qui essaie de comprendre les subtilités de la comptabilité économique, une histoire à se taper la tête contre les murs; d'ailleurs, en la tapant un peu fort, on crée un dommage physique qui vous envoie tout droit... en neurochirurgie, et répare du même coup le dommage économique porté au PNB par la limitation de vitesse!

On mesure par ces exemples à peine forcés le caractère ambigu de nos évaluations économiques qui ne connaissent que l'addition, et amalgament pêle-mêle des données dont les causes et les conséquences ne sont pas forcément favorables, en les interprétant globalement comme un gain brut. Il est temps que l'intervention de la soustraction dans ces modes de calculs permette d'évaluer un produit national net. Et que soient enfin pris en compte les incidences à long terme, le coût de la nature et de ce qui fait la qualité de la vie, c'est-à-dire des valeurs et des biens immatériels. Mais déjà de nombreux économistes s'y emploient, et mettent au point de nouvelles méthodes d'analyse.

Les recherches développées par l'équipe des économistes et des sociologues du Centre d'étude et de recherche sur le bien-être (CEREBE) s'inscrivent dans de telles perspectives. Elles conduisent à des remises en question « radicales » des sociétés industrielles [1].

1. J.-P. Dupuy, « Pour une critique radicale de la société industrielle », *Esprit*, novembre 1974.

Une santé hors de prix.

L'analyse que Dupuy a consacrée à l'évolution de notre système sanitaire est encore plus probante à cet égard. Celui-ci est en effet l'un des seuls systèmes socio-économiques, le seul peut-être, dont le développement reste linéaire depuis la dernière guerre, sans qu'aucun mécanisme de régulation digne de ce nom ne vienne entraver sa croissance exponentielle. En effet « le droit à la santé s'identifie au droit à l'accès sans contrainte aux services médicaux ». En clair, aucune limite à la consommation : la Sécurité sociale paie toujours [1], même si, à intervalles de trois ou quatre ans, une minirégulation intervient qui se traduit par quelques discours suivis de mesures dont la principale caractéristique n'est pas l'extrême courage politique.

Or, l'accroissement en volume des soins est de l'ordre de 9 % par tête et par an en France, alors même que l'espérance moyenne de vie y stagne à tous les âges supérieurs à 5 ans, comme dans tous les pays industriels depuis une quinzaine d'années. Il semble donc que les coûts rapidement croissants de la consommation médicale n'ont plus d'incidence réelle sur l'augmentation de la « quantité de vie ». Constatation pour le moins surprenante, au moment même où l'on parle tant de la qualité de la vie. La qualité s'acquérerait-elle au détriment de la quantité?

Il y aurait bien d'autres griefs à adresser à l'abus de la consommation médicale. Ivan Illich [2] s'en est chargé, non sans excès parfois, mais avec quel talent!

En fait, on dépense des sommes toujours croissantes avec

1. A cet égard l'évolution du système sanitaire est exactement l'inverse de celle du système universitaire où une régulation rigide s'effectue d'en haut par l'affectation aux universités de budgets en décroissance relative, ce qui ne va pas sans altérer la sérénité intellectuelle des universitaires. Entre ces deux systèmes de régulation, l'un inexistant, l'autre draconien, se situerait par exemple l'évolution des budgets municipaux fondée sur les ressources fiscales votées par les élus; le mécanisme régulateur, très souple ici, serait représenté par l'opinion publique, qui, par son vote, déciderait du maintien ou du renvoi d'une municipalité trop chiche ou au contraire trop dispendieuse à son goût.

2. I. Illich, *Némésis médicale, l'expropriation de la santé,* Le Seuil, 1975.

comme première conséquence une augmentation constante des charges de protection sociale. L'effet inflationniste d'une telle évolution est évident, et représente un des facteurs structurels de l'inflation persistante. Malheureusement, les résultats de ces dépenses, y compris sur la santé, sont discutables puisque leur conséquence sur l'espérance moyenne de vie est négligeable. Le transfert d'une part de ces fonds vers la mise en place de puissants dispositifs de prévention, et la priorité donnée à des mesures améliorant effectivement la qualité de la vie auraient sans doute, comme plusieurs études le laissent penser, des incidences bien plus grandes sur l'évolution de l'espérance moyenne de vie. En réalité, qualité et quantité de vie évoluent de pair. Et le vieil adage selon lequel mieux vaut prévenir que guérir reste plus vrai que jamais.

Mais l'accroissement du nombre des voitures individuelles et de la consommation médicale sont des facteurs de poids dans l'évaluation du produit national brut tel qu'il est encore actuellement défini. On ne pouvait par conséquent que se réjouir de cette expansion. Les deux secteurs sont d'ailleurs étroitement liés : jusqu'au cours des dernières années, les routes ont fait en France 350 000 blessés par an (l'équivalent de la population niçoise) et 1 500 000 blessés en Europe, auxquels s'ajoutent 100 000 morts, ce que Philippe Saint-Marc compare à un nouvel Hiroshima chaque année.

Or, le système de transport et le système sanitaire constituent les « outils » de la société, c'est-à-dire « des systèmes techniques et organisationnels créés par l'homme pour médiatiser ses relations avec ses semblables et son environnement ». De son analyse des exemples qui précèdent, J.-P. Dupuy conclut donc à la nécessité d'une critique entièrement nouvelle des outils de la société industrielle.

IV. LA SOCIÉTÉ DU « PRÊT À JETER »

Le rythme de croissance auquel sont soumises les économies des pays techniquement avancés depuis une trentaine d'années suppose, pour se maintenir, une forte augmentation de la consommation. Trois types de stratégies concertées permettent d'atteindre cet objectif : la création de nouveaux besoins et la stimulation des désirs par la publicité, l'ouverture de nouveaux débouchés à l'exportation et la réduction de la durée de vie des objets. Ce troisième point mérite une analyse particulière.

Pour consommer davantage, il faut en effet que les biens consommés durent de moins en moins longtemps, soit que les matériaux utilisés soient inférieurs en quantité ou en qualité (tôles très minces des carrosseries par exemple), soit que le progrès technique, joint aux fluctuations des modes artificiellement créées et entretenues, accélère le phénomène d'obsolescence, ce curieux procédé de raccourcissement « psychosociotechnologique » de la durée de vie moyenne d'un objet ou d'une machine. Point n'est besoin de lire la description que donne Alvin Toeffler[1] de nos sociétés du « prêt à jeter » pour savoir que les automobiles rouillent plus vite qu'autrefois, que les immeubles modernes de nos banlieues ne dureront pas ce qu'ont duré les maisons construites au XVIIIe siècle, et que les milliards engloutis dans la construction des centrales nucléaires devront être entièrement amortis en vingt ou trente ans, puisque la longévité de ces installations est inversement proportionnelle à leur taille et à leur coût. Cette diminution de la durée de vie des objets et des biens entraîne un rythme accru de leur consommation, et n'épargne rien, pas même les poupées des riches enfants américains.

Les objets éphémères.

Recevoir une nouvelle poupée en rendant l'ancienne moyennant une reprise, c'est s'adapter au goût du jour : mais c'est aussi changer de poupée comme on change de chemise. N'est-ce pas en même temps, pour cette petite fille qui aura un jour des enfants, la perte de l'attachement que nos mères ont encore pour « leur poupée », soigneusement conservée dans une malle du grenier des vieilles maisons d'Europe? Et comment ne pas voir avec

1. A. Toeffler, *Le Choc du futur,* Denoël, 1971.

Toeffler, dans un tel exemple, une préparation dès l'enfance à ces divorces à répétition, à cette « monogamie successive » de plus en plus pratiqués aux USA, où l'on se déprend aussi facilement des êtres que des choses?

Il est significatif que l'obsolescence frappe aussi les objets les plus spécifiquement culturels. Tel livre, pourtant primé et vanté il y a dix ans, a disparu de nos librairies – à moins qu'il n'ait eu la chance de commencer une carrière nouvelle en livre de poche. Et qui se souvient de tel ou tel compositeur, pourtant en vogue voici quelques années, mais déjà emporté par la vague déferlante des productions du siècle? On finit par s'interroger sur ce que la « sélection culturelle », digne fille de la « sélection naturelle », léguera de notre époque aux générations futures. Les médicaments eux-mêmes n'échappent pas à cette loi; une publicité récente indiquait que plus de la moitié des médicaments présents sur le marché français ont moins de dix ans : le changement est ici implicitement considéré comme un impératif catégorique de qualité, même si ce changement ne touche que la forme, l'enrobage, voire le conditionnement de la substance active.

Antiquités et fossiles.

A cette évolution brutale qui le désagrège, l'homme résiste par les moyens du bord. Comme ses ancêtres les primates, il recourt, pour marquer son territoire, à des signes permanents, en l'occurrence des objets auxquels il affecte une valeur sans commune mesure avec leur seule valeur d'usage : souvenirs de famille, objets anciens, bricolages « rétro », qui peuvent devenir, eux aussi, des moyens d'affirmer son rang. Ainsi, voit-on se multiplier les antiquaires, dont la fréquentation est le signe manifeste d'un confortable statut social. On peut d'ailleurs se demander comment ils répondront à terme à la demande sans cesse croissante d'objets anciens qui, par définition, ne sont pas renouvelables. Il y a bien encore quelques fermes ou quelques châteaux, voire quelques églises, miraculeusement épargnés du pillage qui étend ses ravages depuis quelques années. Cette appropriation individuelle d'objets d'art au détriment du patrimoine culturel de la collectivité est d'ailleurs accueillie avec une indulgence qui étonne. On peut voir aujourd'hui dans des appartements de grand luxe, sans que quiconque ne crie au scandale ou au blasphème, les plus beaux antiphonaires ou les plus riches sacramentaires des siècles passés, achetés à prix d'or par des amateurs, et ainsi privatisés.

Nous ne sommes plus, il est vrai, au siècle des grands élans collectifs. La lenteur de l'érection de la cathédrale de la Sainte-Famille à Barcelone montre assez que le temps de la grande aventure gothique est mort. Et la ville de New York a renoncé à achever la construction de la cathédrale Saint-John the Divine, pourtant en cours de travaux pendant cinquante ans. Or, nos plus grandes villes ne comptaient que quelques dizaines de milliers d'habitants quand elles édifièrent les chefs-d'œuvre qui défient les siècles. C'est désormais aux grandes sociétés et aux multinationales que revient le privilège d'élever pour leur propre gloire les « monuments » qui resteront la marque de notre temps. Les hypermarchés et les supermarchés sont les cathédrales des temps modernes; les gentilles « superettes », aux surfaces commerciales plus restreintes, n'en sont que les églises : quant aux banques, toutes parées de marbre, elles en sont les châteaux — ou plutôt les châteaux forts.

Mais faute d'objets anciens, peut-être se rabattra-t-on un jour sur les fossiles. Il suffit, après tout, d'en lancer la mode. Un fossile vieux de 3 millions de siècles ne saurait souffrir d'obsolescence. Et l'on aura tout le temps de s'attacher à lui avant qu'il ne vieillisse!

V. LES LIMITES DE L'EXPANSION EN AMONT ET EN AVAL

Ces vingt dernières années auront donc été marquées par une explosion sans précédent. L'espace a été transformé par d'intenses éruptions industrielles, d'étranges phénomènes de prolifération urbaine, une fébrilité et une mobilité accrues dans ces grandes fourmilières humaines que l'on croirait agitées par le mouvement brownien. L'univers familier a été envahi par une extraordinaire profusion de biens de plus en plus périssables : on dirait qu'il se « gadgetise ».

A ce double mouvement correspond naturellement, en amont, l'épuisement rapide des ressources naturelles dévorées par nos économies de cigales qui ne voient dans la nature qu'un réservoir; et en aval, la pollution et l'accumulation des déchets qui font de la nature un dépotoir. En d'autres termes : la crise de l'énergie et des matières premières, et la crise de l'environnement.

Ressources limitées ou réserves inépuisables.

La raréfaction et le renchérissement des ressources naturelles, énergie et matières premières, en provoquant l'augmentation des prix, donc le ralentissement de la consommation, finiront tôt ou tard par freiner la production.

Dans certaines régions, les forêts surexploitées s'épuisent et le prix du bois monte en flèche. Dans quelques décennies, il ne restera plus un grain de sable dans nos vallées alluviales, que gravières et sablières auront transformées en un inextricable lacis de plans d'eau et de carrières. La pollution des nappes phréatiques et des rivières obligent les communes à se procurer de l'eau à grande distance : d'où de coûteux travaux d'adduction, se chiffrant par dizaines de millions. Dépolluer l'air d'une région industrielle coûte bien davantage encore. La nature, l'espace, l'eau, l'air sont désormais des biens qui se raréfient et donc renchérissent : idée qui eût paru incompréhensible à la génération de nos grands-parents. Il en résulte autant de charges nouvelles qui obèrent les prix et accentuent les tendances inflationnistes.

Le premier rapport au Club de Rome [1] a produit de longues séries de chiffres, contestables et contestés, évaluant les réserves des matières premières disponibles et l'année présumée de leur

1. *Halte à la croissance?,* rapport Meadows sur les limites de la croissance, enquête pour le Club de Rome, Fayard, 1972.

épuisement au cas où nous serions assez fous pour continuer à les exploiter au rythme actuel. Il a eu en tout cas le mérite de poser un problème de fond qu'il n'est plus possible aujourd'hui d'éluder. Pour certains cependant, le progrès technologique aidant, il serait possible d'exploiter des minerais de plus en plus pauvres, les ressources devenant dès lors quasi illimitées (uranium extrait de l'eau de mer par exemple). A terme, on pourrait même fabriquer, par réaction nucléaire, les éléments à partir de l'hydrogène. Hypothèse avancée par une multitude de technocrates productivistes résolument décidés à refuser l'évidence : à savoir que notre pillage de la nature va plus vite que l'innovation technologique qui permettrait d'exploiter des minerais très pauvres à des coûts raisonnables. D'où l'accroissement rapide des coûts marginaux, entraînant l'inévitable renchérissement des produits fabriqués et par là même l'enrayage fatal de la machine à produire, ou une inflation incontrôlable, ou plus probablement les deux à la fois.

L'invasion des déchets.

Le second obstacle, en aval cette fois, est l'accumulation exponentielle des déchets résultant de l'accélération des processus de production et de consommation. Comment éviter la multiplication des décharges sauvages, dont les cimetières de voitures qui prolifèrent impunément sont les plus spectaculaires? Comment contenir la vague déferlante des dépôts d'immondices dans les sociétés où, comme aux États-Unis, chaque individu rejette chaque année plus de vingt fois son poids en déchets de toutes sortes? Que faire des 750 000 automobiles et des 500 000 mètres cubes d'appareils ménagers mis hors d'usage en France chaque année? Pour économiser les ressources en matières premières et pour maîtriser le problème des déchets, l'obligation de récupérer, de traiter, de trier et de recycler s'impose comme une inéluctable nécessité. Des dispositions légales ont d'ailleurs été prises récemment en ce sens. Bien plus, dans certains pays, l'inventaire des décharges d'ordures est en cours; car on sait déjà que, pour certaines matières premières rares, les métaux non ferreux par exemple, elles seront les mines de demain.

Tout se passe en effet comme si l'activité industrielle de l'humanité, depuis le siècle dernier, avait déclenché un formidable processus d'innovation et de sophistication technologiques, au prix d'un accroissement correspondant d'*entropie*[1] : les sociétés industrielles réalisent des performances de plus en plus brillantes, mais elles épuisent rapidement leurs ressources minérales et énergétiques.

Ces ressources sont inégalement réparties sur le globe, et exploitées là où elles forment des gisements riches, donc rentables. Mais cette exploitation est un processus irréversible qui entraîne, soit leur totale destruction (combustion du pétrole et du charbon), soit leur dilution dans l'environnement (métaux lourds tels que plomb ou mercure disséminés à doses infinitésimales dans l'air, l'eau, le sol, en tant que déchets des activités industrielles, agricoles ou domestiques).

L'industrialisation aboutit ainsi à un véritable nivellement énergétique; elle se nourrit au prix d'une irrémédiable dégradation des ressources minières et d'une dispersion diffuse des éléments rares dans l'environnement, rendant ces ressources inutilisables.

L'histoire de la vie nous offre des exemples semblables : l'entretien et l'expansion des humains, c'est-à-dire des systèmes les plus complexes de l'univers, exigent un flux croissant de matières premières et d'énergie sous forme de nourriture; or on sait que dans de nombreuses régions du monde, la pénurie alimentaire limite la croissance démographique. Car celle-ci bute sur l'épuisement ou l'insuffisance des ressources agricoles; la progression du désert au Sahel offre un bon exemple de ce « nivellement par le bas » des ressources disponibles et des tragiques conséquences, à terme, de ce type de pillage de la nature. Les économies productivistes risquent fort de se heurter d'ici peu à des phénomènes limitants de même ordre, lorsque

1. *Entropie :* fonction mathématique exprimant, en thermodynamique, le principe de la dégradation de l'énergie. Cette dégradation se traduit par un désordre accru de la matière.

telle ou telle matière première essentielle commencera à faire défaut. La croissance quantitative butera alors sur ses limites « naturelles », celles-là mêmes qu'annonçait le rapport de Meadows au Club de Rome.

Le pasteur André Dumas[1] résume bien la situation, lorsqu'il écrit : « Le temps de la Renaissance, où l'on découvrait la terre pour exploiter ses richesses, semble à son terme. Les signes s'accumulent que nous ne pouvons plus nous permettre une économie de cow-boys dévastateurs, mais que la terre en son entier constitue une sorte de vaisseau spatial; qui ne peut compter sur aucune autre ressource externe que celle qu'elle transporte avec elle depuis la poussée initiale, qui lui a donné naissance. Ce sont les nations les plus développées qui découvrent les premières le compte à rebours de l'usure de l'environnement, selon cette phrase maintes fois revenue dans les discussions : " un Américain actuel détruit en moyenne cent fois plus de nature que ne le faisait un Indien ". Si le reste du monde se développait autant que l'a fait l'Occident, l'écologie du monde serait sans doute irrémédiablement détruite. »

L'inéluctable régulation.

La société dite de consommation semble ainsi déclencher ses propres mécanismes régulateurs. Ses rythmes de développement répondent sans doute, mais il est encore trop tôt pour le savoir, aux lois mathématiques qui président à la croissance des populations dans toutes les espèces; celles-ci s'expriment par des courbes en S (Sigmoïdes) caractérisées par deux points critiques : le point de décollage où un phénomène de prolifération rapide se manifeste par une ascendance presque verticale de la courbe, puis un point d'inflexion à partir duquel l'expansion se ralentit et où la courbe s'aplatit ou s'effondre. Telle serait l'onde fondamentale du développement, observée sur une période pluriséculaire, et que les oscillations continues de la conjoncture ne nous permettent guère de saisir, tant nous obnubilent les seuls aléas du

1. A. Dumas, *Prospective et Prophétie,* Cerf, 1972.

court terme. Car les processus fondamentaux de l'évolution biologique ou sociale ignorent les rythmes de croissance continue : la dialectique permanente de la surchauffe et de la récession, si caractéristique du développement économique dans les sociétés industrielles, en offre, à un grossissement plus fort, observé sur des périodes plus courtes, une image particulièrement saisissante.

Les mécanismes de régulation qui viennent d'être évoqués, résultent de la stricte application des lois de Malthus et de Liebig [1] : une explosion démographique, un fort prélèvement de ressources, l'exploitation d'un milieu, fût-il la planète entière, ne peuvent se poursuivre que dans la limite des ressources disponibles. La raréfaction ou le renchérissement des ressources et la dégradation des milieux sont des facteurs de régulation automatiques que l'ingéniosité technologique peut différer, mais non éluder. Bref, la technosphère ne pourra continuer à tirer indéfiniment des chèques sur la biosphère, sans finir par épuiser le capital.

VI. L'ANTICIPATION DES RÉGULATIONS NATURELLES

Nous n'en sommes sans doute pas encore là. Les fabuleuses richesses minières des États-Unis qui en font une consommation effrénée, de l'URSS en pleine expansion, de l'Amérique latine, du Moyen-Orient, de l'Afrique qui commencent seulement à les exploiter, pourraient encore alimenter pendant plusieurs décennies les processus de croissance quasi exponentiels auxquels nous sommes accoutumés. L'évolution qui a transformé les sociétés

1. Liebig énonça en 1840 la loi dite « du minimum » selon laquelle la croissance des plantes est limitée par l'élément dont la concentration dans le milieu est inférieure à une valeur critique en dessous de laquelle les synthèses ne peuvent plus se faire. Cette loi a vu ensuite son champ d'application s'étendre, et l'on préfère parler aujourd'hui de « facteur limitant » : un facteur écologique (concentration en un élément, mais aussi T° par exemple) est limitant quand il tombe sous un seuil critique, ou s'il excède un niveau maximal tolérable, au-delà desquels l'être vivant ne peut survivre.

occidentales, issues de la première révolution industrielle, en sociétés de consommation, pourrait donc se prolonger encore avant de buter sur les limites physiques du développement. Mais pour combien de temps?

Les paris de l'optimisme.

Deux cents ans, répond Herman Kahn[1]. Pourfendant les « néomalthusiens » du Club de Rome et leurs méthodes « pseudoscientifiques », le directeur de l'Hudson Institute prédit deux siècles de croissance continue, au cours desquels les nations rentreront, chacune à leur tour et au rythme de leur propre développement, dans l'ère postindustrielle. D'ici à 2 176, le produit mondial brut serait multiplié par près de 60 (300 000 milliards de dollars contre 5 500 en 1976). Cet enrichissement généralisé entraînerait une stabilisation spontanée de la population qui plafonnerait aux environs de 15 milliards d'hommes. Le revenu par tête serait alors en moyenne de 20 000 dollars, soit dix fois plus que la moyenne actuelle dans les pays développés.

Sur quelles ressources minéralières, énergétiques et agricoles fonder une telle croissance? Pour Herman Kahn, 99,9 % des matières premières peuvent être considérées comme inépuisables : l'énergie nucléaire de fission permettrait de faire la transition, dès le début du siècle prochain, avec l'énergie de fusion, l'énergie solaire et la géothermie; enfin les cultures sur sols artificiels conduiraient à la mise en valeur des déserts, permettant de nourrir jusqu'à 50 milliards d'habitants.

Pour un changement d'échelle.

Croissance zéro ou forte croissance, qui a raison?

Mais c'est sans doute mal poser le problème que de s'en tenir à une appréciation purement quantitative de la croissance. On a vu les failles de ce mode de calcul. Dans quel état serait la planète

1. H. Kahn, *The next two hundred years,* New York, Morrow, 1976 (ouvrage analysé dans *l'Expansion,* mai 1976).

si le modèle de croissance actuel devait se poursuivre pendant deux siècles? Qu'en serait-il de l'air, de l'eau, des sols, de l'espace, des villes? Pour l'Institut européen d'écologie[1], « l'heure n'est plus aux chants de triomphe des sociétés axées sur la croissance matérielle. L'impasse où elles conduisent semble être de mieux en mieux perçue. La solution que préconise la théorie de la croissance zéro n'est que l'envers d'une même optique quantitative, où restent également contenus certains catastrophismes écologiques. C'est sur un autre registre qu'il faut tenter de passer... Tenter de sortir de cette problématique en se basant, non pas sur l'assouvissement des besoins, mais sur l'accomplissement des potentialités humaines. Plutôt que d'envisager des régulations par *feed-back*[2], on change d'échelle de référence ».

Car les systèmes économiques sont périssables et les vérités qu'ils assènent comme d'intangibles évidences ne valent que dans un espace-temps limité, et dans le cadre d'un système de référence prédéterminé, lui-même soumis à révision. Que valent ces « lois » qui prétendraient lier l'emploi ou le bien-être au taux de croissance, par un déterminisme aussi rigoureux que celui qui régit en physique la pesanteur ou la gravité? On pourrait tout aussi bien démontrer que la croissance crée le chômage. Pour cela il suffit de changer de système de référence : dans les pays de culture traditionnelle, sans contact avec la civilisation industrielle, la notion de chômage évidemment n'existe pas; pas plus d'ailleurs que la notion d'emploi. Mais que le processus du développement s'amorce, et des millions d'hommes quittent leur village et viennent grossir la masse des chômeurs de ces villes champignons qui prolifèrent dans le tiers monde.

Sur un point au moins, tout le monde est d'accord : les systèmes économiques nationaux et planétaires se dérèglent sous nos yeux. Comment expliquer leur vulnérabilité croissante?

1. R. Klaine, « Pour que demain commence », *Cahiers européens,* juillet 1976.

2. *Feed-back :* rétroaction des effets sur les causes, phénomène caractéristique des systèmes complexes et notamment des systèmes vivants, dont les effets tendent soit à aggraver le déséquilibre *(feed-back positif)* soit au contraire, à le réduire *(feed-back négatif)*. Dans ce cas, le *feed-back* est un moyen d'autorégulation des équilibres de la vie.

Les renversements de fortune.

D'abord par l'inégale répartition des ressources sur la planète; mais aussi par le fait que les pays les plus anciennement industrialisés, l'Europe notamment, sont près d'avoir épuisé les leurs. Pour eux le « facteur limitant » est désormais leur dépendance à l'égard des nouveaux producteurs du tiers monde, qui, prenant conscience de leurs atouts, font monter les enchères, c'est-à-dire les prix. L'augmentation du coût des matières premières ne ferait alors que préfigurer le scénario qui ne manquera pas de se développer lorsque celles-ci se raréfieront effectivement sur la planète. Mais pour l'instant, elle exprime surtout la volonté politique des producteurs de mieux tirer profit de leurs propres ressources. La modification des flux énergétiques, commerciaux et monétaires qui en découle, suffit à transformer profondément les données de l'économie planétaire, au détriment de ceux qui ont bénéficié jusqu'ici d'une situation privilégiée : les vieilles nations industrielles. Car on oublie trop que la croissance exponentielle et l'augmentation du niveau de vie par habitant sont restées le privilège des pays riches; et que ce privilège n'a pu être maintenu qu'au prix de la stagnation, voire de la dégradation de la situation économique du tiers monde. Or les données du problème tendent aujourd'hui à évoluer au profit d'autres pôles d'enrichissement et d'expansion. Il faut donc s'habituer dès maintenant à ne plus être les seuls riches de la planète; et sans doute demain à être un peu moins riches, engagés que nous sommes sur une courbe de croissance dont l'onde fondamentale, au-delà des aléas conjoncturels, semble devoir bientôt atteindre son point d'inflexion, tandis que d'autres prennent le relais de l'expansion, et que d'autres encore continuent de s'appauvrir. Saisissante illustration d'une des lois fondamentales de l'évolution biologique, matrice de l'évolution économique et sociale : il n'est pas d'évolution à rythme continu. Tandis qu'ici la poussée de la vie s'atténue déjà et amorce son déclin, une autre poussée naît ailleurs, qui annonce un nouvel élan et déclenchera à son tour de nouvelles régulations.

Ainsi se succédèrent, ou plutôt se superposèrent, les grands phylums de l'évolution biologique qui, à travers les temps géologiques, prirent successivement le relais les uns des autres; ils évoluèrent toujours en parallèle, avec un décalage dans le temps, les uns amorçant leur déclin tandis que les autres commençaient leur expansion; c'est ainsi que les reptiles ont reculé sous la pression des mammifères et que les fougères ont fait place aux plantes à fleurs. Des processus comparables, compte tenu de l'accélération qui caractérise l'histoire de l'humanité, se sont développés au niveau des civilisations. Enfin, au sein même de la civilisation industrielle occidentale, ces mêmes processus sont à l'œuvre, mais avec une cadence encore accélérée : il n'aura fallu que cinquante ans aux États-Unis pour supplanter l'Europe et vingt-cinq ans seulement à l'Allemagne pour détrôner la Grande-Bretagne. On comprend alors combien il est illusoire de soutenir, comme on le fait souvent, que le décalage entre le niveau de vie d'un Européen et celui d'un citoyen des États-Unis indiquerait en quelque sorte la marge de notre « expansion potentielle minimale ». Comme si la croissance économique, programmée par Dieu sait qui ou quoi, était nécessairement linéaire, universelle et planétaire. Or, il paraît chaque jour plus évident que la *croissance économique* ne se poursuit qu'au prix d'une *décroissance écologique,* tout comme une tumeur cancéreuse ne s'alimente qu'au détriment de l'organisme qu'elle épuise : dans les deux cas, le bilan final est désastreux.

A la recherche de nouveaux équilibres.

Certes les modèles biologiques, auxquels on fait souvent référence, ne s'appliquent pas automatiquement aux sociétés humaines. Celles-ci ne font que refléter des lois et des processus biologiques « inventés » par la vie bien avant leur émergence; des lois auxquelles elles sont soumises, mais qui pourtant ne les déterminent pas entièrement. Avec elles émerge en effet une fragile marge de liberté, laissant le champ ouvert à l'innovation, à l'imagination, à l'exploration de nouveaux modèles sociétaires et planétaires. N'est-ce pas précisément ce qui se cherche aujourd'hui de par le monde, dans la confusion des grandes remises en cause, et dans la profusion des propositions, des projets, des consultations où s'affrontent les intérêts divergents, mais où se dessinent aussi de nouvelles solidarités? N'est-ce pas ce qu'exprime la volonté de plus en plus affirmée d'un consensus global pour une meilleure gestion des ressources de la planète au bénéfice de tous?

Bref, dans les sociétés humaines, la régulation n'est plus abandonnée aux seuls déterminismes biologiques : les facteurs sociaux et culturels anticipent en quelque sorte sur les régulations naturelles dont la brutalité est légitimement redoutée : guerres, famines, épidémies, cataclysmes... Les excès d'une croissance mal maîtrisée et trop exclusivement quantitative provoquent dès à présent une prise de conscience généralisée et favorisent l'éclosion d'une nouvelle sensibilité collective. Celle-ci cherche avant tout la qualité, dans nos rapports avec la nature comme avec les autres hommes, selon de tout autres modèles de développement.

Brusquement, les phénomènes de pollution, d'encombrement, d'invasion, d'agression sont perçus avec acuité; les concepts riches mais flous d'environnement, d'écologie, de qualité de la vie de nouvelle croissance s'imposent avec force, déclenchant des réactions nouvelles qui vont au-devant des régulations de la nature et conduisent à une remise en cause radicale du type de croissance économique pratiqué au cours des deux dernières décennies.

3
Un environnement qui s'épuise

> « Fais que toujours ce que je retire de toi repousse vite,
> Fais que je ne touche ni à tes organes vitaux, ni à ton cœur. »
>
> Hymne à la terre, *Atharva Veda*

I. LA POLLUTION OU LE RÉVEIL DE L'INSTINCT

La prise de conscience des dangers que fait courir à l'humanité la pression croissante des pollutions et des nuisances contribue-t-elle à ralentir le développement économique? Il est difficile de le dire.

Certes les technologies antipollution sont dès à présent aux États-Unis et dans les pays scandinaves un secteur d'activités industrielles riche d'avenir. Mais les campagnes déclenchées contre telle ou telle usine réputée polluante ont pu décourager des investisseurs, en faisant naître de nouvelles interrogations sur les finalités des sociétés industrielles; elles ont pu également briser un élan et jeter le doute dans bon nombre d'esprits, freinant ainsi l'esprit d'initiative et d'entreprise, moteur traditionnel du développement économique.

La pollution pourtant n'est pas nouvelle. Des dépôts impressionnants de déchets qui suscitent aujourd'hui la curiosité des archéologues attestent que nos lointains ancêtres avaient eux aussi leurs « pollueurs ». Le manque d'hygiène si caractéristique de certaines sociétés traditionnelles entretient depuis la nuit des temps la permanence des grandes endémies et la résurgence périodique des foyers épidémiques sur la planète. Cette pollution biologique a fait infiniment plus de victimes que n'en a fait jusqu'ici la pollution d'origine industrielle ou agricole dans les sociétés développées.

De la pollution biologique à la pollution chimique.

D'où vient alors que celle-ci ait déclenché une prise de conscience aussi profonde et aussi rapide? On invoquera d'abord le besoin constant des hommes de lutter pour quelque grande cause, d'affronter quelque nouveau défi.

Les progrès spectaculaires de la thérapeutique des maladies contagieuses, grâce à la découverte des sérums et vaccins, puis des sulfamides et des antibiotiques, ont fini par triompher des maladies bactériennes les plus redoutées. L'espérance moyenne de la vie humaine à la naissance a fait un bond prodigieux, progressant de douze à treize ans environ en moins de trente années (1938-1964). Or voici qu'au moment où ce pari colossal est sur le point d'être gagné, de nouvelles menaces apparaissent, dont les risques pour la santé semblent particulièrement insidieux. Car à la pollution biologique des rivières, consécutive à la collecte des eaux usées domestiques qui restent loin d'être toujours convenablement épurées, s'ajoute la pollution chimique, inévitable contrepartie de l'explosion industrielle. L'ampleur du phénomène au cours des dernières années est spectaculaire. On buvait sans danger avant guerre l'eau de certains lacs aujourd'hui interdits à la baignade; et chacun s'est baigné enfant dans des rivières où il ne viendrait plus à l'idée de quiconque de se tremper.

Il ne s'agit plus désormais de pollution biologique, source de fermentations putrides, de proliférations microbiennes et de maladies contagieuses; de telles pollutions, issues de la nature, trouvent en elles leur propre remède : l'auto-épuration des eaux par le rayonnement solaire vient rapidement à bout de la prolifération des germes pathogènes. Aussi ces formes de pollution restent-elles généralement circonscrites à proximité des lieux d'émission, notamment des agglomérations humaines.

Aujourd'hui, en revanche, la pollution devient chimique. Elle n'est plus seulement, comme le note pertinemment J. Ternissien [1], une « souillure localisée » mais une « profanation diffuse de la nature », dans la mesure où ses effets s'étendent, parfois de façon imprévisible. Car il s'agit d'une lente, sournoise et constante diffusion dans l'air, dans l'eau et dans le sol, de molécules diverses, produites et répandues en quantités toujours plus grandes. Ces substances représentent soit les déchets des activités industrielles : produits de combustion, déchets nucléaires, métaux lourds, soit les molécules chimiques que l'homme utilise dans sa lutte contre les autres espèces, adjuvants chimiques de l'agriculture notamment. Les phénomènes spontanés d'auto-épuration n'ont plus de prise sur de telles substances qui s'accumulent et se diffusent insidieusement dans le milieu naturel. Les pesticides, les métaux lourds, les détergents non biodégradables, les effluents industriels traversent les stations d'épuration traditionnelles où la fermentation bactérienne les laissent intacts, puis sont véhiculés vers les rivières et vers les mers où ils s'infiltrent peu à peu dans les êtres vivants. Le plancton les accumule, puis le poisson qui s'en nourrit et dont la chair se comporte alors comme un piège à toxiques. Au bout de cette chaîne alimentaire, l'homme lui-même est menacé. Cet homme qu'aucun être, sauf cas d'anthropophagie, ne dévore vivant. Il vit donc vieux, et accumule longtemps. Sa longévité le condamne en outre à ne s'adapter que très lentement aux agressants chimiques. L'adaptation biologique se fait en effet pour l'essentiel par mutation génétique : une mutation qui conférerait une résistance acquise à un individu n'apparaîtrait donc, dans la meilleure des hypothèses, que par transfert à sa descendance, et ne se diffuserait à l'ensemble de la population que sur un très grand nombre de générations.

Il faudrait à l'espèce humaine des millénaires pour s'adapter à un poison auquel une bactérie ou un insecte s'adaptent en quelques années : car, d'une génération à l'autre, il ne se passe parfois que quelques jours pour un insecte, et pour les bactéries que quelques heures. L'histoire des pesticides est très éclairante à cet égard.

1. J. Ternissien, *Précis général des nuisances,* 6 tomes parus, Paris, Guy Le Prat, 1971-1974.

La course de vitesse entre insectes et insecticides.

Les insectes manifestèrent très vite des résistances aux pesticides classiques employés pour les détruire. En 1941, apparaissaient aux États-Unis les premiers poux résistant au DDT; dix ans plus tard, pendant la guerre de Corée, ils s'y étaient si bien adaptés que l'on put isoler des poux qui ne se développaient que si on ajoutait du DDT au milieu dans lequel ils vivaient. Ces mécanismes adaptatifs conduisirent naturellement à l'utilisation de quantités plus importantes de pesticides et à la mise sur le marché de produits nouveaux. On estime que plus d'un million de tonnes de DDT ont été répandus sur la planète. Or, le DDT s'accumule à travers les chaînes alimentaires et se concentre dans les graisses des animaux : c'est ainsi qu'en milieu terrestre, les vers de terre concentrent le produit auquel ils sont peu sensibles; mais les merles, qui se nourrissent de vers, s'intoxiquent.

Ces phénomènes de concentration chimique, à chaque étape de la chaîne des êtres vivants qui se nourrissent les uns des autres, peuvent être spectaculaires. F. Ramade[1] et J.-P. Cachan[2] en donnent plusieurs exemples : dans la faune des estuaires, pour une teneur dans l'eau d'une partie par milliard (PPB), on trouve dans le plancton 70 PPB, dans la chair des poissons, 15 parties par million (PPM) et dans la graisse des marsouins 800 PPM. La situation s'aggrave encore pour les oiseaux de mer qui sont exclusivement piscivores. Des colonies de grèbes qui fréquentaient le Clear Lake en Californie, après traitement de ce lac par un produit voisin du DDT, régressèrent rapidement et tombèrent de 1 000 couples nicheurs à une trentaine. Les animaux morts renfermaient jusqu'à 2 500 PPM dans leurs tissus.

Des phénomènes analogues ont été constatés en Hollande où l'hirondelle de mer a été complètement intoxiquée par des traces d'un pesticide, la dieldrine, contenue dans la mer du Nord. On en recensait 40 000 en 1950 : il n'en restait plus que 300 en 1965. Il a pu être prouvé que cette forte mortalité était due à

1. F. Ramade, *Éléments d'écologie appliquée,* Édiscience, 1974.
2. J.-P. Cachan, *Les Portes de l'avenir. L'écologie au service de l'homme et de la nature,* Éd. Horizons de France, 1972.

l'accumulation de dieldrine dans le foie de ces oiseaux. Les rapaces situés en fin de chaîne sont évidemment les plus menacés, ce qui explique leur rapide régression. Quand on sait enfin qu'un Américain contient dans ses tissus adipeux plus de 10 parties par million de DDT, que cette valeur atteint 19 PPM en Israël et 29 PPM en Inde, pays où ce pesticide a été massivement utilisé durant des années, on est en droit de s'interroger sur les conséquences de telles concentrations pour la santé humaine. A partir de quel seuil doit-on craindre l'apparition de troubles pathologiques : perturbation des régulations hormonales ou déclenchement de processus cancéreux? Nul ne peut encore le dire. La décision de réduire ou d'abandonner l'utilisation des pesticides chlorés paraît en tout cas fort judicieuse.

Mais l'accident le plus tristement célèbre reste celui de la baie de Minamata au Japon. Du mercure, rejeté dans la mer par une usine chimique, atteignait dans les tissus des poissons dont se nourrissaient les pêcheurs un taux 500 000 fois supérieur à celui de l'eau de mer. On compta plus de 110 morts et plusieurs centaines d'invalides.

Les « modèles » de pollution dans la nature.

L'art de répandre des molécules toxiques dans l'environnement au risque de s'intoxiquer soi-même n'est cependant pas le propre de l'homme. Car la chimie est une arme défensive, et parfois offensive, fort utilisée dans les rapports entre êtres vivants. Les leçons que nous donne ici la nature méritent qu'on s'y arrête.

Pour Pierre Delaveau [1] le poison est l'arme des faibles. Les animaux inférieurs, les serpents, les insectes recourent au poison, faute de moyens de défense traditionnels dont la nature pourvoit leurs frères supérieurs : épines, dents, défenses, griffes. On voit aussi les micro-organismes défendre leur territoire par les toxines qu'ils répandent autour d'eux.

L'exemple le plus connu est naturellement celui des antibiotiques. Ces substances, sécrétées par les micro-organismes du sol,

1. P. Delaveau, *Plantes agressives et Poisons végétaux,* Éd. Horizons de France, 1974.

ont la propriété d'inhiber ou de détruire à distance d'autres espèces bactériennes ou fongiques, stratégie que l'homme a remarquablement reprise à son compte à travers la déjà longue histoire des antibiotiques. Histoire dont on craint qu'elle ne s'essouffle quelque peu, car ici encore les résistances acquises contraignent les scientifiques à rechercher des antibiotiques toujours nouveaux, malheureusement de plus en plus rares. Il n'est pas sûr que l'on ne doive amèrement regretter, dans les décennies qui viennent, l'usage inconsidéré et immodéré des antibiotiques qui aura été fait pendant quarante ans, précipitant le mécanisme d'acquisition des résistances par les bactéries et gaspillant ainsi une arme thérapeutique d'une valeur sans précédent. On ne tue pas les moineaux à coups de canons.

Mais si l'exemple des antibiotiques est bien connu, celui des phénomènes d'antibiose chez les plantes supérieures l'est beaucoup moins. En fait, les plantes se livrent entre elles de véritables guerres chimiques, phénomènes que les spécialistes ont regroupé sous le terme de *télétoxie :* l'empoisonnement à distance. Les substances télétoxiques libérées par les racines, les feuilles ou les détritus d'une plante, inhibent la germination ou la croissance d'autres plantes.

Un curieux décret paru sous Napoléon III dispose que pour chaque noyer planté, l'État s'engage à construire ces sortes de tas de pierres d'environ 1 m 50 de hauteur, que l'on n'aperçoit plus guère aujourd'hui dans les champs, mais qui permettaient jadis aux paysans de déposer leur fardeau pour se reposer un instant. Incitation nécessaire, car les paysans n'aimaient pas les noyers et en plantaient peu. Ils avaient constaté que ces arbres gênaient la croissance de la luzerne, des tomates et des pommes de terre. On sait aujourd'hui que le noyer émet une substance chimique, la juglone : entraînée par les eaux de pluie qui lavent les feuilles et les fruits, elle s'accumule dans le sol d'où elle élimine les espèces annuelles [1].

1. Les espèces annuelles sont des herbes qui meurent en automne et passent la saison froide sous forme de graines qui germeront au printemps. Leur cycle se déroule donc sur une saison. Les espèces vivaces (voir ci-dessous) produisent également des graines en automne, mais ne disparaissent pas totalement. Elles sont permanentes, soit par leurs racines enfouies dans le sol qui

D'autres arbres présentent des phénomènes analogues, et le cas des conifères est sans doute le plus frappant. Il est aisé de constater que sous une forêt de conifères, pessière ou sapinière par exemple, la végétation herbacée est rare pour ne pas dire inexistante. Seule persiste une épaisse litière d'aiguilles mortes sur laquelle croissent, ici ou là, mousses et champignons. La première interprétation qui vient à l'esprit tend à rendre l'obscurité responsable de cette situation. Dans une forêt d'épicéas, par exemple, la quantité de lumière reçue au sol est inférieure à 1 % de la luminosité atteignant les cimes; elle paraît donc insuffisante pour permettre aux plantes du sous-bois d'effectuer la photosynthèse. Il n'en est pas de même des forêts de pins, comme les forêts landaises, où l'éclairement au sol est nettement supérieur et où cependant les espèces herbacées restent rares. Cette constatation a conduit J. Masquelier [1] à se demander si la grande pauvreté du tapis herbacé ne serait pas due à l'émission par la litière de substances inhibitrices de la germination. Une décoction d'aiguilles de pins permit aisément de confirmer cette hypothèse au laboratoire : le décocté gênait non seulement la germination de nombreuses graines, celles de blé en particulier, mais empêchait en outre les boutures de peuplier de former des racines.

Cette capacité propre aux conifères « d'empoisonner » leur environnement explique la pauvreté biologique des cours d'eau traversant des forêts fortement enrésinées, argument souvent invoqué, parmi d'autres, contre les plantations abusives de conifères trop fréquentes aujourd'hui.

Les pins et les noyers ne sont pas les seuls arbres à provoquer la débâcle des herbes sous leur frondaison. Les eucalyptus en particulier possèdent cette propriété à un haut degré, les phénomènes de télétoxie étant particulièrement accusés dans les régions arides, comme l'ont montré les études de Ch. Muller [2] sur le chaparral.

---

forment de nouvelles pousses à la belle saison, soit par l'ensemble de leur appareil végétatif (arbre).

1. J. Masquelier et J. Michaud, *Phytochimie et Recherche pharmaceutique,* compte rendu des 6e journées médicales de Dakar, 1969.

2. Ch. Muller, R.-B. Hanawalt et J.-K. Mc Pherson, « Allelopathic control of herb growth in the fire cycle of California chaparral », *Bull. Toney Botan. Club 1968,* 95, p. 225-237.

Les risques de l'autotoxicité.

Le chaparral est une végétation de type « garrigue », caractéristique des régions semi-arides de Californie. Elle est formée de plantes vivaces, à fort enracinement permanent, particulièrement riches en essences : d'où l'odeur caractéristique de la végétation méditerranéenne. Or ce chaparral a ceci de particulier qu'il n'y pousse aucune espèce annuelle, car les graines des plantes annuelles, que l'on trouve en abondance dans le sol, n'y germent pas. Lorsque le chaparral brûle, ce qui arrive souvent, on assiste à une brusque poussée de germinations et de floraisons d'annuelles. Puis ces herbes sont à nouveau éliminées par les espèces vivaces au fur et à mesure de leur réapparition. Plus étrange encore est le fait que lorsque le feu n'intervient pas régulièrement, c'est toute la végétation qui périclite; car dans ces milieux « vieillis » les graines ne germent plus, à quelque espèce qu'elles appartiennent.

On s'est naturellement demandé pourquoi cette végétation ne trouve son équilibre que par l'intervention régulière du feu, faute de quoi elle tend à dépérir. Muller a montré que les espèces vivaces répandent dans le sol des doses importantes de substances diverses, qui finissent par empêcher toute germination des annuelles. Le feu entretient le rythme cyclique de cette végétation : son passage détruit les substances télétoxiques très combustibles, ainsi que les plantes vivaces génératrices de ces substances; cette situation nouvelle favorise la germination des graines d'annuelles, dont certaines sont parfaitement adaptées à la chaleur et résistent au feu.

Ces recherches montrent comment on passe, dans la nature, de la télétoxie à l'autotoxicité : que le feu n'intervienne pas et les formations âgées d'arbustes vivaces dépérissent spontanément; en d'autres termes, à partir d'une certaine dose de substances toxiques répandues dans le milieu, les émetteurs finissent par s'intoxiquer eux-mêmes.

Ne faut-il pas voir dans cet exemple un modèle frappant de ces maladies professionnelles que l'on contracte en manipulant certains pesticides? A force d'empoisonner les autres, on devient victime de son propre poison.

Des phénomènes semblables ont pu être observés chez d'autres espèces telle la guayule, plante à gomme spontanée des régions désertiques du Mexique; dans leur habitat naturel, ces plantes sont très régulièrement espacées, chacune ayant son propre territoire. Mais comme la guayule est productrice de gomme, on entreprit de la cultiver. Or, dans les champs de guayule, un phénomène étrange se produisit : les plantes végétant au centre étaient fort chétives, environ deux fois plus courtes que celles poussant en bordure du terrain; et celles-là étaient à leur tour plus petites que celles qui poussaient aux quatre coins du champ, et semblaient très prospères. On finit par s'apercevoir que les racines de guayule émettent des proportions importantes d'acide transcinnamique, substance inhibitrice aussi bien pour la plante qui l'émet que pour les autres espèces. On comprend dès lors le mécanisme du phénomène observé : la concentration de toxique dans le sol est plus faible sur les bords qu'au centre, où les excrétions radiculaires toxiques se diffusent dans les quatre directions; elle est encore plus faible aux quatre coins du champ où les plantes sont les moins exposées, leurs racines exploitant des sols non contaminés.

Cet exemple montre comment, dans cette espèce, chaque individu protège isolément son propre territoire. Mais que l'homme vienne modifier cet équilibre en densifiant les populations par la culture, et des phénomènes d'agression mutuelle par intoxication se déclenchent. Ces plantes annoncent déjà, par leur comportement social, l'agressivité des sociétés animales et humaines, dont on verra qu'elle est liée à des problèmes de densité.

La pollution est donc bien antérieure à l'homme : répandre dans l'environnement des molécules toxiques relève des stratégies immémoriales par lesquelles tant d'organismes se débarrassent sur d'autres de l'encombrante production de leur *catabolisme* [1].

1. *Catabolisme :* série des réactions par lesquelles les substances chimiques formant la matière vivante se transforment et se dégradent, avant d'être éliminées en tant que déchets.

Psychanalyse du pollueur.

Polluer, en effet, c'est d'abord transférer les déchets de son activité domestique ou industrielle sur le territoire des autres. Qu'importe après tout de contaminer la foule innombrable des êtres vivants qui peuplent la nature et dont la vie, à première vue, ne nous concerne pas? Comment se sentir solidaire de ces rapaces devenus stériles par accumulation de pesticides chlorés dans leur organisme? La croyance populaire les classe parmi les animaux nuisibles; leur disparition devrait donc nous réjouir. C'est ainsi que peu à peu des espèces reculent, d'autres disparaissent, appauvrissant de manière irréversible le patrimoine biologique et génétique de la *biosphère* [1].

Mais les autres, ce sont aussi nos congénères spécifiques : des hommes vivant sur d'autres territoires, parfois lointains. Pour cette raison, ils ne nous concernent guère, eux non plus. Comment se culpabiliser pour un acte dont on ne perçoit pas les conséquences? Il est bien connu qu'à la guerre, on a moins de scrupules à ouvrir la soute d'un bombardier pour larguer sa cargaison de mort qu'à tuer soi-même un ennemi désarmé. L'homme, en réalité, ne se sent concerné dans sa chair que par ce qui le touche le plus immédiatement et le plus intimement.

Dans cette perspective, il nous paraît naturel de confier nos déchets à la rivière. Qui aurait l'idée de polluer l'étang de son jardin, intégrant ainsi la pollution à son propre patrimoine? Par contre, l'eau courante transférera les polluants sur d'autres territoires. A moins que...

A moins que dans dix ans ou dans un siècle, la législation ne contraigne les pollueurs à prélever en aval et à rejeter en amont. En ce cas, le pollueur se polluerait lui-même et du coup tout changerait. Idée révolutionnaire, mais qui pourrait bien faire son chemin dans les sociétés futures. Pour l'instant, on n'en est pas là, et on rejette en aval. C'est ainsi que les Pays-Bas reçoivent la pollution déversée dans le Rhin par les pays de

1. *Biosphère :* système constitué par l'ensemble des êtres vivants en interrelation qui peuplent la terre, et forment la mince pellicule de vie à la surface de la planète.

l'Europe industrielle situés en amont. Lorsqu'on sait que cette pollution est due pour une bonne part à des sels minéraux, et notamment à des chlorures en provenance des mines de potasse ou des exploitations de gisements de sel gemme, on comprend mieux la vigueur de la réaction des Hollandais, condamnés pendant des siècles à lutter contre l'invasion de l'eau de mer, et qui voient aujourd'hui des terres gagnées au prix d'un dur labeur menacées par une pollution saline d'origine continentale. L'eau salée les prend à revers!

Lorsqu'il s'agit de pollution de l'air, notre responsabilité paraît moins engagée encore. Car les vents dominants, comme chacun le voit en observant une cheminée industrielle, emportent les fumées vers d'autres territoires. Et tout naturellement chacun s'arroge le droit d'investir les espaces aériens, infinis et inappropriables, pour y répandre les produits les plus indésirables de son industrieuse activité. Il faudra longtemps pour que les conséquences des inversions de température, sorte d'effet « boomerang » rabattant au sol les fumées ou les vapeurs émises, deviennent une notion familière à tous; et beaucoup plus de temps encore pour que nous nous sentions alertés par la concentration de la pollution atmosphérique dans les régions polaires. Qu'importe si les lichens de la toundra régressent et, avec eux, les rennes qui s'en nourrissent et restent la première ressource des civilisations arctiques? C'est pourtant là, selon Pierre Gascar, un bien sombre présage[1]. Ces mêmes lichens ont totalement disparu des arbres de nos cités, en raison de leur grande sensibilité à la pollution atmosphérique. Comme jadis les oiseaux détectaient les accumulations anormales d'oxyde de carbone dans les mines de charbon, les lichens sont aujourd'hui de précieux indicateurs de pollution. Ils rendent compte en particulier de l'acidification de l'air par l'anhydride sulfureux, consécutive à la combustion des fuels domestiques et industriels, et qui contribue à expliquer l'augmentation inquiétante de la pathologie pulmonaire : bronchites chroniques et cancers du poumon.

On a constaté au cours des dernières années que le taux moyen de pollution atmosphérique en milieu urbain n'est pas seulement

1. P. Gascar, *Le Présage,* Gallimard, 1972.

lié au nombre d'habitants, mais aussi à leur niveau de vie. La pollution est devenue un luxe de possédants, comme on le voit à Paris où l'air du XVIe arrondissement est aujourd'hui plus pollué que celui du XIe, bien que ce dernier soit nettement plus peuplé. Ainsi, par un juste retour des choses, les « beaux quartiers » de nos grandes villes, avec leur chauffage au fuel et la climatisation des immeubles, grande consommatrice d'énergie, sont plus pollués que les faubourgs industriels.

Pollution et santé.

L'importance des interactions entre le monde moléculaire et l'organisme humain apparaît avec éclat dans l'estimation selon laquelle 80 à 90 % des cancers seraient dus à l'environnement [1]. On connaît aujourd'hui avec certitude la responsabilité du tabac et de l'alcool dans le développement des cancers de la cavité buccale et de l'appareil bronchopulmonaire. Mais on perçoit mieux chaque jour l'impact de la pollution de l'air et de l'eau, et les effets cancérigènes de nombreuses molécules considérées comme banales, de sorte que la mauvaise qualité de l'environnement semble peser de plus en plus lourd sur le bilan global de la santé; elle contribue sans doute à expliquer l'inquiétante stagnation depuis quelques années de l'espérance moyenne de vie.

Il reste que le public, mal informé de ces problèmes, continue à penser que la santé ne peut s'améliorer que par l'accroissement massif des dispositifs de soins. Cette préoccupation a d'ailleurs été considérée comme prioritaire lors de la consultation des régions pour l'établissement du VIIe Plan, priorité dont les gouvernants doivent naturellement tenir compte. Mais il ne leur est pas interdit d'interpréter la demande, et d'anticiper quelque peu sur l'évolution naturelle de l'opinion. Quittes à braver l'impopularité, ils doivent mettre en place dès à présent une politique de santé où une part beaucoup plus large sera faite aux efforts de prévention : quand on sait qu'une personne fumant deux paquets de cigarettes par jour voit son espérance de vie amputée d'au

1. Symposium international sur le cancer (CIRC), Lyon, 3-5 novembre 1975.

moins cinq ans; quand on connaît le rôle déterminant d'un mauvais régime alimentaire sur la genèse des maladies cardiovasculaires, première cause de mortalité dans les sociétés industrielles, on mesure l'urgence d'un effort éducatif national en matière de prévention, de diététique et d'hygiène. Un tel effort touchera l'ensemble de la population, au détriment de l'ultrasophistication ruineuse de certaines techniques hospitalières, qui n'aboutissent souvent qu'à prolonger les malades de quelques jours.

René Dubos [1] a montré que les maladies sont des phénomènes de civilisation; les grandes épidémies de peste étaient une retombée des croisades, et la tuberculose s'est développée au XIXe siècle dans les mines, les manufactures et les corons sans air et sans lumière. Elle a régressé spontanément lorsque les conditions d'hygiène et le cadre de vie se sont améliorés. Les sociétés industrielles contemporaines se développent dans des environnements chimiquement très chargés : du coup le cancer progresse à raison de 3 % par an, et le nombre des cancers a doublé depuis 1937. L'augmentation rapide du niveau de vie autorise d'autre part une alimentation trop riche, qu'aggravent la sédentarisation croissante et le manque d'exercice physique. Dans ces conditions, l'organisme « brûle » mal ses aliments et « s'encrasse » : il en découle l'hémorragie cérébrale et l'infarctus. Ce sont donc les conditions de vie qu'il faut d'abord changer. En améliorant le terrain, on fait reculer la maladie. Or la lutte antipollution est l'un des moyens privilégiés à mettre en œuvre pour atteindre ces résultats.

Mais les écologistes ont tort d'avoir raison trop tôt, et les arguments avancés par les industriels semblent plus immédiatement pertinents, en cette période d'instabilité économique où la lutte contre l'inflation n'engage pas à investir dans la technologie antipollution. Il en a d'ailleurs toujours été ainsi, comme le note Philippe Lebreton [2] : « Les industriels du plomb ont longtemps nié la réalité du saturnisme; les industriels de la cigarette ont longtemps nié l'étiologie du cancer du poumon, les industriels de Minamata ont longtemps nié la responsabilité du mercure, les

1. R. Dubos, *Mirage de la santé,* Denoël, 1961.
2. Ph. Lebreton, *Aspects écologiques de l'électronucléaire,* document diffusé par le Mouvement écologique, 65, bd Arago, 75014 Paris.

industriels de l'amiante ont longtemps nié l'asbestose. Et comme personne n'est encore tombé raide mort en visitant une centrale nucléaire (ni en visitant une usine de produits chimiques ou un atelier de la SEITA), les promoteurs de l'atome ont beau jeu de nier une responsabilité qui, de toute façon, s'exprime en termes différés et statistiques, c'est-à-dire en termes d'irresponsabilité collective. »

C'est là le fond du problème : dans un accident de la route, le blessé établit un lien évident entre son état et les circonstances qui l'ont produit; la recherche des responsabilités aboutit aisément à mettre en cause une erreur de conduite ou une défaillance technique. Mais qui fait le lien entre une maladie, un cancer par exemple, et tel produit chimique ou radioactif présent dans l'environnement? La cause du mal est diffuse, insaisissable, indiscernable, sauf dans quelques cas particuliers qui relèvent le plus souvent de la médecine du travail (émanations ou maniements de produits dangereux dans un atelier). Lorsqu'il s'agit de l'environnement global, les responsables de sa dégradation sont si nombreux qu'ils finissent par disparaître dans l'anonymat. Aussi appartient-il à la collectivité nationale et internationale de prendre en charge la tâche urgente de reconquête de l'environnement.

Il est certain que les mesures actuellement déployées par les États ou les organismes internationaux porteront leurs fruits dans l'avenir. Dès à présent, de nouveaux dispositifs expérimentaux sont mis au point qui permettront de prévoir le comportement d'une molécule nouvelle introduite dans l'environnement. On s'achemine ainsi vers la mise sur le marché de molécules plus sûres, ayant subi avec succès de nombreux tests d'*écotoxicité,* selon des protocoles expérimentaux inspirés de ceux qu'on utilise pour la sélection des médicaments, et visant à mieux prévoir leur devenir et leur impact (accumulation, toxicité, biodégradabilité, etc.). Ce superorganisme fragile qu'est la biosphère sera ainsi traité avec la même délicatesse que l'organisme humain, et les produits nouveaux destinés à y être introduits seront sélectionnés avec circonspection. Les effets potentiels sur la santé humaine seront également évalués, grâce à la mise en œuvre de tests appropriés (carcinogenèse, mutagenèse, tératogenèse, etc.).

Psychanalyse de l'antipollueur.

Si dans la lutte contre la pollution des initiatives heureuses sont prises de toutes parts, c'est d'abord à la pression de l'opinion publique qu'on doit l'attribuer; et plus particulièrement, des couches les plus jeunes de la population.

Il est tout à fait curieux en effet de constater à quel point les problèmes de pollution sensibilisent les adolescents et même les enfants. Certes le bruit reste la nuisance la plus durement ressentie : une personne sur cinq environ en souffre effectivement. Pourtant, les conférences sur le bruit ne rassemblent jamais que des auditoires restreints et d'un âge respectable, dont les récriminations visent, à bon droit, les jeunes cyclomotoristes, infligeant à une ville entière, consciemment ou non, les pétarades que l'on sait, et réveillant au cours de leurs slaloms nocturnes des centaines, voire des milliers de citadins. En revanche, les problèmes de pollution drainent toujours un vaste public, jeune et militant. A quoi tient cette sensibilité nouvelle qui conduit tant de jeunes à faire la leçon à leurs parents en matière de protection de la nature?

Certes, la pollution est à la mode; elle fait partie de l'environnement culturel familier de l'enfant ou de l'adolescent. Les média aidant et, l'imprégnation jouant, il est normal qu'ils s'intéressent davantage à ces thèmes que l'adulte, gêné par son acquis pour intégrer des idées nouvelles. Mais il y a plus, et la loi biogénétique de Haeckel peut nous apporter sur ce point un éclairage inattendu.

Pour Haeckel « l'*ontogenèse* [1] retrace la *phylogenèse* [2] » : en d'autres termes le développement d'un individu répète les dif-

1. *Ontogenèse :* série de transformations subies par un individu depuis l'œuf jusqu'à l'être parfait.

2. *Phylogenèse :* série de transformations subies au cours de l'évolution biologique par les êtres vivants issus d'une même souche, et aboutissant à un groupe d'espèces dont on peut ainsi établir les filiations généalogiques (phylum).

férentes phases de l'évolution biologique qui ont conduit à la formation du groupe zoologique auquel il appartient et, par extension, au développement de la vie depuis ses origines. Bref, en suivant l'évolution d'un embryon et d'un être jeune, on retrouve les grandes étapes de l'évolution biologique. Pour chacun d'entre nous, en effet, la vie commence par un œuf monocellulaire, niveau d'organisation des protozoaires; cet œuf par division donne d'abord un amas pluricellulaire, évoquant l'organisation primitive des premiers métazoaires, puis un embryon de plus en plus perfectionné. Ces transformations s'effectuent entièrement dans un milieu aqueux, l'utérus, témoin des origines marines de la vie. La naissance marque l'émergence à la vie terrestre : comme nos ancêtres les poissons durent jadis le faire, le petit homme apprend l'art difficile de la respiration pulmonaire d'abord, puis de la reptation, suivie de la marche quadrupède et enfin de la station debout. Sont ainsi successivement franchis les stades du poisson, du reptile, du mammifère et du primate. L'enfant n'acquiert le langage qu'après avoir traversé toutes ces étapes, dépassant le niveau de développement des espèces qui nous précèdent dans la chronologie et la hiérarchie des êtres vivants. La culture relaie alors la nature, et l'adolescent s'initie au savoir et au savoir-faire accumulés par les générations qui l'ont précédé. En quelques années, il réalise des progrès et des performances techniques qui ont demandé des millénaires de tâtonnements et d'efforts à l'humanité. Le développement éducatif se superpose au développement biologique et l'ontogenèse retrace désormais la *sociogenèse*[1]. Chaque individu parcourt ainsi, dans un raccourci saisissant, l'histoire de la vie et, au moins partiellement, celle de l'humanité.

L'instinct règle souverainement les premiers stades de l'existence. La conscience de l'environnement et du moi se développe laborieusement, et le petit homme apprend peu à peu à tirer les conséquences de ses expériences et à se comporter partiellement en être raisonnable : ne parlait-on pas jadis d'un « âge de rai-

1. *Sociogenèse :* série de transformations subies par une communauté vivante au cours de son histoire, et qui permet d'établir les étapes qui ont conduit à l'état actuel d'une société.

son »? Vient ensuite la puberté, tardive maturation des pulsions sexuelles qui continueront à marquer les comportements de l'adolescent, puis de l'adulte durant toute sa vie. Car la sphère affective et sexuelle échappe plus que toute autre à la maîtrise de la raison, et les pulsions primitives continuent de s'y exprimer avec une vigueur particulière. Pourtant la rationalisation et la relativisation de son vécu conduisent l'adulte à tenir compte toujours davantage du poids des expériences et des routines, donc à adapter au mieux ses comportements. La jeunesse exprime au contraire, par sa spontanéité et son élan, la poussée primordiale de l'instinct vital, en deçà de tout effort d'analyse et de contrôle rationnel.

Le langage de l'instinct?

Mais alors, la violente réaction de la jeunesse contre la pollution ne serait-elle pas une expression de l'instinct de l'espèce, une sorte de riposte innée contre cette nouvelle menace que l'empoisonnement de la nature et des éco-systèmes fait peser sur l'humanité? Songeons avec quelle sûreté l'instinct détourne les animaux non domestiques de plantes ou de proies toxiques. Des signes visibles sont d'ailleurs souvent prévus à cet effet : c'est une stratégie habituelle chez les insectes que de se parer de rouge, pour signaler à tout candidat prédateur le risque d'empoisonnement qu'il courrait en le dévorant. Plus astucieux encore sont les insectes rouges qui produisent leur effet répulsif sans contenir le moindre poison. Car le rouge est dissuasif depuis toujours : le liséré rouge imprimé sur nos médicaments ou le feu rouge de nos carrefours ne sont que des emprunts récents aux stratégies immémoriales de la vie.

Certes l'accident est toujours possible, car il existe bien des pièges dans la nature qui déroutent le prédateur et le conduisent à sa perte. Pourtant l'empoisonnement des animaux sauvages et dans une moindre mesure domestiques, ces derniers s'étant dénaturés par leur contact étroit avec l'homme, reste exceptionnel. Soyons donc attentifs au signal d'alarme que les plus jeunes nous adressent lorsqu'ils déclenchent avec ferveur des campagnes antipollution. A travers leurs bruyantes réprobations, peut-être est-ce un peu de ce qui reste d'instinct à l'espèce qui s'éveille et nous parle...

Un peu seulement, car d'instinct, en vérité, il ne nous en reste guère; et ce qui reste n'est plus « opérationnel ». On le voit à l'ardeur que mettent les enfants à porter n'importe quoi à leur bouche, y compris les baies ou les liquides toxiques. Il est vrai que là où l'instinct défaille, un savoir empirique d'abord, scientifique ensuite prend le relais. Mais le savoir empirique commence à son tour à faire défaut. Car l'acquis multimillénaire de l'espèce nous est de piètre utilité, pour nous aider à vivre dans des environnements nouveaux et fortement artificialisés, c'est-à-dire dans des conditions de vie individuelle et collective sans précédent. Ce qui exige des acquisitions nouvelles, des adaptations improvisées au « choc du futur », mais entraîne en revanche le rapide désapprentissage du savoir empirique qui, depuis la nuit des temps, réglait les relations de l'homme avec la nature. On ne s'étonne plus aujourd'hui de voir une maman se précipiter sur un enfant qui met une mûre ou une prunelle à la bouche, sous prétexte que « c'est sans doute du poison »; ou de voir un citadin jeter du picotin devant un malheureux cheval, croyant qu'il saura le picorer comme font les poules. De telles façons de faire auraient stupéfait nos ancêtres. Elles témoignent de la profondeur de la rupture qui s'est consommée en une génération.

Les campagnes antipollution de la jeunesse tendent à combler ce fossé et débouchent sur de nouveaux comportements. Elles correspondent ainsi au déclenchement, par rétroaction, d'un processus d'adaptation visant à modifier l'environnement dans un sens plus favorable.

II. L'AMÉNAGEMENT OU LA « CONSOMMATION DE L'ESPACE »

La transformation des espaces ruraux ou urbains, la dégradation des sites et des paysages représentent une forme de pollution qui devrait nous frapper davantage, car elle est plus directement perceptible. Pourtant, dans la plupart des cas, et à l'exclusion de certaines zones particulièrement sensibles, ces transformations s'effectuent par une succession d'interventions ponctuelles auxquelles nous nous adaptons au coup par coup : car aucune n'est suffisante à elle seule pour provoquer une prise de conscience brutale et immédiate, même si leur accumulation au cours des vingt dernières années a produit une modification de l'espace sans précédent. Seuls les très grands projets d'aménagement suscitent des réactions contestataires, ou encore les agressions caractérisées de certains sites historiques ou de zones très pittoresques. Pourtant les grands travaux de génie civil, l'hyperconcentration urbaine, la transformation des centres-villes et des périphéries, la création des grands complexes industriels, la densification des espaces bâtis sur certaines zones littorales, l'encombrement des grandes vallées fluviales, l'élimination des haies vives en pays de bocages, l'assèchement des zones marécageuses ont bouleversé la face de la terre en un rien de temps, si l'on se réfère à l'échelle des temps géologiques. La terre bourgeonne, boutonne, pustule, exfolie, desquame, pèle, se dessèche. L'oasis de l'univers, notre planète, héberge sur sa peau une nouvelle galle : l'*homo faber*.

La mort des fleurs et des oiseaux.

Durement agressée, la nature recule à sa manière : silencieusement, et sur la pointe des pieds.

Certes, les surfaces sacrifiées aux grandes opérations d'aménagement sont impressionnantes : l'extension des villes, des usines, la construction des routes, des aéroports, l'exploitation des carrières et des gravières absorbent chaque année des milliers d'hectares. Entre 1965 et 1970, la région parisienne a perdu 1 900 hectares d'espaces verts, soit l'équivalent de la superficie des bois de Boulogne et de Vincennes réunis. Le littoral recule sous la pression du béton.

On estime qu'en France 100 000 hectares sont « consommés » chaque année par l'industrialisation, l'urbanisation et les infrastructures routières ou autres, chiffre vraisemblable lorsqu'on sait que 1 000 kilomètres d'autoroute à trois voies requièrent 10 000 hectares.

A ce recul spectaculaire des espaces naturels, cultivés ou boisés, s'ajoute la régression, moins immédiatement perceptible, des faunes et des flores. Pourtant les chiffres sont éloquents. Des études précises effectuées en Belgique[1] montrent que chaque année, depuis le début du siècle, une espèce végétale disparaît du territoire belge; en outre 200 espèces ont perdu plus de 75 % de leur population. Depuis le siècle dernier 49 espèces ont disparu de l'Anjou.

Pour les animaux, le bilan est consternant. Dans *Avant que nature meure,* Jean Dorst[2] dresse la longue liste des espèces éteintes ou en régression rapide du fait de l'homme, sur tous les continents. On éprouve à la lecture de cet ouvrage un malaise profond; mais il n'exclut pas tout espoir. En effet, les massacres perpétrés par l'homme au fur et à mesure de sa prise de possession de la terre, depuis la Renaissance, ont été tels qu'ils ont déclenché une réaction extrêmement vive de l'opinion. Il n'y a plus aujourd'hui 1 % des habitants de nos pays qui, interrogés, ne se prononcent en faveur de mesures de protection et de sauvegarde. Pourtant malgré ces pétitions de bonne volonté, et malgré les réglementations qu'elles ont pu imposer, nul n'oserait affirmer que la situation s'améliore. Tout laisse penser au contraire qu'elle continue à se dégrader.

L'irruption massive des pesticides et de la chimie, et la transformation des milieux de vie qui supprime certains habitats par remembrement, drainage ou prélèvement à des fins non agricoles, précipitent le mouvement de recul généralisé de la nature. Écologie et économie restent deux notions antinomiques, qu'il faudra bien réconcilier au plus vite, sous peine de désastre.

Mais, dira-t-on, à quoi peuvent servir ces espèces qui disparaissent? Il serait facile de répondre : à quoi servons-nous, nous-mêmes? Mais reprenons l'argument, car la question posée est en réalité celle-ci : à quoi peuvent-elles *nous* servir? La réponse est simple : ces plantes, ces animaux sont ce que nous avons de plus utile, de plus cher, de plus beau dans notre environnement.

1. L. Delvosalle, F. Demaret, J. Lambinon et A. Lawalree, *Plantes rares, disparues ou menacées de disparition en Belgique,* ministère de l'Agriculture, Service des réserves naturelles, Trav. 4, Bruxelles, p. 129.

2. J. Dorst, *Avant que nature meure,* Delachaux et Niestlé, 1970.

Chacun joue son rôle sur la grande scène de la vie et contribue au maintien des équilibres de la nature, dont nous sommes tributaires, par l'oxygène que nous respirons, la nourriture que nous prélevons, les matières premières que nous utilisons...

On objectera encore que quelques espèces devraient y suffire : celles précisément que nous domestiquons, élevons ou cultivons. C'est oublier que, chaque année, dix plantes sauvages trouvent une application nouvelle dans l'industrie, l'alimentation ou la thérapeutique. Si nous appauvrissons le patrimoine biologique, si nous vidons le réservoir, nous nous coupons de nos arrières, nous brûlons nos vaisseaux. Et d'ailleurs, qui peut tenir longtemps sans oiseaux et sans fleurs, dans un monde entièrement minéral ou artificialisé : en prison, ou dans une capsule spatiale?

A chaque poussée de notre industrieuse et fébrile activité, un peu de nature meurt pour toujours; car on sait tout faire, sauf ressusciter une espèce morte. Et nous tuons plus d'espèces que l'évolution, infiniment lente, n'en crée dans le même temps. Mais ce processus de dégradation se poursuit dans le silence : les espèces s'éteignent sans protester. Comment pourrions-nous les entendre, assourdis par notre propre tumulte? Aussi l'appauvrissement du potentiel génétique global par disparition d'espèces n'est-il guère perçu que par les spécialistes [1]. Les effets cumulatifs sont différés et nous vivons dans l'insouciance. La facture, c'est pour plus tard.

Aménagement ou déménagement?

Les conséquences à long terme de nos interventions sont d'ailleurs difficiles à évaluer. On commence seulement à percevoir le danger de certains types d' « aménagement ». Tels ces remembrements effectués dans les zones de bocages, où la disparition des haies vives, devenues sans intérêt puisqu'elles n'as-

1. La création de banques de gènes est à l'ordre du jour : il s'agit de conserver sous forme de collections les espèces rares ou menacées, ainsi que les races et variétés caractéristiques de chaque région. Si de telles mesures de protection s'imposent, elles ne devraient pas servir d'alibi pour un relâchement de l'effort global à mettre en œuvre en vue de conserver la riche diversité des milieux naturels.

sument plus leur fonction de production de bois de chauffage, a entraîné des effets secondaires prévisibles, et pourtant totalement imprévus : modification des microclimats par une exposition accrue aux vents, notamment en région littorale ou sub-littorale, réduction de la faune et de la flore sauvage favorisant la disparition de certaines espèces fragiles menacées par les herbicides, et qui trouvaient refuge dans ces zones protégées, recul du gibier, perturbation du système hydrographique, baisse des nappes phréatiques, etc. Il arrive que les haies soient détruites au printemps quand les oiseaux nichent! Mais qu'importent alors les oiseaux, et les hécatombes d'œufs, d'oisillons et de nids?

Comment ne pas être choqué par le pullulement de maisonnettes ou de bicoques hideuses au cœur des plus beaux sites, par l'urbanisation sauvage et incohérente des littoraux ou des rives des lacs et des étangs, par la dispersion anarchique des résidences secondaires, par la destruction du patrimoine historique de tant de villes et de villages, par l'abâtardissement des styles et des traditions locales, enfin par cette perte du sens de la mesure, de l'harmonie, et de ce qu'il est convenu d'appeler l'échelle humaine?

L'équilibre millénaire de l'homme et de la terre est rompu. Jadis, le choix des matériaux permettait d'intégrer la demeure dans le paysage : le granit breton, l'ardoise angevine, la tuile romaine. Aujourd'hui, les matériaux en tôle et en plastique constituent les normes universelles de la laideur (et ne parlons pas des bétons dont beaucoup vieillissent fort mal). Or « la maison est aussi à ceux qui la regardent [1] ».

Bien plus, l'homme renforce son pouvoir sur la nature et marque le paysage par la brutalité et l'inconscience de ses interventions, avec toute la puissance des outils que le progrès technique met entre ses mains. Qui n'a vu un bulldozer abattre allégrement des centaines d'arbres en quelques heures sans qu'apparemment le conducteur se pose la moindre question? C'est pourtant ce même homme, qui, quelques instants plus tard, retrouvant son propre jardin, arrosera amoureusement ses fleurs et criera son infortune si une seule d'entre elles est menacée par un

1. Proverbe chinois.

puceron. Le voilà bien, l'homme parcellisé, dispersé, incohérent. Certes, on jurera de replanter : comme si un arbre en valait un autre; et comme si un chêne multicentenaire pouvait être remplacé, du jour au lendemain, par l'un de ces arbrisseaux gringalets qui mettra des années à s'affirmer dans le paysage. Les hommes d'autrefois, et aujourd'hui encore les anciens de nos villages, voyaient dans les vieux arbres le symbole même de l'enracinement et de la pérennité. Mais l'homme de la civilisation technique a perdu cette dimension. L'arbre, considéré comme un élément interchangeable du décor, n'est plus que le produit d'une nature qu'il convient d'exploiter : il l'évalue donc en stères de bois.

Le prix de l'arbre.

L'aménagement, qui commence trop souvent par un véritable massacre de la nature, suppose donc une remise en ordre soignée. Les Scandinaves le savent bien, qui plantent les arbres avant les maisons dans les nouveaux quartiers. Quant à nous, nous plantons tout au plus ces jeunes arbustes nains, cotoneasters ou genévriers, dont la mode fait rage : les jardins des nouveaux lotissements se peuplent de ces « rampants », comme si l'arbre solide, dressé, enraciné, faisait peur. Mais l'arbre est victime du culte de la lumière et du soleil, ces nouvelles idoles dont il sera question plus loin. Nos grandes baies vitrées doivent à tout moment nous « livrer » le paysage. Car on ne se love plus aujourd'hui au creux d'un bosquet : on construit en hauteur, bien en évidence, et on s'approprie la vue. Et, comme tout le monde en fait autant, le paysage se ponctue et se mite de ces initiatives disparates et toujours agressives.

Seul l'arbre permettrait de rattraper les paysages. Mais nous avons rompu avec lui : il n'est que de voir les banlieues de nos villes, ou ces zones industrielles à l'aspect désespérément minéral. Quant aux supermarchés des périphéries urbaines, conçus tout exprès pour l'homme motorisé, quelques drapeaux ridicules les dispensent de tout espace vert. Il faut au plus vite nous réconcilier avec l'arbre. Et il est urgent d'imposer des normes en matière de paysage, comme on le fait déjà en matière de pollution : planter tant d'arbres à l'hectare bâti, joindre un projet et un budget environnement au permis de construire, etc.

Il en résultera nécessairement une refonte complète du droit foncier : la maîtrise de l'environnement bâti suppose la maîtrise des sols. Et le droit de construire ne pourra plus être lié au droit de propriété. A la règle actuelle qui veut que l'on puisse construire partout, sauf interdiction, devra bien un jour se substituer la règle inverse : on ne pourra construire nulle part, sauf dans les périmètres prévus à cet effet, comme le prévoit dès à présent le Code d'urbanisme des Pays-Bas. Ce qui permettra d'aménager effectivement l'espace, en délimitant les zones constructibles et en interdisant définitivement toutes initiatives ailleurs.

Le bilan de ces initiatives, qui aboutissent à l'urbanisation anarchique des campagnes, est désastreux, non seulement sur le plan esthétique mais aussi sur le plan économique : temps perdu en déplacements, coût énergétique des transports individuels (la dissémination ne permettant pas l'organisation de transports en commun), coût des équipements nécessaires (routiers, assainissements, voies et réseaux divers), atteintes aux sites et paysages, perte d'espace productif au détriment de l'agriculture... Signe spectaculaire d'un individualisme exacerbé que l'automobile permet d'étendre désormais à l'appropriation de l'espace, ce type d'aménagement exprime le désir bien naturel d'échapper à l'asphyxie des grandes villes. Mais il exige des investissements coûteux, sinon ruineux, et c'est la collectivité qui en fait presque tous les frais. En zones périurbaines, les coefficients d'occupation des sols très bas, imposant au candidat constructeur de justifier d'une superficie de terrain importante pour pouvoir construire, aboutissent aux mêmes errements et doivent être proscrits : en favorisant un habitat individuel de luxe, ils aggravent la ségrégation sociale au prix d'un lourd sacrifice pour la collectivité, ce qui est bien le comble de l'injustice.

L'évolution centrifuge de l'habitat.

L'urbanisation anarchique des campagnes sanctionne l'échec de la politique d'aménagement des villes conduite depuis la guerre. Celle-ci s'est traduite par une évolution continuellement centrifuge des zones de résidence de la population. On a assisté d'abord à une migration des habitants vers les grands ensembles périphériques avec réduction importante de la population des centres-villes, voués aux commerces et aux bureaux. Le mouvement se poursuit aujourd'hui avec le dépeuplement simultané des centres et des grands ensembles suburbains au profit des lotissements réalisés dans les villages périphériques. Tout se passe comme si quelques années vécues dans un grand ensemble nourrissaient le rêve mythique de la maison individuelle, qui se concrétise bientôt par la construction d'un pavillon à la campagne. Ce phénomène explique notamment le renouvellement rapide de la population dans les grands ensembles locatifs. En fuyant les centres pollués par l'automobile et le bruit, puis les urbanisations périphériques dont le gigantisme et l'uniformité sont de plus en plus contestés, les urbains abandonnent des milieux qu'ils ont eux-mêmes détériorés en les livrant aux calculs de rentabilité à tout prix des aménageurs et des promoteurs.

On retrouve ici un modèle bien connu dans la nature : la fuite par les animaux ou les plantes des milieux qu'ils ont détruits; et plus particulièrement celui de la guayule [1], cette plante qui dépérit au centre des champs où on la cultive, et se propage toujours davantage en périphérie, là où la densité des populations est faible.

L'avenir devra tendre vers la construction d'ensembles collectifs de volume réduit, avec unités d'habitation personnalisées et services diversifiés dans un environnement soigné, humanisé et animé. De telles réalisations permettront l'éclosion de l'esprit communautaire qui ne peut naître ni dans les grands ensembles ni dans les ensembles pavillonnaires, et moins encore dans l'habitat dispersé.

L'écologie et la ville.

Les communautés vivaient spontanément dans les quartiers des villes et dans les villages d'autrefois. Nous serions bien avisés

1. Voir p. 67.

de ne pas détruire le peu qu'il en reste, en attendant que nous apprenions à les recréer dans les nouveaux ensembles d'habitation. Ceux-ci ont été réalisés dans la plus parfaite ignorance des lois de l'écologie humaine. On sait aujourd'hui qu'on ne peut pas mettre n'importe qui n'importe où. A cet égard, il en va pour l'homme comme pour la plante ou l'animal; les aptitudes adaptatives ne sont pas illimitées, et certains seuils sont infranchissables. Le déracinement, l'anonymat, la foule solitaire créent l'insécurité et stimulent l'agressivité, tout comme les comportements des animaux sont profondément modifiés lorsqu'ils vivent en captivité. Il faudra sans doute des décennies pour que de nouvelles communautés se forment dans nos villes nouvelles, désespérément glacées malgré tous les efforts tentés pour les humaniser. Car on ne crée pas en quelques mois un milieu de vie que la nature et la société mettent des siècles à constituer. Il est paradoxal de songer aux moyens de recherche importants mis en œuvre pour mieux connaître le fonctionnement des écosystèmes de la nature, alors qu'on ne sait encore à peu près rien de l'écologie de l'homme. Chaque enfant apprend à l'école comment vivent les rapaces ou comment protéger les plantes rares; mais on ne lui dira jamais qu'on ne peut impunément faire déménager une personne âgée, ou enfermer un paysan dans une HLM. Nous savons bien tout le temps qu'il faut pour reconstituer la végétation naturelle d'une région, mais non pour former un milieu humain en équilibre avec son environnement.

L'industrie dans la laideur.

Mais l'échec le plus spectaculaire en matière d'aménagement est celui de la plupart des zones industrielles. Tout, dans leur conception et dans leur réalisation, concourt à confirmer et à propager dans l'inconscient collectif l'idée néfaste qu'une usine ne peut être que laide, ce qui contribue à dégrader davantage encore les rapports de l'homme avec son travail, déjà malmenés par les pratiques « stakhanovistes » héritées de la première révolution industrielle.

Les zones industrielles, en France et dans les pays du Sud de l'Europe, sont uniformément laides, sauf exception. Il est clair, à les parcourir, que les préoccupations d'architecture et d'urbanisme n'étaient pas le premier souci de leurs promoteurs. En revanche, dans les sociétés d'ancienne tradition industrielle, en Europe du Nord, des efforts ont été déployés au cours des dernières années pour l'aménagement qualitatif de ces espaces. En Hollande, en Scandinavie, en Allemagne, l'environnement industriel récent est traité en parcs ou en espaces boisés, et l'on peut aujourd'hui traverser la Ruhr de part en part sans être offusqué par la vue d'une seule usine, tant l'art du camouflage est grand. L'État de Rhénanie-Westphalie a créé à Essen un très puissant centre de recherche en ce domaine. En revanche, l'incroyable laideur de certains lotissements industriels, où chaque promoteur réalise « son projet » dans le plus parfait mépris du site et où les espaces collectifs ne sont aménagés par personne, donne le navrant spectacle de l'anarchie. Le phénomène est particulièrement désolant autour de certaines grandes villes du bassin méditerranéen où la couverture végétale, dont la reconstitution est exceptionnellement lente, portera pendant longtemps les meurtrissures visibles de ces aménagements réalisés sans aucune sensibilité écologique ou esthétique.

C'est au Nord de l'Europe et en Amérique, il est vrai, que s'est déclenchée la première révolution industrielle : on comprend, dans ces conditions, que des comportements de type « postindustriel » se développent plus précocement, aux Pays-Bas par exemple, où l'extrême attention portée aux problèmes de pollution, la recherche systématique de la qualité dans les implantations, et l'attitude par rapport à la croissance sont très significatives à cet égard. A l'inverse, la France du sud de la Loire, l'Espagne, l'Italie ne se sont massivement industrialisées qu'après la deuxième guerre mondiale. Un Blasco Ibanez, un Ortéga y Gasset, un Kazantzakis ne reconnaissaient pas dans l'industrie le produit logique de l'esprit scientifique et rationnel, né sur les rivages méditerranéens, et plus porté vers la théorie que vers l'application pratique. Car la vocation de cette mer, berceau de l'Occident, fut d'abord culturelle.

La brutale explosion de l'industrialisation en Europe du Sud ne va pas sans évoquer la conquête du Far-West. On n'a guère lésiné sur les conditions d'implantation lorsqu'un industriel pointait à l'horizon et l'on n'a tenu aucun compte de l'environnement : moyennant quoi, des plateaux calcaires « entaillés » sur des hectares, des pinèdes dévastées, des paysages ravagés multiplient le triste spectacle d'aménagements agressifs et dévastateurs.

Les limites du profit.

On retrouve, en matière d'urbanisation et d'industrialisation, les mêmes comportements fondamentaux : l'initiateur d'un projet conçoit une œuvre à son profit, et le mot profit est à prendre dans tous les sens du terme. Il réalise un programme qui n'intègre que ses propres préoccupations, dans la plus parfaite insouciance de toute autre considération. Grâce à une législation de plus en plus sévère en matière de permis de construire, le pire est généralement évité, sauf en matière d'implantation industrielle. Mais le meilleur supposerait que, non content de se soumettre aux règlements, l'initiateur d'un projet l'examine non seulement de son strict point de vue individuel, mais aussi du point de vue de son esthétique, de son intégration dans un site, et surtout de l'ambiance qu'il créera pour ceux qui auront à y travailler, à y vivre. Il n'est ni possible ni souhaitable d'aller vers un renforcement continu de l'appareil réglementaire ou répressif. A terme, les contraintes imposées seraient intolérables; elles tueraient tout esprit d'initiative, d'innovation et de création. Mais il n'est pas possible non plus de continuer à laisser faire n'importe quoi n'importe où, par n'importe qui. Ici, la participation active du citoyen, sensibilisé et informé, se doit de prendre le relais; ce qui suppose un effort considérable d'information et l'acquisition par chacun d'une nouvelle sensibilité. Robert Poujade n'a pas tort de voir dans l'environnement une « nouvelle dimension de la conscience ».

D'une conscience qui soit aussi capable d'un minimum de « dépassement ». Car l'aménagement suppose non seulement la prise en compte de facteurs multiples, mais aussi la capacité d'intervenir dans des espaces que la dévolution des biens, de génération en génération, morcelle tout autant que la carte politico-administrative. Restructurer l'espace, c'est donc réussir à dominer l'expression territoriale de l'égocentrisme personnel ou collectif. C'est oser remettre en cause un droit de propriété qui, d'ailleurs, depuis des décennies, ne cesse de s'amenuiser. Cette notion de propriété trouve sa justification dans la protection qu'assure à chacun la « bulle territoriale » de son habitation; mais elle devient un abus quand elle s'exerce sur de vastes empires industriels ou immobiliers et fonde ainsi la puissance et le pouvoir.

Remembrer, réussir des fusions de communes ou créer de nouvelles structures d'agglomération urbaine ou rurale sont donc de rudes épreuves où la ferveur des discours cache mal l'attachement viscéral à la propriété et au territoire, c'est-à-dire, pour l'animal humain, aux fondements mêmes de son agressivité.

III. L'AGRESSIVITÉ OU L'ALLERGIE À SES SEMBLABLES

Les erreurs d'aménagement, en particulier lorsqu'elles favorisent des concentrations humaines excessives, ne manquent pas de retentir sur les comportements individuels ou collectifs. On peut alors parler d'une véritable « pollution sociale ». En effet, l'accélération simultanée des processus d'industrialisation et d'urbanisation, jointe à la poussée démographique et au développement des phénomènes d'immigration ou de migration saisonnière, a puissamment accru la densité humaine dans certaines régions. Le développement des moyens de transport et de communication a favorisé le brassage des groupes sociaux, des races et des ethnies, soit directement par le tourisme, l'immigration, les voyages, soit indirectement par l'intermédiaire des médias. De ces phénomènes concomitants de concentration et de communication découlent deux séries de conséquences en apparence contradictoires, qu'une analyse se référant à la biologie permet d'éclairer.

Brassage et densité.

Des phénomènes d'adaptation par « mithridatisation » d'abord. Une accoutumance se produit, qui conduit à la découverte puis à l'acceptation de l'autre, à la reconnaissance du droit à la différence, au respect de son mode de vie : d'où le dépassement des tabous culturels, la relativisation des contraintes sociales, l'apprentissage de la coexistence et de la tolérance. Mais le prix de cette évolution, somme toute heureuse, peut aussi être un abâtardissement général des mœurs et des cultures, une sorte d'uniformisation et de nivellement par le bas, une perte d'identité et de personnalité, enfin un laxisme culturel et moral par transfert sélectif d'une culture à une autre, conduisant à un « tout est possible, tout est permis » : je prends ce qui m'arrange et je laisse le reste...

Mais on observe aussi un type de réaction tout à fait opposé, qu'on pourrait qualifier de « sensibilisation allergisante » par production d'anticorps à l'égard d'autrui. Ce phénomène qui relève directement des lois de l'immunité, transposées en l'occurrence du corps physique au corps social, se déclenche généralement lorsque la proportion d'une population allogène dépasse un certain seuil, qui, selon diverses estimations, serait de l'ordre de 10 à 15 %. On l'observe aux USA où la confrontation raciale est particulièrement vive en raison de l'intense brassage des populations et des forts apports exogènes. En Europe, des importations massives de main-d'œuvre étrangère ont provoqué des réactions du même ordre, surtout en période de sous-emploi. Car les réactions allergiques se développent avec une intensité particulière quand les nouveaux venus viennent occuper une niche écologique déjà prise, donc lorsque s'ajoutent aux problèmes de confrontation des mécanismes de compétition. De violents affrontements se déclenchent alors, véritables « chocs anaphylactiques » avec crises de rejet.

La guerre des clans.

Des phénomènes de même nature peuvent se produire au sein de populations homogènes lorsqu'une concentration excessive réduit le territoire, ce que les psychosociologues appellent la « bulle individuelle ». Les mœurs des animaux offrent de nombreux exemples de ces comportements où la réduction d'un territoire est ressentie comme une menace, crée l'anxiété et l'insécurité et déclenche des réactions de vive agressivité; tels ces poissons des mers de coraux qui manifestent la force de leur attachement à leur territoire en revêtant une tunique vivement colorée, équivalent des drapeaux dont nous marquons le sol national. Ils se montrent plus féroces encore à la saison des amours. N'est-ce pas à cette époque que nous-mêmes « fondons notre foyer et faisons notre nid »? Qu'un congénère survienne alors et dispute cet espace : il en résulte sur-le-champ une violente crise d'agressivité. De même les clans de rats, à structure familiale, se livrent de furieuses guerres intestines lorsque leur nombre les contraint à empiéter sur leurs domaines respectifs. Des réactions tout à fait analogues se produisent entre le piéton et ce congénère au territoire mobile qu'est l'automobiliste. Celui-ci exprime immédiatement sous forme d'agressivité la gêne que le premier lui occasionne en empiétant sur son territoire : le piéton doit se garer sur-le-champ, le livreur doit dégager au plus vite. Bref, toute compétition sur le territoire ou pour le territoire, fût-elle instantanée, provoque une bouffée d'agressivité, avec la décharge d'adrénaline qui en est le vecteur hormonal.

Cette notion de territoire est essentielle. Elle semble intégrée au patrimoine génétique de l'humanité [1]. Comme les primates auxquels elle appartient, l'espèce humaine reste puissamment attachée à son territoire. Il nous arrive d'en prendre fortuitement conscience lorsqu'il a été indûment occupé par un tiers : le passage de voleurs dans un appartement crée une impression de malaise typiquement « territoriale ».

Par ailleurs, on sait aujourd'hui que l'accroissement de la densité des populations animales entraîne leur régulation par des mécanismes hormonaux qui ont pu être démontrés [2] : chez des animaux de laboratoire, des souris par exemple, elle déclenche une réponse neuro-endocrinienne caractéristique, avec hyperactivité des glandes surrénales et atrophie des glandes génitales,

1. Dans *La Nouvelle Grille* (Paris, Robert Laffont, 1974), Henri Laborit insiste sur les processus d'acquisition culturelle de la notion de territoire, qui ne serait pas, à ses yeux, un atavisme de l'espèce.

2. J.-P. Desportes, « Surpopulation : de la souris à l'homme », *La Recherche*, 22, 1972, p. 382-384.

inhibées par l'hypersécrétion surrénalienne d'adrénaline. On a même pu montrer que l'intensité de la réaction hormonale est liée au rang social de l'animal : elle est d'autant plus forte que la souris est située plus bas dans la hiérarchie de son clan. Selon d'autres chercheurs, l'hypertrophie des surrénales ne serait pas due à la seule montée de l'agressivité, mais au déclenchement d'un effet de groupe avec accroissement des stimulations olfactives. Quoi qu'il en soit, on constate que la réduction des territoires ou l'augmentation de la densité des populations entraînent des mécanismes hormonaux de régulation, qui provoquent une chute de la natalité par inhibition des gonades, et une montée de la mortalité.

Ces processus ne peuvent être extrapolés purement et simplement à l'espèce humaine où les facteurs culturels jouent un rôle décisif. Il conviendrait d'ailleurs de distinguer selon les ethnies, dont le patrimoine génétique et l'acquis culturel diffèrent, et dont les besoins territoriaux ne sont pas identiques. On peut cependant tenir pour certain que l'augmentation de la densité, en dehors de moments privilégiés ou de circonstances particulières, favorise l'agressivité vis-à-vis du congénère. Elle est bien l'une des causes principales de la montée de la violence dans les mégalopoles.

Plus encore qu'avec la densité, l'agressivité croît avec la mobilité des individus. Car la mobilité étend la surface des territoires, donc les chances d'empiètement et d'encombrement. Telle semble bien être la cause essentielle de l'accroissement de l'agressivité lié au développement de l'automobile. Le comportement des monades humaines motorisées semble en effet obéir à la théorie cinétique des gaz : dans les gaz parfaits plus les molécules s'agitent, plus la pression augmente, avec les risques d'explosion correspondants.

IV. LES LOISIRS OU L'HÉLIOTROPISME SOCIAL

L'excès de densité humaine et les nuisances qui en résultent déclenchent des phénomènes de fuites massives, en fonction des deux dernières obsessions rituelles des sociétés contemporaines :

le week-end et les vacances. Chaque semaine, les agglomérations urbaines sont massivement délaissées au profit des résidences secondaires, des châteaux aux campings, avec toutes les conséquences qui en résultent; consommation d'énergie, encombrement des réseaux routiers et des moyens de transport, pertes de temps, consommation et souvent détérioration de l'espace rural. Quant aux vacances, leurs migrations collectives mettent en mouvement de véritables marées humaines : marées qui répondent à la force attractive non plus de la lune, mais du soleil.

La mer et la marée humaine.

Ce nouvel héliotropisme est devenu un phénomène de civilisation. Confusément, le citadin renoue avec les éléments primordiaux : le feu (le soleil), l'eau (la mer, les lacs, les rivières), la terre (la montagne, la campagne) et l'air (le grand air). Ces facteurs considérés comme essentiels à la qualité de la vie jouent désormais un rôle prépondérant dans l'évolution économique et démographique. Le recensement de 1975 montre qu'en France, le Nord et l'Est piétinent, bien que traditionnellement industriels et à taux de natalité élevé, tandis que les régions Rhône-Alpes et Provence-Côte-d'Azur attirent un nombre croissant d'« étrangers du dedans », comme on dit dans le Midi. Ces phénomènes sont encore amplifiés par une mythologie propre à la mentalité française (et peut-être italienne) où la cote d'amour des différentes villes est plus sélective que dans la plupart des autres pays. A s'en tenir au « hit parade » de la popularité, on pourrait s'imaginer que Grenoble, Toulouse, Nice ou Montpellier sont des paradis où chacun vit heureux et où toute initiative est nécessairement brillante. On n'en dirait pas autant de Lens ou de Saint-Étienne : ces villes sont tout juste bonnes pour le football. Nice aussi d'ailleurs [1].

1. L'importance de l'environnement dans la perception de « l'image de marque » des villes est considérable : si Saint-Étienne et Grenoble, pourtant situées à la même latitude, sont si différemment perçues, c'est que la seconde est vue à travers la montagne et les loisirs, la première à travers la mine et le travail. Le cas de Metz, où s'est implanté l'Institut européen d'écologie, est

Les villes du Midi bénéficient, et bénéficieront sans doute longtemps encore, pour reprendre le langage darwinien, d'un « coefficient de sélection » fortement positif, grâce à un facteur de développement primordial : le soleil. Celui-ci est prestement consommé sur les plages selon les critères modernes de l'efficacité : son énergie passe directement de la source à l'homme, sans être interceptée en cours de route par les plantes qui la fixent par photosynthèse et nous la transmettent par elles-mêmes ou par herbivore interposé, dans la nourriture que nous consommons. Bronzer est une manière plus expéditive d'assimiler l'énergie solaire. La méthode confère en outre, toujours dans les perspectives darwiniennes, un « coefficient de sélection sexuelle » qui ne manque pas d'intérêt : comme chacun sait, le bronzage est un atout de poids dans les stratégies modernes de la séduction.

L'immense puissance attractive du soleil est le signe d'une civilisation urbaine, où la pluie, si nécessaire au paysan, n'a plus sa place. Elle évoque irrésistiblement le retour aux mythes

---

encore plus typique : cette ville subit, vue de Paris ou du Midi, la « décote » commune à toutes les villes de l'Est et du Nord, à l'exception de Strasbourg, dont la cathédrale est un symbole national. Elle évoque confusément des cheminées d'usines – il n'y en a pas à moins de dix kilomètres –, des casernes – cette grande ville de commandement militaire a aujourd'hui une garnison numériquement très modeste et l'artilleur de Metz est devenu une légende –, un parler germanique – or Metz a toujours été une ville francophone –, enfin des hivers sibériens, car la moitié de la population masculine française a passé en Moselle l'hiver 1939-1940, glacial dans toute l'Europe. Les conditions de l'époque ne favorisaient d'ailleurs guère le tourisme... Aussi connaît-on fort mal le patrimoine historique exceptionnel de cette ville, avec plusieurs monuments et des collections gallo-romaines et médiévales d'intérêt international; sa riche tradition musicale, l'harmonie de ses perspectives urbaines marquées par un riche réseau de canaux, de rivières, de plans d'eau et de vastes surfaces boisées, pénétrant jusqu'au cœur de l'antique cité, etc. On voit, par cet exemple, les considérables distorsions entre « ce qui est », et « ce qui est perçu » : Grenoble, au patrimoine architectural somme toute modeste, ne vit que par sa situation et son cadre géographique exceptionnels. Metz au contraire les subit, comme elle dut subir les injustices de l'histoire. Mais ce qui semble un handicap au plan national devient un avantage au plan européen : préfecture de région et capitale administrative de la Lorraine, Metz doit son développement récent à la possibilité d'atteindre trois pays étrangers en moins d'une heure de route.

ancestraux des religions païennes, dont le rituel se dessine déjà de manière explicite dans telle communauté hippie et de manière inconsciente dans ces masses humaines répandues sur le sable en mal de bronzage; spectacle propre aux pays développés et qu'on ne voit sur aucun autre rivage du monde, quelle que soit la pression de la population locale. Tout se passe comme si les hommes de notre civilisation de robots recherchaient à nouveau les délices des climats subtropicaux de l'Afrique orientale, sous lesquels il semble bien que l'humanité ait vu le jour. Étrange symptôme d'un retour en arrière, *feed-back* significatif d'une surévolution!

Bref, de plus en plus nombreux sont nos contemporains qui organisent leur vie autour d'un mouvement pendulaire : 5 jours d'aliénation pour 2 jours de détente, 11 mois de projets pour 1 mois de vacances.

Il ne semble pas cependant que le bonheur hante durablement les côtes de la Méditerranée au-delà des rêves de vacances : selon une étude portant sur les pays de la Communauté européenne[1], les populations méditerranéennes seraient les plus mécontentes de leur sort : à l'inverse, l'indice de satisfaction moyenne des habitants de l'Europe du Nord, y compris des grandes métropoles, est très significativement supérieur. Une série d'enquêtes menées en France confirme ces hypothèses[2]. Les habitants de Saint-Étienne, Lens et Metz déjà citées ont un excellent moral, ce qui n'est pas le cas à Nice ou à Toulouse.

On observe donc une forte distorsion entre la manière dont les villes sont perçues du dehors, et ce qu'en pensent leurs habitants. Les deux images sont loin de coïncider. De même – et ces enquêtes le prouvent – le bonheur n'est pas indexé à la richesse, pas plus qu'il ne l'est aux indicateurs matériels du bien-être.

1. J.-R. Rabier, « Différences et différenciations interrégionales dans les attitudes et comportements du public », in *Les Régions transfrontalières de l'Europe,* Institut universitaire d'études européennes, 122, rue de Lausanne, Genève, 1975.

2. « Les Français jugent leur ville », *Le Point,* 1974, nº 90, p. 65-78; nº 91, p. 76-87; nº 92, p. 72-75. « Votre ville et vous », *L'Express,* 1974, nº 1210, p. 63-69; nº 1211, p. 59-64. « Le palmarès du bien-être », *Le Point,* 1976, nº 175, p. 50-69.

Peut-être, après tout, faut-il avoir beaucoup à espérer et beaucoup à lutter pour nourrir le rêve du bonheur.

Scénario de l'inacceptable.

Or la Méditerranée est fragile : ses sols érodés, ses eaux particulièrement sensibles à la pollution, ses sites et ses paysages dénaturés risquent de subir d'irréversibles déprédations.

On peut alors imaginer un scénario écologique qui se résumerait ainsi : plus on se presse sur le littoral, plus on y construit. Mais plus on construit, plus la couverture végétale déjà maigre s'appauvrit. De plus les agglomérations urbaines, en produisant et piégeant la chaleur, réchauffent l'atmosphère. La réduction des volumes d'eau transpirée par les plantes et le réchauffement des microclimats urbains contribuent donc à diminuer la pluviométrie. L'ensoleillement y gagne, et du même coup l'attrait du littoral : la pression touristique s'accentue. On construit plus encore et le mouvement s'amplifie par *feed-back positif*[1]. L'eau se fait rare, il pleut de moins en moins, le réseau hydrographique s'assèche, les nappes phréatiques baissent, tandis que le nombre des consommateurs augmente. L'eau devient alors facteur limitant et la réaction en chaîne s'arrête, la pénurie d'eau constituant le *feed-back négatif.* Entre-temps, il est vrai, la pression sur le littoral était devenue telle que déjà une régulation corrective s'était amorcée : les touristes avaient fui. Il arrive, Dieu merci, que l'homme anticipe sur les régulations naturelles.

Cette histoire ressemble étrangement à celle de la course des prix et des salaires, de la fameuse spirale inflationniste : si irrésistible qu'elle paraisse, elle finit bien par s'arrêter, comme on a pu le voir en Allemagne en 1923. Le facteur limitant était cette fois la brouette, quand en novembre de cette année fameuse, il fallait emmener 4 000 milliards de marks au marché pour acheter un bifteck, et que les imprimeries nationales n'avaient pas encore réussi à imprimer des billets d'un tel numéraire. L'inflation allait plus vite que l'impression, et l'encombrement de la monnaie cassa nette la spirale inflationniste.

1. Voir note, p. 55.

On peut encore imaginer un autre scénario, humoristique cette fois, celui de la prise de vue. Il n'est pas question de photo ou de cinéma; mais de ces vues imprenables qu'offrent les promoteurs. La prise de vue est un puissant facteur de régulation du marché immobilier, un facteur limitant qui inverse la tendance inflationniste du coût des appartements. Lorsque la vue sur mur remplace la vue sur mer, lorsque les pignons remplacent les pins pignons... alors la vue « baisse », et le prix des appartements en même temps.

Les phénomènes de concentration linéaire finiront par ralentir l'expansion urbaine et l'encombrement du littoral par un simple processus de régulation spontanée. A quoi s'ajoutent les réactions territoriales : quand l'étranger devient envahissant, les sourires qu'on lui « vend » – à prix d'or – s'apparentent à ce point au rictus qu'il finit par se retirer sur la pointe des pieds, sans esprit de retour.

Voilà bien les conséquences d'un mauvais usage de la richesse. Ce qui est richesse aujourd'hui peut devenir pauvreté demain. L'or du Pérou a ruiné l'Espagne, en augmentant le volume des troupeaux qui ont littéralement pelé par surpâturage ce sous-continent autrefois verdoyant. Le même sort menace les régions riches qui n'auront su judicieusement utiliser leurs ressources. Que vont faire de leurs milliards ou de leurs trillions les rois du pétrole?

Fuir l'encombrement des grandes agglomérations pour le retrouver sur les plages : comme dit l'autre, il faut le faire. Mais les hommes ont beau célébrer la logique : ils s'en moquent dans leurs comportements. Un extraterrestre débarquant sur notre planète aurait fort à faire pour s'y retrouver, s'il utilisait la méthode logique et rationnelle dont nous sommes si fiers. Au terme de ses observations, déconcerté, il finirait par ne plus s'étonner de rien ou plutôt d'une seule chose : que nous nous définissions comme l'animal raisonnable par excellence, alors que, dans la pratique, notre conduite est un défi permanent à la raison.

V. QUAND LES CONSOMMATEURS SONT FATIGUÉS

Les phénomènes de saturation.

Une preuve spectaculaire de ce défi est notre incapacité à tirer la moindre leçon de la crise déclenchée par la forte augmentation du prix du pétrole. La fulgurante relance du marché de l'automobile à l'issue d'une longue période de récession, et particulièrement pour les grosses cylindrées, aura été le symbole même d'une riposte à la crise qui consiste à fermer les yeux et à fuir en avant. Il faudra sans doute attendre que l'augmentation du prix du carburant, la généralisation des autoroutes à péage, et la multiplication des parkings payants grèvent le coût d'exploitation d'une voiture au point d'inciter son utilisateur à recourir davantage aux transports en commun, en moyenne quatre fois moins consommateurs d'énergie. Et si cette dissuasion financière ne suffit pas, ce seront les phénomènes d'encombrement qui joueront le rôle de régulateur : qui n'y a songé, lorsqu'il est pris au piège d'un bouchon ou d'un embouteillage? Que la tendance actuelle se poursuive sur sa lancée et un *feed-back négatif* viendra nécessairement ralentir, par pure régulation biologique, le processus de production, de vente et de consommation des voitures individuelles. L'encombrement dissuadera l'acheteur. Les voitures, moins utilisées, dureront plus longtemps et le volume des productions s'en ressentira, au profit des transports en commun qui prendront le relais.

Il en va de même pour l'encombrement de l'espace, des zones de loisirs, des littoraux, des plages. A quoi sert le téléphone, si les centraux sont saturés, les standardistes névrosées et les utilisateurs harcelés d'appels, après avoir harcelé l'administration pour la pose de leur ligne? A quoi bon posséder un milliard lorsqu'on est perdu au centre d'un désert? Car l'avoir ne vaut qu'en fonction de l'environnement dans lequel il est censé servir :

une voiture bloquée dans un embouteillage ne vaut pas plus qu'une fortune en billets de banque guatémaltèques, dans un village de Mongolie-Extérieure.

Les phénomènes de frustration.

Cependant l'augmentation continue du niveau de vie et le bien-être matériel qui en découle créent de nouvelles frustrations, que Philippe d'Iribarne analyse dans *la Politique du bonheur*[1] : l'expansion profitant à tous, mais de manière inégale, l'augmentation globale du niveau de vie ne réduit nullement les écarts entre catégories ou classes sociales. Et comme il s'agit d'une donnée perçue d'abord subjectivement par référence à la situation d'autrui, une augmentation objective du niveau de vie, en valeur absolue, ne se traduit pas nécessairement par le sentiment subjectif d'un bien-être accru : qui reçoit veut plus encore, si les revenus de son voisin progressent plus vite que les siens. C'est l'impasse : le niveau de vie augmente, mais le sentiment de frustration demeure. Mieux, cette frustration apparaît à l'analyse comme le moteur secret, le ressort profond des sociétés de consommation. Car elle stimule sans cesse les besoins et alimente une interminable fuite en avant. Analyse pertinente et qui explique sans doute pourquoi, malgré l'augmentation continue du niveau de vie depuis un siècle, l'agressivité sociale née de la frustration ne désarme pas.

Pourtant, des réactions nouvelles se font jour : des fractions non négligeables de la population refusent l'idéal ou plutôt la carotte que leur offrent nos sociétés. Des phénomènes de marginalisation apparaissent et s'amplifient, aboutissant à l'organisation de microsociétés ou de mouvements de toutes tendances, caractérisés par le refus global des valeurs dominantes. De nombreux jeunes vivent de peu, et cherchent une autre voie.

Par ailleurs, voici qu'avec le rapide développement des associations de consommateurs, les producteurs sont de plus en plus contraints à justifier la qualité de leurs produits. Cette vague

1. Ph. d'Iribarne, *La Politique du bonheur,* Le Seuil, 1973.

de *consumerism* venue des États-Unis atteint l'Europe et oriente insensiblement les économies de production dans une direction plus qualitative. Elle limite les excès scandaleux du marketing et, en favorisant la prise de conscience des consommateurs, les protège contre l'invasion publicitaire.

Ce qui se consomme, consume.

Ainsi dans les attitudes récentes des consommateurs se dessinent de nouvelles limites à la croissance quantitative. Sans doute, ce repli par rapport aux idéaux de consommation n'est-il encore perçu que par une faible fraction de la population. D'ailleurs trop d'hommes, même dans nos sociétés d'abondance, luttent encore durement pour assurer leur pain quotidien. Et que dire des pays en voie de développement?

Il apparaît cependant de plus en plus évident que l'homme ne vit pas que de pain. De là à rejoindre l'antique intuition des mystiques de tout temps et de tous lieux, pour qui l'absolu seul, parce qu'au-delà de toute possibilité de consommation, est inépuisable, il y a certes un pas à faire. Et pourtant, tout ce qui se consomme, consume. Et le sexe plus que tout. La loi universelle de l'entropie n'épargne pas les comportements sociaux, car ils sont également soumis à l'inévitable dégradation de l'énergie.

L'échec de la tentative de « reconversion en consommateur », sans doute encore à peine perceptible, se révèle peu à peu à travers les insatisfactions et les frustrations qu'entretient inévitablement une société qui ne trouve sa voie que dans la création continue de nouveaux désirs et de nouveaux biens. Voie dont il est déjà clair qu'elle mène à l'impasse; car l'insatisfaction des besoins affectifs et « spirituels », l'épuisement des ressources naturelles préfiguré par la crise de l'énergie et le renchérissement des matières premières, la pollution menaçante, la destruction de la nature, l'accroissement de l'agressivité, le sentiment de frustration qu'entretiennent nos sociétés créent à terme une situation explosive.

Ils suscitent, dès à présent, une étrange maladie de langueur qui se traduit par un brusque affaissement démographique. Signe grave entre tous : nos sociétés ne font plus d'enfants, comme si elles ne s'imaginaient plus d'avenir; comme si la baisse de leur tonus productiviste creusait devant elles un vide béant; comme si la mise en cause de leur raison d'être inhibait tout projet et laissait la vie en suspens.

La vie qui pourtant avance, inexorable et multiple, vers de nouvelles synthèses.

DEUXIÈME PARTIE

Régulations de la nature et choix sociaux

1
Pour une pédagogie de la crise

> « Lorsque la femme enfante, elle est dans l'affliction. Mais lorsqu'elle a donné le jour à l'enfant, elle est toute à la joie d'avoir mis un homme au monde. »
>
> ÉVANGILE SELON SAINT JEAN, XVI,21.

I. LES ENSEIGNEMENTS DE LA BIOLOGIE ET DES SCIENCES HUMAINES

A s'en tenir aux analyses précédentes, on serait tenté de souscrire aux sombres prévisions du Club de Rome. Elles nous conduiraient au pessimisme et à un profond sentiment d'impuissance, si des mécanismes de régulation ne semblaient pouvoir en contrarier l'évolution. Ces mécanismes sont tributaires des lois de la physique, de la biologie, de l'écologie et des sciences humaines.

Les lois de la thermodynamique généralisée [1] montrent comment de nouveaux équilibres peuvent s'instaurer dans des systèmes fortement perturbés, comme c'est le cas pour le nôtre. Mais cette régulation, si elle est possible, n'est pas automatique : elle laisse des raisons d'espérer, mais sans garantie de sécurité.

L'évolution biologique fait de la variation adaptative et du changement la loi fondamentale de la vie. Cette loi ne s'est jamais démentie, mais elle fait payer chaque innovation réussie par de cuisants échecs.

1. Ce thème capital sera développé au chapitre 3 de cette deuxième partie.

Régulations de la nature et choix sociaux

L'écologie, s'inspirant de la théorie générale des systèmes et des lois de la cybernétique, permet de mieux comprendre le fonctionnement des mécanismes régulateurs au sein des systèmes complexes, qu'ils soient naturels, sociaux ou culturels. Dans tous les cas, les effets rétroagissent sur les causes et peuvent soit amplifier *(feed-back positif),* soit au contraire freiner l'évolution des phénomènes *(feed-back négatif).* Dans cette dernière hypothèse, la régulation agit à la manière d'un thermostat, infléchissant les courbes évolutives, arrêtant les réactions en chaîne, brisant les cercles vicieux, interrompant les mécanismes cumulatifs et restaurant les équilibres perturbés [1].

Mais l'on connaît aussi des régulations implacables : une catastrophe, une guerre par exemple, débouche certes sur de nouveaux équilibres, mais au prix de quel coût humain! Dans ces cas le *feed-back négatif* ne joue plus son rôle régulateur, et l'emballement des phénomènes aboutit à des catastrophes. N'en prenons pour exemple que celui de la bombe atomique, où chaque fission nucléaire en alimente d'autres et déclenche une réaction en chaîne qui ne s'interrompt que par l'explosion.

Enfin, les sciences humaines et sociales conduisent à examiner dans quelle mesure ces processus fondamentaux s'appliquent à l'homme, solidaire par ses structures et ses fonctions biologiques de l'ensemble du monde vivant, mais qui se singularise par le développement exceptionnel de son cerveau. Ce développement, sans abolir les déterminismes physiques, biologiques, et peut-être sociaux, introduit au sein des systèmes vivants de nouveaux paramètres, susceptibles d'en accroître puissamment la richesse et la complexité. Il peut permettre notamment de changer le système des valeurs de référence par ce que les cybernéticiens appellent un changement d'échelle.

Bref, selon la nature et le signe des systèmes de régulation mis en œuvre, la crise actuelle débouchera sur de nouveaux équilibres atteints à moindres frais, ou sur une catastrophe. Plusieurs futurs sont possibles, qui dépendent de nous pour le meilleur ou pour le pire.

1. J. de Rosnay, dans *le Macroscope, op. cit.,* consacre un chapitre à démonter le fonctionnement de ces mécanismes.

De l'organisme à l'organisation.

Une première question se pose d'emblée. Est-il légitime de s'appuyer sur l'analyse des faits biologiques pour interpréter l'évolution sociale? Le recours à la physique, à la biologie et à l'écologie peut-il éclairer les événements de notre vie quotidienne? Chercher des modèles dans l'histoire humaine, soit. Mais dans l'histoire de la vie?

Une telle démarche de l'esprit inspire déjà les courants *« organicistes »* qui, d'Aristote à Rousseau en passant par les penseurs du Moyen Age, mettent en parallèle l'organisation du corps humain et celle du corps social, précisément qualifié « d'organisme ». Les grands savants du XIXe siècle, Lamarck, Cuvier, Claude Bernard, en montrant que les êtres vivants possèdent des capacités d'adaptation et d'autorégulation qui leur permettent d'évoluer en fonction de l'environnement, apportent de nouveaux arguments que Spencer, véritable fondateur de l'organicisme moderne, applique aux sciences sociales. Dans ses *Premiers Principes* (1862), il montre comment les sociétés se transforment d'elles-mêmes en intégrant le changement et en s'adaptant à l'environnement. On a vu par ailleurs comment Darwin et avant lui Malthus intégrèrent dans leurs analyses les faits biologiques et sociaux. Avec Durkheim, le parallèle se poursuit, mais l'auteur met aussi l'accent sur ce qui sépare le biologique et le social : s'il existe entre ces ordres de phénomènes d'évidentes analogies, il ne saurait être question de les imputer à une identité de nature.

Puis les sciences humaines prirent leur autonomie, rompirent avec l'organicisme et se séparèrent de la biologie. L'extraordinaire explosion du savoir condamnait d'ailleurs les scientifiques à une spécialisation de plus en plus poussée : l'appréhension globale des phénomènes et les visions de synthèse laissèrent peu à peu le pas aux approches analytiques et monosectorielles. Chacun, en quelque sorte, rejoignit les siens, et s'enferma dans le confort de sa spécialité. Les quelques esprits aventureux qui prétendaient dépasser les frontières de leur science, un Toynbee ou un Teilhard de Chardin par exemple, s'attirèrent les critiques de tous bords.

La naissance de nouvelles synthèses.

Mais un puissant courant allait bientôt renverser la tendance. La cybernétique, née aux États-Unis de la rencontre d'un mathématicien, N. Wiener, et d'un biologiste, Rosenblueth, propose dès 1948 des modèles universels applicables aux êtres vivants comme aux machines ou aux systèmes sociaux. Aux États-Unis encore, Jonas Salk [1] réfléchit aux équivalents sociaux des phénomènes biologiques et, plus récemment, Éd. Wilson, dans une synthèse qui fait grand bruit [2]. En France, le biologiste Henri Laborit et le sociologue Edgar Morin jettent les premiers ponts : par deux démarches différentes, mais finalement convergentes, ils réexplorent le chemin qui mène des sciences biologiques aux sciences sociales et inversement. Puis le mouvement s'amplifie, exprimant une profonde tendance à la « déspécialisation », ou plutôt à la « transspécialisation ». De brillantes synthèses sont proposées, tel le *Macroscope* [3] de Joël de Rosnay, qui est un modèle du genre.

Entre la « nature » et la « culture », il y a à la fois continuité et rupture : seule l'approche dialectique lève l'ambiguïté de l'alternative et vide de sa passion un interminable débat.

Comme l'écrit pertinemment Roger Caillois [4], il s'agit désormais « d'expliquer l'homme, qui relève des lois de la nature, et qui y appartient par presque tout en lui, à partir des conduites plus générales qu'on y rencontre répandues dans la grande généralité des espèces ». Une telle démarche trouve en quelque sorte sa légitimité dans sa fécondité. Et c'est à bon droit que Caillois ajoute : « Les sciences que j'ai proposé en 1959 d'appeler diagonales chevauchent des disciplines anciennes et les contraignent au dialogue. Elles tentent de déceler la législation unique qui réunit des phénomènes épars et en apparence sans rapport. Elles déchiffrent des

1. J. Salk, *Métaphores biologiques,* Calmann-Lévy, 1975.
2. Ed. Wilson, *Sociobiology,* Harvard University Press, 1976.
3. J. de Rosnay, *Le Macroscope, op. cit.*
4. R. Caillois, « Pour un dialogue entre les sciences », *Courrier du CNRS,* 1971, nº 1, p. 4-6.

complicités latentes et découvrent des corrélations négligées en effectuant dans le commun univers des coupes obliques. Elles souhaitent et s'efforcent d'inaugurer un savoir où la témérité d'imagination s'exerce premièrement, avant d'appeler une sévérité de contrôle d'autant plus indispensable que l'audace tout d'abord scandaleuse s'est donné pour tâche d'établir des chemins de traverses hasardeux... où se développe aujourd'hui la recherche fertile. »

De telles perspectives, faisant intervenir les connaissances et les expériences acquises dans des domaines très divers du savoir, élargissent singulièrement notre champ de perception et permettent de situer les événements contemporains dans un tout autre contexte. D'abord parce qu'elles les relativisent; ensuite parce qu'elles permettent de les mieux situer; enfin parce qu'elles nous apportent ce qui nous manque le plus : une vision cohérente et unifiée de la vie et du monde.

Le syllogisme du biologiste.

En préambule, le biologiste proposera un syllogisme.

L'homme n'a progressé au cours de l'évolution biologique et sociale qu'à travers des crises. Or, l'homme contemporain est en crise; c'est précisément ce qu'on a voulu montrer jusqu'ici. Il est donc, par là même, en « puissance d'évolution », c'est-à-dire en situation d'innovation et de dépassement.

Mais reprenons le raisonnement, et d'abord les prémisses de ce syllogisme. Il nous faut l'éclairer davantage, car de sa validité dépend la solidité de notre réflexion.

II. LA CRISE OU LE TEMPS D'ÉCLORE

La crise agresse, déséquilibre, fragilise. Mais elle déclenche aussi des mécanismes compensateurs, des réactions nouvelles, imprévues, parfois salutaires. Action et réaction! La crise est donc un facteur d'évolution. Elle peut être aussi, comme on va le voir, l'occasion d'une nouvelle avancée.

L'individu se construit à travers une série de crises, dont sa naissance est la première et la plus spectaculaire. La crise d'adolescence est non moins classique : pendant quelques années, le déséquilibre est extrême entre le moi qui se « pose en s'opposant » et le milieu familial : la soif d'indépendance entre en conflit avec le besoin de sécurité qui maintient encore le lien parental. Puis une nouvelle étape est franchie avec la création du couple, et le transfert du besoin de sécurité sur un nouveau territoire : on « fait son nid ». Générateurs de crises aussi et de redistribution des rôles, l'apparition de l'enfant dans un couple, la rencontre d'autres amours possibles, la retraite, le troisième puis le quatrième âge, les épreuves de la vie... Une grande épreuve, si douloureuse soit-elle, contraint au changement : l'être s'y découvre une dimension nouvelle ou régresse sans recours. La vie dans les camps de la mort a conduit à d'innombrables actes d'héroïsme et de sacrifice. Elle a conduit aussi, il est vrai, aux pires échecs, aux actes les plus veules et les plus bas. Car l'évolution n'est pas « l'histoire du progrès ». Et si les crises peuvent être l'occasion d'un nouveau bond en avant, chacun ne trouve pas nécessairement les ressources suffisantes pour les surmonter en se dépassant.

L'histoire des peuples fournit des enseignements semblables. Le mouvement européen est né de la guerre, le socialisme des excès de la première révolution industrielle, et la République de la Révolution française. C'est la Révolution aussi, avant de sombrer dans le sang, qui a lancé au monde la Déclaration des Droits de l'Homme. Plus loin de nous, c'est en déportation, en Égypte et à Babylone, que s'est forgée l'âme d'Israël, et c'est d'une tempête politique et religieuse sans précédent qu'a jailli la mutation chrétienne.

Les guerres, ces crises paroxystiques dues à l'affrontement des cultures, contribuent aussi à forger un ordre nouveau. Maurice Blin [1] rappelle que « la guerre, accoucheuse de société, est un thème que deux analystes célèbres, Hegel et Charles de Gaulle, ont largement développé et avec une forte part de vraisemblance. Par elle, une société close et figée s'ouvre soudain et change de forme. Elle provoque la rencontre et parfois le croisement des

1. M. Blin, *Le Travail et les Dieux*, Aubier-Montaigne, 1976.

cultures ». Il rappelle aussi que Hegel et Nietzsche allèrent jusqu'à rapprocher le rôle de la guerre dans l'histoire humaine, de celui de l'évolution dans l'histoire de la vie. Car la guerre fait et défait les empires, comme l'évolution crée et élimine les espèces.

Loin dans le passé, c'est en zone aride que sont nées et se sont épanouies les premières grandes civilisations, et non dans ces paradis de verdure des zones intertropicales, notamment de l'Est africain, où pourtant l'homme a fait son apparition dans des conditions d'environnement climatique et physique optimales. Une trop grande densité de population est-elle à l'origine de cette dérive vers des climats moins hospitaliers? Nul ne le sait. C'est dans ceux-ci cependant que l'homme acquiert sa pleine dimension.

Dans la steppe ou le désert, la nourriture est rare et les nuits sont froides : il faut lutter pour vivre. De plus, l'absence d'un couvert végétal digne de ce nom permet d'observer le mouvement des astres dans des cieux clairs, et de poser les premiers rudiments des mathématiques; en même temps apparaît un cycle saisonnier étranger au monde équatorial, source de nouvelles observations utiles. Nul doute que ces conditions sévères n'aient conduit à des acquisitions civilisatrices décisives, mais au prix probablement de maints reculs et de durs échecs. De même, c'est pendant la glaciation de Wurm, il y a environ cent mille ans, sous un climat sibérien, qu'apparaît l'homme de Néanderthal, déjà si proche de nous.

Ce qui vaut pour l'homme vaut aussi pour les espèces qui le précèdent dans l'histoire des êtres vivants : il a fallu la terrible sécheresse de l'époque silurienne, voici quelque trois cents millions d'années, pour que la vie animale et végétale s'arrache au milieu aquatique pour conquérir les terres émergées. A cette époque, pour les algues vertes, mères de toutes les plantes, et pour les poissons, ancêtres des animaux terrestres, c'était aussi « le choc du futur ». Fantastique ébranlement, hécatombe gigantesque d'où émergent cependant les premiers pionniers de la terre ferme. En sociologie comme en biologie nécessité fait loi.

Les sciences physiques elles-mêmes obéissent à ces déterminismes : n'est-ce pas à travers raz de marée, volcanisme et tremblements de terre que le globe modèle et remodèle sans cesse son visage, restaurant de nouveaux équilibres géomorphologiques à travers de terribles secousses?

Le choc du futur, nous le vivons déjà; les profondes modifications de l'environnement matériel et culturel survenues en moins d'un siècle confrontent les hommes d'aujourd'hui à des situations neuves. Elles les contraignent donc à réagir, d'où l'éclosion de nouvelles attitudes et de nouveaux comportements. L'homme contemporain se trouve ainsi en période d'activité évolutive, comme l'affirmait le troisième terme de notre syllogisme qu'il convient de démontrer maintenant.

III. DANS LA TURBULENCE DES ASPIRATIONS NOUVELLES

Le développement tous azimuts de la contestation, concept en si grand honneur aujourd'hui, révèle l'étendue et la profondeur des remises en cause. Il exprime en même temps l'émergence, si confuse soit-elle encore, de nouvelles valeurs.

La puissance contestataire de notre époque, avec ses effets destructurants et délitants, s'inscrit parfaitement dans les courants de la pensée moderne dont les grandes étapes ont été retracées au premier chapitre de notre ouvrage. La contestation n'épargne rien; elle s'attaque avec la même vigueur aux traditions, aux mœurs, à la morale, à la philosophie, aux arts, à la politique, à l'ordre socioéconomique. On pouvait croire toutefois que la science et la technologie, ces deux moteurs des sociétés industrielles, seraient épargnées : il n'en est rien. Après avoir porté les espoirs d'une humanité enfin libérée des jougs millénaires, les voici à leur tour tenues en suspicion.

La science en question.

En laissant croire à l'opinion publique que la science et la technique résoudraient automatiquement tous les problèmes et conduiraient naturellement, comme malgré elle, l'humanité vers des lendemains qui chantent, les scientifiques, qui se sont faits ainsi, consciemment ou non, les complices des pouvoirs établis, ont rendu à la science un bien mauvais service. Aujourd'hui, cette croyance a fait long feu; car la science et la technique ne sont que des outils, prolongeant et amplifiant les ressources du cerveau humain. Des outils pour le meilleur ou pour le pire.

Si la science est neutre, les hommes de science en revanche ne le sont pas, même et surtout quand ils croient l'être! Il serait trop facile de prendre ses distances dès lors que le fruit d'une recherche est utilisé à des fins contestables : manière comme les autres de s'esquiver, et que A. Koestler [1] caricature avec un humour cruel dans ses *Call-Girls.* Comme tout citoyen conscient et informé, l'homme de science est directement responsable de son activité : il est engagé par l'orientation qu'il donne à ses travaux, par les contrats qu'il accepte ou qu'il n'accepte pas, par les causes qu'implicitement ou non il consent de servir. Le drame de conscience d'un Oppenheimer, et plus récemment de ces biologistes américains travaillant au « bricolage » des gènes, est exemplaire à cet égard.

Dans ces conditions, il est juste que la science soit aujourd'hui appelée à s'expliquer. Elle n'éludera pas le débat : elle ne le doit d'ailleurs pas. Une opinion mieux informée, et à juste titre inquiète de l'avenir, veut savoir ce qui se passe dans les laboratoires : elle sait bien que c'est là d'abord que l'avenir se construit. Et cela est d'autant plus vrai que, comme le note Roger Garaudy [2], « ce que nous appelons la science n'est plus la sagesse et la connaissance par lesquelles se définit l'ensemble de nos rapports avec la nature, avec l'autre homme, avec la société, avec la transcendance; c'est en fait un modèle de civilisation. Elle n'est pas " la science " mais " la science occidentale " : celle qui a pour objet de transformer la nature afin de la posséder; celle qui est le moteur de la croissance par la manipulation conceptuelle et technique des choses et des hommes ».

Plus encore que la science, la technologie est suspecte : car si la science, au moins en théorie, se meut dans l'abstraction, la

1. A. Koestler, *Les Call-Girls,* Calmann-Lévy, 1973.
2. R. Garaudy, *Le Projet espérance,* Robert Laffont, 1976.

technologie développe ses innovations sous nos yeux. Rêve pour la génération qui nous a précédés, elle est devenue réalité quotidienne; sera-t-elle demain un cauchemar? Dans une société ultratechnicisée, l'homme aspire confusément à retrouver ses racines. René Dubos [1] observe pertinemment que l'intérêt pour les « explorations spatiales et pour l'arrivée d'êtres humains sur la lune n'a même pas duré une décennie : les noms des explorateurs de la lune sont encore moins connus que ceux des académiciens; et pourtant, depuis des millénaires, l'humanité a eu presque une obsession pour les voyages à travers l'espace. Mais ces rêves étoilés ont perdu leur charme au moment même où ils se réalisent, alors que le spectacle de l'aube ou du soleil couchant a conservé toute la poésie qu'il a eue depuis qu'il y a des hommes ».

Les réactions de rejet.

Les grandes innovations technologiques, quand leurs applications deviennent imminentes, déclenchent parfois de véritables crises de rejet. L'importance de la contestation antinucléaire dans tous les pays développés est particulièrement révélatrice de la généralisation d'un mécanisme de blocage, au moment où va être franchie une étape décisive dans l'évolution des sociétés industrielles. Les sondages révèlent que des fractions de la population importantes, peut-être majoritaires dans certaines régions très attachées à leurs traditions et à leur cadre de vie comme l'Alsace, refusent de franchir ce nouveau seuil. Il est vrai que l'exploitation de l'énergie nucléaire à grande échelle pose un problème sans précédent dans l'histoire des sociétés industrielles : l'impossibilité « d'éteindre » la radioactivité conduit à créer et à accumuler des déchets dangereux à perpétuité. Pour la première fois, l'homme met en œuvre un processus qu'il n'est plus en mesure d'interrompre : on éteint un feu, on arrête une usine ou une machine, on détruit des déchets toxiques, mais on ne neutralise pas la radioactivité. Simplement on l'empêche de se diffuser, on la « confine ». Redoutable pari dont il appartiendra aux générations futures d'assumer l'héritage.

1. R. Dubos, *Choisir d'être humain,* Denoël, 1974.

Comme des feux de broussailles, des conflits éclatent ici ou là à l'occasion de l'implantation d'une industrie réputée polluante, même dans des régions particulièrement démunies d'emplois. Les mémorables tribulations d'un projet d'usine de stéarate de plomb, refusé plusieurs fois en République fédérale d'Allemagne, et violemment rejeté par des mouvements contestataires en Moselle d'abord, puis en Alsace et dans la Meuse, témoignent de comportements impensables il y a quelques années. L'installation d'un aéroport, la construction d'une autoroute, la création d'un barrage, la coupe « à blanc » d'une forêt ou la plantation de résineux déclenchent des réactions analogues.

Pressés par l'opinion publique, nos aménageurs sont contraints, comme cela se pratique depuis longtemps dans d'autres pays, de présenter et de défendre leurs projets sans pouvoir esquiver les débats qui s'imposent, à l'initiative de groupes ou d'associations de sauvegarde de l'environnement. D'ailleurs la loi désormais les y oblige. De même des pollutions accidentelles déclenchent des remous d'une ampleur encore jamais constatée jusqu'ici. De plus en plus nombreux sont ceux qui pensent, avec René Dubos [1], que « même quand le progrès technologique apporte de nouvelles satisfactions, celles-ci ne compensent pas la perte d'un ciel lumineux, d'un air embaumé, d'une eau de rivière claire et poissonneuse, d'un voisinage calme et harmonieux ». Et il ajoute : « l'effort qui se fait de par le monde pour sauvegarder l'environnement transcende les problèmes posés par la pollution et par les ressources naturelles. Il représente le commencement d'une croisade pour retrouver certaines valeurs de la vie sensorielle et affective dont le besoin fondamental est immuable parce qu'il est inscrit dans le code génétique de l'espèce humaine ».

Salaires et qualité de la vie.

Dans un autre ordre d'idées, les revendications traditionnelles pour l'augmentation du niveau de vie se doublent d'aspirations encore confuses à une amélioration de la qualité de la vie. Les

1. R. Dubos, *op. cit.*

syndicats adoptent de nouveaux thèmes mobilisateurs : on revendique ou l'on manifeste pour de meilleures conditions de vie et de travail. Il arrive que de nouvelles solidarités se dessinent, transcendant les égoïsmes catégoriels ou corporatistes : dans telle grande entreprise, même si c'est encore l'exception, les cadres acceptent de renoncer à une partie de leur traitement par solidarité avec le monde ouvrier contraint au chômage partiel. Et le chômage partiel, en augmentant le temps réservé aux loisirs et aux activités personnelles, accrédite lentement cette idée révolutionnaire, et en tout cas « postindustrielle », qu'une amputation partielle de revenu peut être compensée par une liberté plus grande de vivre comme on l'entend. Surtout lorsque le chômage partiel est partiellement rémunéré. On en vient alors à penser qu'il n'est pas forcément mauvais de gagner « un peu moins » lorsqu'on travaille « beaucoup moins ». Le revenu financier n'est donc plus perçu comme l'objectif exclusif et l'unique source du bonheur. Certes, le chômage reste un malheur, et une hantise. Pourtant le fait qu'il tend à être assumé par l'ensemble du corps social, au moins durant la période où il est rémunéré, contribue à faire éclore des attitudes nouvelles face au travail et à l'argent.

D'importants changements de sensibilité se manifestent également à l'égard des biens de consommation qui, dépouillés de leur valeur symbolique, ne conservent que leur valeur d'usage. Ils échappent alors à la tyrannie des modes annuelles, contraignant les producteurs à insister sur leur robustesse et leur longévité. N'a-t-on pas vu telle grande marque automobile proposer une voiture qui durera dix ans? Thème publicitaire inconcevable il y a quelques années encore – à moins qu'il ne se soit agi que d'un stratagème pour passer la crise.

Après les réticences qui ont placé la France loin derrière les pays anglosaxons, les populations urbaines demandent enfin la création de voies piétonnières, d'espaces centre-urbains de repos et de loisirs. L'amélioration des transports en commun devient une revendication pressante. La brusque prise de conscience de la richesse et de la beauté architecturales des villes anciennes alimente d'innombrables associations, militant pour la restauration et la réhabilitation du patrimoine historique. De nombreuses régions lancent spontanément des campagnes d'embellissement, et adoptent de nouveaux règlements en matière d'architecture et d'urbanisme, visant à sauvegarder leur caractère et les ambiances qui leur sont propres...

Des aspirations contradictoires.

L'extrême rapidité de cette prise de conscience surprend : par ces aspirations nouvelles, l'opinion publique est devenue un puissant facteur de rétroaction sociale et de régulation, malgré l'ambiguïté qu'il est aisé de déceler dans ses attitudes. Les aspirations nouvelles se superposent en effet aux habitudes anciennes sans les supprimer. Ne prétend-on pas simultanément à une forte croissance industrielle, génératrice d'emplois et de hauts revenus, et à un mode de vie moins fébrile ou à un environnement moins agressé et moins pollué? Ou tout simplement à gagner plus et à travailler moins? Ne cherche-t-on pas à augmenter son propre niveau de vie et sa consommation individuelle tout en exigeant des équipements collectifs, hôpitaux, crèches, équipements sportifs, sociaux, culturels plus nombreux et moins chers; ou encore des aménagements destinés à améliorer la qualité de la vie? Le tout, bien entendu, sans admettre la moindre augmentation de la fiscalité au profit des collectivités publiques qui les réalisent. Car si en chacun l'écologiste sommeille, le contribuable, lui, reste bien éveillé! Ne voit-on pas des agriculteurs protester véhémentement lorsqu'une forêt voisine est traitée par des herbicides tous les dix ans, alors qu'ils appliquent à leurs champs le même traitement tous les six mois? Ne souhaite-t-on pas voir restaurer les vieilles maisons des centres, mais habiter une villa moderne en banlieue; avoir des autoroutes et des aéroports, mais le plus loin possible de chez soi; de l'électricité à gogo, mais pas de centrales nucléaires; des usines mais pas de pollution : bref, cumuler les avantages de la croissance mais refuser ses inconvénients? Et surtout nous sentons-nous vraiment concernés par une atteinte à l'environnement qui ne nous touche pas personnellement?

Les conflits en matière de pollution ou d'occupation du sol, surgissant à propos d'une implantation industrielle ou d'un grand projet d'aménagement, se circonscrivent généralement à des cercles de faible rayon autour du point chaud, et ne provoquent qu'exceptionnellement de larges mouvements de solidarité. Les prises de conscience s'effectuent ponctuellement, à partir d'une nuisance immédiatement menaçante. Les conflits naissent, éclatent, puis s'apaisent, comme les bulles montent à la surface d'un liquide, sans se rencontrer.

L'écologie, ce trouble-fête...

Pourtant une évolution importante semble se dessiner. Le mouvement écologique apparaît sur la scène politique, et risque de déjouer les calculs de bien des stratèges. Dans les démocraties occidentales, où le sort des majorités se joue dans des scrutins très serrés, et parfois à quelques fractions de pourcentage des voix, l'impact de ces nouveaux venus est imprévisible. Mieux, en se maintenant au second tour, ils « cassent » le jeu politique en refusant l'alternative manichéenne du choix entre deux blocs. C'est ce qui s'est passé aux élections cantonales de mars 1976 en Alsace.

Les thèmes écologiques, par leur nouveauté, prennent de court les partis traditionnels. Les nouveaux clivages qu'ils suscitent ne se superposent pas aux clivages politiques mais les recoupent en diagonale. A droite comme à gauche, on est « pour » ou « contre » le nucléaire, plus ou moins allergique à la pollution, pour une forte croissance ou pour une autre croissance, selon sa sensibilité personnelle. Avec des nuances toutefois; la nouvelle gauche, mariant l'écologie à l'autogestion, en fait le tremplin d'une contestation globale; tandis que les partisans d'une démocratie libérale avancée reprennent à leur compte certaines revendications écologiques, et traduisent ces aspirations dans la loi : les droits des associations de protection de l'environnement sont reconnus et étendus, les procédures d'enquête publique enfin démocratisées, le gigantisme et les excès du béton-roi condamnés. Le septennat du président Giscard d'Estaing a amorcé une évolution très positive à cet égard. Les vieux politiciens par contre, qu'ils soient de droite ou de gauche, évacuent d'un revers de main la problématique écologique au nom des sacro-saints impératifs de la production. A moins qu'un problème ne surgisse dans leur circonscription et ne menace leur carrière; on les voit alors biaiser et tenter de s'en tirer par des faux-fuyants, ce qui peut conduire à des situations cocasses : ne voit-on pas tel élu mener sa campagne contre un projet de centrale nucléaire, alors que lui-même et les collègues de son parti approuvent sans réserve le programme dont celle-ci n'est qu'un élément? Ailleurs, un illustre inconnu est brillamment élu, à la grande surprise des états-majors, parce qu'il aura axé sa campagne sur la lutte antipollution dans une région industrielle, ou encore sur son opposition à l'implantation d'une entreprise d'équarrissage. L'art de se saisir habilement d'un problème chaud devient la meilleure garantie du succès, en dehors de toute considération d'étiquette.

Le débat sur la croissance se développe dans la même confusion; il y a vingt ans, la croissance, censée assurer le plein emploi, était une idée de gauche, et l'expansion modérée, qui s'accommodait d'une éventuelle régulation de l'économie par le chômage, une idée de droite. Depuis 1968, la situation s'est inversée : jusque dans les syndicats, les mouvements contestataires affirment désormais l'importance des objectifs qualitatifs, tandis que le patronat prône une croissance à la japonaise et reproche au gouvernement sa timidité.

Profondément déconcertés par cette évolution qui les accule à de rapides ajustements, les partis politiques tentent de récupérer tant bien que mal les aspirations écologiques. N'a-t-on pas vu le parti communiste présenter un candidat écologiste, ce qui plongea sa vieille garde dans le plus parfait désarroi, tant le nouveau langage tranche sur le vocabulaire rituel? Les catholiques avaient déjà « perdu leur latin », après Vatican II, avec tous les remous que l'on sait. Va-t-il en être de même du PC et verra-t-il fondre ses troupes, dans cet effort d'*aggiornamento* pourtant bien nécessaire?

Pour limiter les dégâts, on tentera de verser le vin nouveau dans de vieilles outres : ainsi ce même parti se prononce, en bonne logique productiviste, pour le développement d'un important programme nucléaire; mais il rejette le programme actuel, estimant « la sécurité nucléaire incompatible avec les règles capitalistes du profit ».

Régulations de la nature et choix sociaux

Au-delà des clivages traditionnels, la sensibilité écologique se développe dans toutes les classes sociales, notamment chez les jeunes. Dans les couches d'âge plus avancé, ceux qui accèdent à l'aisance sont les premiers touchés; car dans les milieux modestes, comme dans les pays peu développés, on aspire toujours – et quoi de plus naturel! – à bénéficier des avantages immédiats qu'offrent les sociétés de consommation. Pourtant, des paysans se mettent à l'agriculture biologique, de jeunes ouvriers quittent l'usine pour la terre; des ingénieurs, des médecins, des directeurs d'usine repartent à zéro dans quelque ferme abandonnée. Des technologies et des thérapeutiques douces, inspirées des connaissances les plus modernes, sont expérimentées sur le terrain et confrontées aux traditions du terroir : l'innovation écologique bat son plein. On aimerait que les pouvoirs publics s'y intéressent davantage : pourquoi ne doterait-on pas nos ministères de l'environnement d'un service de l'innovation écologique chargé de suivre et d'encourager certaines expériences novatrices, aux retombées imprévisibles?

De curieux retournements dialectiques.

Les systèmes de référence étant bouleversés, on assiste à de comiques renversements de situation : du très moderne devient archaïque et inversement. Tel maire paysan, qui refuse obstinément un lotissement dans sa commune par conservatisme foncier – et le mot foncier est à prendre dans les deux sens du terme –, devient ultramoderne dès lors qu'allié aux écologistes il accepte le classement d'une forêt, d'un site ou d'un étang en réserve naturelle. Tel apôtre de la croissance à la japonaise fait figure d'ancien combattant d'avant la guerre du Kippour. Tel partisan de la restauration des immeubles anciens, hier tenu pour rétrograde, apparaît désormais étonnamment à la page. Tel ingénieur, pourtant à l'extrême pointe de la recherche technologique, se voit brusquement contesté par les protecteurs de la nature, sans que sa science lui soit d'aucun secours.

Les biologistes le savent bien : quand le milieu change, les cartes sont redistribuées et l'avantage devient handicap ou inversement.

Il est bon d'être blanc pour un papillon vivant sur les troncs des bouleaux. Excellent camouflage : on éloigne ainsi l'oiseau prédateur, car un papillon blanc sur fond blanc est invisible. Mais que la pollution, en zone industrielle, vienne noircir les troncs et notre papillon se retrouve en fâcheuse posture. Heureux alors le papillon noir! A moins que les industriels ne s'emploient à dépolluer l'atmosphère comme ils le font dans la région de Liverpool depuis des décennies : les bouleaux redevenus blancs, c'est aux papillons noirs cette fois de subir la prédation des oiseaux. Ainsi, pour une population contenant deux types d'individus génétiquement distincts par un de leurs caractères – ici la couleur – le milieu, en fonction de son évolution, favorise tour à tour l'un ou l'autre. C'est précisément ce qui s'est produit en Grande-Bretagne où les biologistes observent la phalène du bouleau depuis plus d'un siècle [1].

Un infirme est totalement marginalisé à Paris : on le garde à vie dans une maison de soins. Mais dans les rues de Bombay, la même infirmité donnera au petit mendiant qui l'exhibe un précieux avantage sur ses camarades en bonne santé : car en apitoyant les touristes sur son sort, et avec quel talent, il arrondira singulièrement son revenu quotidien; tout en faisant la preuve, par ailleurs, de l'incroyable aptitude de l'organisme à développer de nouvelles capacités quand une infirmité vient restreindre le champ normal des aptitudes physiques. Qui a vu ces enfants gravement infirmes trotter dans les rues des grandes villes de l'Inde en reste stupéfait : c'est dans les conditions extrêmes que la machine humaine révèle la richesse de ses potentialités adaptatives.

Ces étonnants retournements de situation, si étrangers à la pensée classique, confondent les esprits. On ne sait plus trop quoi penser, ni comment réagir face aux situations nouvelles.

Faut-il au plus vite utiliser les crédits prévus pour l'environnement, si maigres soient-ils, pour créer des emplois, ou au contraire investir dans la protection de la nature en quelque sorte à fonds perdus? Faut-il privilégier la relance de l'économie ou promouvoir la qualité de la vie? La contradiction entre ces deux

1. E.-B. Ford, *Génétique écologique,* Gauthier-Villars, 1972.

attitudes est-elle apparente ou réelle, et n'y a-t-il pas d'autres choix? Face à la crise, le rôle des écologistes paraît ambigu : vont-ils contribuer à la guérir ou à l'aggraver?

Leurs exigences risquent de grever le coût des investissements industriels, et donc de ralentir l'expansion en accélérant l'inflation. Pourtant ils militent pour le recyclage des matières premières, et contre les gaspillages d'énergie; d'où une incidence heureuse sur la balance du commerce extérieur. Les experts les condamnent, eux qui ont réussi à faire de notre économie une école de gaspillage. Mais les gouvernements les suivent quand ils demandent des économies d'énergie, la fin de la production des gadgets, la revalorisation du travail manuel et de l'artisanat, l'amélioration qualitative des projets et des produits, etc.

En fait, l'écologie sort renforcée du tumulte. Elle saisit l'événement comme le planeur prend le vent, et resurgit ici quand on croit l'avoir enterrée là. Elle emprunte à la pensée moderne l'art de la dialectique, mais abandonne le vocabulaire pesant des systèmes, dans lesquels elle refuse obstinément de se laisser enfermer. Pour tout dire, elle déroute, irrite et fascine.

Quand le futur se cherche...

Dans l'ambiguïté des attitudes, dans l'extrême profusion et confusion des idées et des débats, dans la confrontation des sensibilités et la diversité des motivations, la vie se cherche, tâtonne, avance. Il en fut ainsi de toute époque de fermentation, dans l'histoire des hommes comme dans celle des espèces vivantes. Chaque grande invention de l'homme ou de la vie a donné lieu à d'innombrables tâtonnements, avec leurs erreurs et leurs victimes. C'est une véritable fièvre qui s'empare des plantes ou des animaux lorsque au sein d'une grande lignée évolutive quelque chose d'important se prépare. L'invention de l'ovule et de la graine, le passage des poissons aux amphibiens ou des reptiles aux mammifères se sont soldés par d'innombrables tentatives avortées, jusqu'à ce qu'enfin un nouveau système fût au point. Il a fallu la période de trouble et de confusion du haut Moyen Age pour que s'organisent peu à peu de nouvelles structures politiques, après l'effondrement de l'empire carolingien : le futur s'enfante dans la douleur. Déjà, il se construit sous nos yeux : « les origines se cachent sous les commencements », dit Heidegger. Mais nous restons aveugles. Notre regard se perd dans les dédales du passé, notre pensée s'égare dans les souvenirs, nos habitudes s'engluent dans la routine : nous restons incapables d'imaginer un avenir différent. Face au futur en gestation et à la multiplicité des possibles, nous nous accrochons à nos certitudes, c'est-à-dire au passé.

Aussi ne tirerons-nous le plein enseignement de la crise qu'en nous appuyant sur une pédagogie du changement. Le mot est à la mode, mais le concept qu'il exprime l'est moins. Car l'éducation reçue ne permet pas d'intégrer cette notion dans une vision globale de l'histoire et du monde.

IV. CHANGER DE MONDE POUR CHANGER LE MONDE

Curieusement, nos contemporains vivent le changement, et parfois le subissent, sans très bien le comprendre. Ils y aspirent et en même temps ils le craignent, car dans leurs structures mentales les plus profondes, le changement reste ce qu'il était pour nos ancêtres de l'Antiquité. Les philosophies du monde antique voyaient dans l'univers la perpétuation d'un temps éternellement immobile. Qu'elle soit d'inspiration aristotélicienne ou platonicienne, la pensée grecque ne connaît qu'un cosmos stable, immuable : mécanique complexe, selon Aristote, aux rouages merveilleusement agencés comme en témoignent le rythme des saisons, la précision du mouvement des astres, l'ordre biologique qui veut que chaque graine reproduise obstinément la plante de son espèce...; univers aux valeurs parfaitement hiérarchisées, de l'esprit à la matière, selon Platon.

D'abord apprendre à changer.

Certes, les Anciens constataient déjà les bouleversements de l'ordre du monde et leurs dramatiques conséquences : catastrophes naturelles, famines, guerres, épidémies. Mais ces événements, dans la mesure même où ils se répétaient, leur paraissaient se succéder de manière plus ou moins cyclique : un peu comme les jours ou les saisons qui se suivent sans toujours se ressembler, mais dont le rythme est immuable. Aux vaches grasses succèdent les vaches maigres, et inversement. C'est le mythe de l'éternel retour. « Il n'y a rien de nouveau sous le soleil, dit l'Ecclésiaste; personne ne peut dire : voilà une chose récente, car elle a déjà existé dans les siècles écoulés [1]. » Cette vision « classique » de la nature et de la société s'exprime bien sous la plume de Marc Aurèle [2] : « Le sage considère les destructions périodiques et les renaissances de l'univers et se dit que notre postérité ne verra rien de nouveau, que nos ancêtres n'ont rien vu de plus grand que ce que nous avons vu. »

Sa conception cyclique de l'univers n'empêchait d'ailleurs pas Marc Aurèle de percevoir l'unité profonde du cosmos et des lois fondamentales qui régissent les systèmes vivants. Il écrit dans ses *Pensées :* « représente-toi sans cesse l'univers comme un être unique et une âme unique, considère comment tout contribue à la cause de tout, et de quelle manière les choses sont fixées, enroulées ensemble ». Pascal lui fait écho : « Toutes choses étant causées et causantes, aidées et aidantes, médiatement et immédiatement, et toutes s'entretenant par un lien naturel et insensible qui lie les plus éloignées et les plus différentes, je tiens impossible de connaître les parties sans connaître le tout, non plus que de connaître le tout sans connaître les parties. » Intuition confirmée par les acquisitions les plus récentes des sciences de la nature, en particulier de l'écologie, mais que la pensée cartésienne avait complètement négligée; ce qui nous vaut les raisonnements

1. L'Ecclésiaste, I, 9.
2. Marc Aurèle, *Pensées,* Paris, Traunoy, 1953.

simplistes où une cause est censée ne jamais produire qu'un seul effet, et l'effet ne résulter que d'une seule cause. On sait ce que ce type de raisonnement linéaire nous a coûté, en particulier pour l'aménagement du territoire.

Pourtant la tradition hébraïque s'éloignait dès l'origine de ces représentations fixistes : en reconnaissant en Yahweh le guide du peuple juif et en assignant à ce peuple une mission universelle, elle introduisait une dimension historique et eschatologique dans le monde clos de l'Antiquité. Le christianisme brise les dernières chaînes et fait de l'histoire humaine la continuation de l'acte créateur initial, si bien qu'on a pu mettre en parallèle l'évolution créatrice de Bergson avec l'authentique tradition judéochrétienne [1]. Mais cette tradition s'est singulièrement affadie depuis l'ère constantinienne, où elle s'est moulée dans les cadres de la pensée grecque et du juridisme romain. Elle s'efface davantage encore depuis la Contre-Réforme, où le monde catholique resserre son dispositif et se replie sur lui-même, dans une attitude purement défensive, fondée sur une ontologie statique qui laisse peu de place au concept d'évolution.

Paradoxalement, il aura fallu l'irruption de l'évolution dans l'histoire de la pensée, au siècle dernier, pour que la notion du temps historique, qui caractérisait pourtant la tradition judéochrétienne, s'impose de nouveau avec force, sans que l'ancienne conception d'un temps immuable ou cyclique ait été pour autant évacuée de l'inconscient collectif des hommes d'aujourd'hui.

Aussi sommes-nous, semble-t-il, condamnés à vivre dans une continuelle dialectique, célébrant tantôt la continuité, tantôt l'évolution : après le mythe gaulliste de la stabilité, le mot d'ordre giscardien du changement...

Prendre du recul pour voir plus loin.

En fait, les seuls changements naturels reconnus par la plupart de nos contemporains, alors même qu'ils prêtent à la technologie le pouvoir magique de transformer leur vie, restent les

1. Cf. par exemple Claude Tresmontant, *Essai sur la pensée hébraïque*, Éd. du Cerf, 1953.

changements cycliques aisément observables en une vie d'homme. Il ne faut que quelques heures d'attention pour observer que le jour succède à la nuit et que nos « humeurs » varient, de la veille au sommeil ou de la faim à la satiété. Il suffit de quelques jours pour constater que le temps en fait autant, au moins en climat tempéré. En un an, nous voyons se développer le rythme des saisons, sauf à l'équateur. Mais il faudrait vivre plusieurs milliers d'années pour assister à la transformation des climats, pour saisir les grandes pulsions des glaciations par exemple, et plusieurs dizaines de millions d'années pour voir changer les espèces animales et végétales, pour suivre l'onde profonde de l'évolution biologique : ainsi les premières fleurs sont-elles apparues il y a une centaine de millions d'années, tandis que les conifères apparaissaient dans un passé deux fois plus reculé et les fougères plus tôt encore. Enfin, il faudrait avoir vécu plusieurs milliards d'années pour avoir pu assister à la formation de l'azur céleste à partir d'une atmosphère oxygénée, elle-même consécutive à l'apparition des premières plantes microscopiques au sein des océans primitifs.

Il est urgent de développer dans la mentalité collective une vision synthétique, évolutionniste et dynamique de l'univers. Cette tâche fondamentale de la pédagogie moderne contribuera à créer entre les hommes ce langage minimal commun, en deçà duquel il n'y a plus de valeurs partagées ni de compréhension possible : donc plus de civilisation.

Un tournant à ne pas manquer.

Aujourd'hui, à travers la crise des sociétés industrielles, l'humanité aborde un nouveau tournant de son histoire.

La situation est sans précédent. L'image qui représente l'histoire comme une roue qui tourne est trompeuse; tout au plus permet-elle d'affirmer que les hommes sont toujours à un tournant de l'histoire! Car il est faux de croire que l'histoire se répète. Pour ne prendre que notre cas : quand donc, avant nous, l'humanité avait-elle accumulé assez de pouvoir et de savoir pour anéantir toute vie sur la terre et se détruire elle-même? Pour la première fois une espèce, la nôtre, tient en main tout le jeu : puisse-t-elle prendre conscience de son écrasante responsabilité, alors qu'il s'agit de déceler les mécanismes complexes des sociétés, de la nature, de la vie. Ce sont ces mécanismes qui peu à peu se dérèglent sous nos yeux, et nous contraignent à une prompte riposte. Aventure passionnante, caractéristique de ce que Péguy nommait une *époque,* phase d'évolution rapide, tumultueuse et novatrice, tranchant sur la monotonie des *périodes,* où l'histoire se déroule, si l'on peut dire, sans histoires. Pendant les périodes l'évolution piétine et l'homme s'abandonne à la facilité, selon la loi du moindre effort : « enrichissez-vous », s'écrie alors le Guizot du moment. Mais pendant les époques, l'homme affronte l'épreuve et l'humanité avance.

A notre époque, le défi est de taille, car tous les futurs sont possibles, de l'effondrement des sociétés industrielles à la conflagration nucléaire, et de la montée des totalitarismes aux décadences dans l'anarchie. Il n'est même pas impossible que nous parvenions à instituer la société planétaire, équilibrée, conviviale, humaine. Ajoutons socialiste, au meilleur sens de ce terme.

La situation de crise, où nous sentons bien que nous sommes engagés pour longtemps, a le mérite de requérir une prise de conscience généralisée, condition *sine qua non* de la mise en œuvre des processus adaptatifs et régulateurs. C'est au niveau de l'évolution des aspirations, des mentalités, des attitudes et des comportements que se décèlent, dès à présent, les signes d'un changement profond.

2
La chanson du bon vieux temps

> « Va-t'en de ton pays, de ta famille et de la maison de ton père...
> Ne regarde pas en arrière et ne t'arrête nulle part... »
>
> GENÈSE XII,1 et XIX,17.

I. LA DIVERSITÉ DES RÉACTIONS INDIVIDUELLES

Dans une société libérale et permissive où les attitudes individuelles ne sont pas dictées et sanctionnées par un pouvoir centralisateur, la marge de liberté, malgré les aliénations collectives dues à la pression des modes et des média, conduit à une grande diversité de comportements. Cette diversité s'accroît puissamment dans une période comme la nôtre; car la crise accentue le nombre et la variété des décisions et des réactions individuelles, donc l'intensité des fluctuations sociales : elle précipite le déclenchement de divers mécanismes de refus ou d'adaptation. Il en résulte, au niveau sociétaire, une impression d'éclatement, d'anarchie, de dispersion, de confusion et de délitage très caractéristique de notre temps.

L'inversion des générations.

La crise affecte en priorité les jeunes, pour qui l'avenir est plus riche d'interrogations que de promesses. Les adultes, coincés entre une éducation traditionnelle et un environnement en mutation, auquel leurs obligations et leurs responsabilités les contraignent de faire face, sont aussi soumis à de fortes tensions, génératrices de conflits. Mais à partir d'un certain âge, ils comprennent mal que le progrès économique puisse être remis en cause, dès lors qu'il leur a valu des conditions de vie moins dures que celles de leurs parents; et face à l'évolution des mœurs, ils font souvent preuve de plus de tolérance qu'on n'est porté à le croire. Les femmes en particulier, plus souples et plus adaptables que les hommes, surtout lorsqu'elles sont mères, changent leur façon de voir au contact de leurs enfants : autre trait surprenant de notre époque, que cette éducation à rebours, si étrangère aux sociétés traditionnelles qui valorisent l'âge et l'expérience, et mettent volontiers la jeunesse à l'épreuve. De plus, en cherchant bien, on décèlerait aussi une pointe d'envie, comme un défoulement rétroactif, en face de la liberté de mœurs des jeunes qui actualisent les fantasmes et rappellent les frustrations des adolescences d'autrefois... L'âge mûr en somme ne s'accommode pas si mal de cette société de consommation que la jeunesse conteste; peut-être aussi lui a-t-elle demandé trop d'efforts d'adaptation pour qu'il ait envie d'en changer.

Mais cette tendance générale rend mal compte de la multiplicité des cas individuels : chaque être, dès le départ, résulte d'un coup de dés génétique qui ne se répétera jamais, et à partir duquel il construit sa propre vie. A la dissemblance physique, qui nous permet de nous « reconnaître » malgré l'uniformité du plan sur lequel nos visages sont construits, s'ajoute une différence psychique, intellectuelle, morale et culturelle qui fait, de chaque vie humaine, une aventure unique. Face à un environnement en pleine mutation, chacun réagit avec sa propre sensibilité. Mais l'on décèle cependant, dans la diversité des attitudes, quelques types de comportements fondamentaux bien connus des biologistes : la lutte, l'enkystement, la fuite, l'adaptation ou la mort.

Heurts et malheurs des intégrismes.

La lutte défensive est le refus affirmé de toute évolution. Elle est une manifestation d'inertie, dans le sens que la mécanique donne à ce mot : l'incapacité de modifier un état, et la résistance au changement. Elle se traduit généralement par une polarisation sur les « valeurs traditionnelles », c'est-à-dire le passé. Le postulat est simple : ce qui était est bon et doit continuer.

Chaque organisation sociale a ses intégristes. Les bruyantes manifestations de l'intégrisme au sein de l'église catholique en donnent une excellente illustration. L'attitude est ambiguë : prendre le ciel à témoin de la justesse de sa cause suppose une appropriation fort peu chrétienne de Dieu, qui par définition n'appartient à personne. En fait, c'est toujours soi-même que l'on défend : sa sécurité enracinée dans les conditionnements de l'éducation et de l'enfance, sa propre conception du monde, ses propres valeurs, et pas l'honneur de Dieu. Dieu n'a pas besoin des hommes pour défendre son honneur, lui dont Louis Massignon disait qu'il est « aussi imprévisible qu'imminent, absolument neuf »; c'est-à-dire libre de toutes contraintes, à commencer par celles du passé. Aussi sans doute parle-t-il toutes les langues, le latin et les autres, entend-il toutes les musiques, le pop et le grégorien, et comprend-il toutes les messes, celle de Pie V et celle de Paul VI.

L'intégrisme, c'est le monde d'avant Darwin, le refus pur et simple du concept même d'évolution. L'éducation reçue, fondée sur la permanence des dogmes, l'idée d'infaillibilité, le légalisme juridique et moral, et les conceptions statiques héritées de la Contre-Réforme pouvaient, il est vrai, faire oublier au bon peuple que l'Église avait une histoire – et quelle histoire! Aussi l'intégrisme n'est-il pas sans circonstances atténuantes. Bien plus, il véhicule des valeurs incontestables : l'attachement à des rites anciens, riches de sens et de symboles, même s'ils paraissent dater dans le langage de notre époque, se veut le signe d'une continuité, d'une fidélité et d'une permanence, au-delà des aléas et des fluctuations du temps. Mais cet enracinement en profondeur, dont l'homme d'aujourd'hui a tant besoin, ne va pas sans équivoque lorsqu'il se vit dans l'intégrisme : c'est en somme *l'invariance*[1] sans l'évolution, la perpétuation d'un hypothétique équilibre statique dans un univers en constante transforma-

1. *L'invariance* est la propriété des êtres vivants de se reproduire indéfiniment semblables à eux-mêmes, par le jeu des déterminismes héréditaires, et tant que des mutations ne viennent pas modifier le patrimoine génétique.

tion, la stabilité sans le dépassement, la durée sans l'émergence, et en tout cas l'inconfort d'un déchirement dont Voltaire disait déjà : « quand on n'a pas l'esprit de son temps, on en a tout le malheur ».

L'intégrisme, il est vrai, trouve dans la nature des modèles très suggestifs. Certaines espèces, dites panchroniques, ont cessé d'évoluer depuis des millions d'années, des millions de siècles parfois, perpétuant dans le monde contemporain des prototypes construits dans la nuit des temps : le cœlacanthe, ce poisson trop conservateur et trop spécialisé pour avoir eu une descendance, est resté tel qu'il était déjà il y a deux millions de siècles. Les éponges qui n'ont pas changé depuis le début de l'ère primaire, les collemboles, groupe très prolifique malgré son extrême antiquité, les blattes immuables depuis le permien, sont d'autres exemples d'intégrismes biologiques, obstinément identiques à eux-mêmes dans un environnement en constante évolution.

Retirer son épingle du jeu.

L'enkystement consiste pour un être vivant à réduire ou à suspendre ses rapports avec un environnement défavorable, quitte à refaire surface lorsque les conditions s'améliorent. Telle est bien la situation de tous ceux qui, baissant les bras, ne se déclarent pas concernés par les problèmes qui agitent le monde, construisent avec un acharnement de termites leur petite maison, l'enferment dans une solide clôture, refusent l'engagement et retirent leur épingle du jeu. Attitude somme toute hygiénique, si l'on admet que bricolage et jardinage suffisent à remplir le cœur de l'homme. Ajoutons-y la pratique d'un sport destiné à libérer l'agressivité, et voilà l'opération réussie : on reste sur place, mais on coupe, au maximum, ses relations avec une société dont on refuse les valeurs, ou dont plus simplement on se désintéresse. On ne vote pas.

Le biologiste ne peut manquer de penser à la graine, cette invention des plantes qui, incapables de fuir dans l'espace, ont mis au point une stratégie leur permettant d'éluder les contraintes de l'environnement en s'encoconnant dans un milieu protégé et en limitant au maximum leurs échanges avec l'extérieur. Il s'agit en réalité d'une fuite dans le temps, puisque la graine peut ainsi attendre des années, voire des siècles, des conditions favorables à la germination : les graines de lotus d'Asie peuvent conserver leur pouvoir germinatif pendant mille ans. Mais le fameux blé trouvé dans les tombes des pharaons n'a, semble-t-il, jamais germé. Il s'agissait d'une blague qu'un jardinier facétieux avait faite à un très distingué professeur de botanique [1].

L'enkystement est également un avantage des espèces inférieures, telles que les amibes, les bactéries, les champignons dont les kystes ou les spores ont une remarquable aptitude à résister dans les conditions les plus difficiles et à traverser sans dommage une situation de crise.

Le salut dans la fuite.

La fuite est une attitude plus typiquement animale et trouve ses antécédents biologiques dans le comportement des nombreuses espèces qui ont choisi d'émigrer, à la recherche de meilleures conditions de vie. Ainsi font, chez nos contemporains, ceux qui abandonnent leur profession ou leur vie familiale, et parfois les deux, pour vivre dans une campagne retirée le vieux rêve du retour à la nature. Ce mouvement répandu aux États-Unis a pris une ampleur non négligeable en Europe avec la multiplication des communautés. On y tente à la fois de « changer la vie » et de changer de vie, de substituer l'artisanat à l'industrie et l'agriculture biologique à l'agriculture industrielle, de réanimer les traditions pastorales, de ressusciter de vieux villages abandonnés. C'est ainsi que de petites sociétés autarciques prolifèrent en marge de la société industrielle.

Mouvement qui appelle la sympathie, mais sans aucun doute moins révolutionnaire qu'il ne voudrait l'être, car il se retrouve à toutes les périodes de l'histoire. Ce mythe du bon vieux temps, de l'âge d'or et du jardin d'Eden, exprime à sa manière une cer-

1. Cf. J.-M. Pelt, *Évolution et Sexualité des plantes,* Éd. Horizons de France, 1970.

taine peur du futur et une tentative de fuite dans un passé déjà vécu par les générations précédentes, et donc sécurisant. Pourtant beaucoup y voient l'amorce d'un nouveau modèle de vie sociale, qui pourrait préfigurer dès à présent les grands traits de la société future, plus écologique, plus conviviale et plus humaine. Car il est vrai que dans certains cas l'intelligence, l'effort, l'esprit d'innovation se conjuguent pour alimenter, dans un brassage humain étonnant, de nouvelles expériences. Beaucoup avorteront, mais certaines témoignent dès à présent de l'éclosion de nouveaux modes de vie et même, dans les régions désertes du sud du Massif central, de nouveaux écosystèmes. Quelque chose est en train de naître sous les sédiments que laisse chaque automne le reflux des touristes ou des jeunes, venus avec les meilleures intentions, mais mal armés pour actualiser dans la dure réalité quotidienne un rêve de soleil et de lumière nourri dans les bureaux et les usines des grandes métropoles; quelque chose de très important et de très neuf.

Les issues tragiques.

La mort d'un organisme, quel qu'il soit, signale qu'il a épuisé ses facultés d'adaptation, face à une rupture d'équilibre. Elle est, dans la nature, la conséquence habituelle des situations de crise. Les grandes opérations de rénovation urbaine, en transplantant des personnes âgées des quartiers où elles ont vécu leur vie entière vers des banlieues périphériques, ont souvent précipité cette tragique issue. Il n'a pas été suffisamment tenu compte de la diminution, avec l'âge, des capacités humaines d'adaptation. Sauf exception, on ne réussit pas mieux la transplantation d'une personne âgée que celle d'un vieil arbre. L'hospitalisation des vieillards entraîne souvent elle aussi un rapide délabrement, mais pour des raisons inverses : la facilité de vie et l'atmosphère sécurisante de l'hôpital invitent au laisser-aller; les phénomènes de désapprentissage, la désuétude des fonctions, le manque d'exercice précipitent les évolutions régressives.

Le dépassement par l'adaptation.

L'adaptation enfin, qui suppose chez l'homme l'intégration d'informations nouvelles et l'invention de nouveaux modes de vie et de pensée, est la « bonne réponse » de l'être vivant à une modification de son environnement. Encore faut-il que ces changements ne dépassent pas certaines limites, et que l'individu possède une souplesse écologique suffisante. Nous en étudierons plus loin les mécanismes au niveau du cerveau, qui confère à l'animal humain une exceptionnelle capacité d'adaptation. Notons dès à présent que, pour réussir, l'adaptation exige certaines conditions; elle suppose en particulier, chez l'homme, un effort volontaire qui ne prend tout son sens que s'il s'enracine dans une intime compréhension des expériences vécues et s'il s'oriente vers une vision cohérente de l'avenir, entraîné par un projet personnel ou collectif.

Conditions rarement remplies hélas au sein d'une société bruissante des mille événements anodins qui font l'actualité, mais non la vraie vie qui se joue chaque jour. Encombrée des messages insignifiants qui stimulent les appétits des consommateurs, mais ne satisfont pas leurs aspirations profondes : cette société ne favorise ni la vie intérieure, ni la prise de conscience de la personne, et de ce qui la dépasse.

Telles sont pourtant les conditions essentielles de l'adaptation au niveau des sociétés humaines. Elles appellent donc un vaste effort de sensibilisation, d'information et d'explication auprès d'un public de plus en plus large, pour favoriser les évolutions nécessaires et pour éviter, peut-être, le déclenchement des catastrophes auxquelles ne manqueraient pas de conduire nos immobilismes et nos égoïsmes.

L'amplification des fluctuations sociales.

En cherchant bien, on trouverait en chacun de nous des attitudes virtuelles de fuite et de lutte, d'enkystement ou d'adaptation. Car chaque individu est un et multiple, mélange d'évolution et d'archaïsme; le cerveau mêle avec plus ou moins de bonheur dans sa structure et dans ses œuvres le plus vieux et le plus neuf. Luther a réformé l'Église tout en condamnant Copernic. Et de Gaulle a liquidé le colonialisme au nom du nationalisme.

Bien entendu, le jeu simultané de ces réactions individuelles contribue à modifier profondément les milieux de vie et les cultures, modifications qui rétroagissent à leur tour sur les comportements, tant il est vrai que l'homme crée des environnements qui le façonnent à son tour.

L'analyse des comportements de fuite, de lutte et d'enkystement pose une première série de questions : peut-on faire mentir le vieil adage selon lequel « on n'arrête pas le progrès »? Peut-on rejeter la société productiviste et retourner au passé, pour faire revivre « le bon vieux temps »?

II. L'IMPOSSIBLE RETOUR AU PASSÉ

Pour tenter de répondre, remettons-nous à l'écoute de la physique et de la biologie. Le verdict tombe aussitôt, et c'est d'abord la thermodynamique généralisée [1] qui nous le donne. Les sociétés humaines, comme tout autre système vivant, sont des systèmes *ouverts :* elles échangent énergie et matière avec leur environnement. L'étude de ces échanges et de ces transferts est même la mission essentielle de l'économie et de l'écologie. Or, la complexité des systèmes ouverts est telle que les probabilités sont nulles de les voir, au cours de leur évolution ou de leur histoire, passer deux fois par le même état d'équilibre. Il n'y a donc aucune chance de reconstituer les sociétés d'autrefois. L'histoire ne se répète pas, et la cause est entendue.

Un parfum de décadence.

Mais alors pourquoi entend-on si souvent affirmer le contraire? Parce que certaines convergences sont troublantes, liées au jeu

1. Voir dans le chapitre 3, « La thermodynamique généralisée », p. 143.

de déterminismes particulièrement pesants, qui conduisent à des situations en apparence similaires. Mais en apparence seulement. Analogie, mais non identité.

Il est vrai, par exemple, que toutes les décadences se ressemblent : on y observe toujours la tendance à jouir fébrilement quand déjà les barbares sont aux portes de la cité et que visiblement le système fait eau de toutes parts. Le sexe fait fureur, les adolescents sont beaux et la plastique corporelle ne souffre en rien du délitage des mœurs, même si celui-ci produit plus de « veaux que de chênes [1] ». Une tendance générale à l'uniformisation se dessine, moins à travers la mode unisexe, car les coutumes vestimentaires et capillaires ont suffisamment évolué au cours de l'histoire pour qu'on se garde d'en tirer de trop hâtives conclusions, que dans la logique des comportements et des attitudes. Faute d'avoir à lutter contre un environnement hostile pour survivre, la race s'amollit. On décèle une certaine dévirilisation des mâles, et l'on pense à ces cultures bactériennes qui dégénèrent sur des milieux trop riches. La longueur des cheveux et la douceur des regards évoquent le « mythe de l'ange » cher à Byzance : cet ange justement dont le sexe était discuté... L'ésotérisme prospère, tandis que le sentiment religieux se réinvestit en de multiples sectes, quand ce n'est pas dans les militances profanes. La drogue offre l'illusion du retour au paradis perdu, l'anarchie s'étend et l'affaiblissement des inhibitions sociales favorise le recours à la violence. On croit revivre la chute de Byzance ou de l'Empire romain.

L'évolution soustractive.

L'individu lui-même n'échappe pas à ces apparents retours en arrière : la psychanalyse fourmille d'exemples de régressions vers le sein maternel, et le bon sens populaire parle des vieillards qui « retombent en enfance ». L'humanité ne risque-t-elle pas d'en faire autant? Telle est l'hypothèse des romans de science-fiction où un cataclysme anéantit l'espèce entière : seuls demeurent sur

1. Cf. A. Soljénitsyne, *Le Chêne et le Veau,* Le Seuil, 1975.

une île perdue quelques individus qui, repartant à zéro, reprennent la longue marche vers la civilisation...

La biologie nous familiarise avec d'autres types de régression. Ainsi voit-on des lézards perdre leurs pattes et ramper comme des serpents. Les amonites, mollusques marins, disparurent à la fin de l'ère secondaire, au terme d'une troublante évolution régressive les conduisant à réadopter une organisation primitive semblable à celle de leurs plus lointains ancêtres. De nombreuses mousses ont perdu leur port caractéristique, formé de minuscules tiges feuillées disposées en coussinets, pour reprendre l'allure des algues, leurs ancêtres : le thalle. Certaines orchidées, pourtant extraordinairement évoluées et toutes récentes dans l'histoire de la vie, perdent leur chlorophylle et retrouvent les caractéristiques biophysiologiques des champignons, infiniment plus anciens. Les lentilles d'eau régressent au point de ne plus subsister que sous la forme de plantes réduites à une minuscule tige flottante. Très proches d'elles, les wolffias vont plus loin encore : elles perdent leurs racines, leurs tiges et leurs feuilles, prenant alors la forme d'une sphère chlorophyllienne sans vaisseaux, presque microscopique, qui fait d'elles les plus petites des plantes à fleur (1 millimètre de diamètre). Un tel dispositif évoque singulièrement les algues primitives des temps les plus reculés de l'histoire de la vie. Dans de nombreux groupes, les fleurs ont de même une forte tendance à perdre des organes, évoluant vers des structures simplifiées. Car la vie pratique le strip-tease à grande échelle; elle se déleste par-ci, par-là des attributs qu'elle s'était pourtant acharnée à mettre au point au cours des millénaires.

Il ne s'agit pourtant jamais d'un retour à des états antérieurs d'organisation. La vie ne revient jamais en arrière : les orchidées sans chlorophylle, les lentilles d'eau et les wolffias, malgré leur extrême petitesse, n'en continuent pas moins à fleurir. Et leurs fleurs restent tout à fait caractéristiques des familles auxquelles elles appartiennent : orchidées, lemnacées. Car les fleurs sont les organes sexuels des plantes; or l'on sait que l'appareil sexuel est beaucoup plus conservateur, beaucoup moins évolutif que les autres organes [1]. N'est-ce pas précisément par l'usage que par-

1 Cf. J.-M. Pelt, *Évolution et Sexualité des plantes, op. cit.*

fois il en fait que l'homme se rapproche le plus de l'animalité?

Les lézards apodes restent bien des lézards et non des serpents. Le vieillard ne redeviendra jamais un enfant. Quant aux grandes civilisations, de mémoire d'historien, on ne les a jamais vues remettre le compteur à zéro et repartir identiques à elles-mêmes. La création d'espaces piétonniers au centre des villes attire à nouveau les camelots, les musiciens, les troubadours et ouvre les villes à la fête; mais elle ne ressuscite pas le Moyen Age. Bref, le retour au passé est étranger au mouvement de la vie. Et comment pourrait-il en être autrement? Écoutons P.-P. Grassé [1] : « L'irréversibilité historique de l'évolution tient à la faible probabilité de rassembler à nouveau les mêmes objets et de les soumettre aux mêmes conditions physiques et chimiques; à la variabilité des causes et de leurs effets qui à leur tour devenant causes, la nature et l'ordre de l'ensemble changent. Pour répéter exactement l'histoire, il faudrait remonter à sa source et restaurer les conditions des milieux extérieurs et intérieurs : théoriquement cela est possible, mais pratiquement non. En tant que fait historique, tous les phénomènes évolutifs se montrent irréversibles. »

L'évolution additive.

L'évolution est fondamentalement progressive. Comme la marée qui monte, elle exerce sa poussée irrésistible, par des cheminements obscurs, vers une complexité toujours plus grande; elle est invention continue, création renouvelée, innovation permanente. Elle prend notre logique en défaut, et quand elle simule un recul, c'est pour mieux nous surprendre; car, comme le dit encore R. Caillois [2] : « La nature, qui n'est pas avare, tout autant que la survie, poursuit le plaisir, le luxe, l'exubérance, le vertige... » Gardons-nous de ses pièges : malgré les apparences, aucune marche arrière n'est possible dans le mouvement de la vie. Même disparues, les espèces et les civilisations nous laissent, gravées dans la terre, les marques de leur passage, fossiles ou vestiges

1. P.-P. Grassé, *L'Évolution du vivant, op. cit.*
2. R. Caillois, *Pour un dialogue entre les sciences, op. cit.*

archéologiques. Chacune apporte sa contribution à la richesse et à la diversité culturelle du monde contemporain; l'histoire n'est qu'une longue sédimentation et, décidément, on n'arrête pas le progrès.

D'ailleurs, à refuser en bloc la société contemporaine, ne risque-t-on pas de jeter le bébé avec l'eau du bain? Les progrès du bien-être, de la santé, de l'éducation, de l'alimentation, de l'hygiène, sont des acquis irréversibles. Il ne s'agit pas tant de détruire que de réguler; d'anéantir que de dépasser; c'est la tâche de la nouvelle culture qui, en bonne logique hégélienne, ne peut « se poser qu'en s'opposant ».

La signification du hippisme.

L'observation des faits biologiques montre en outre que les grandes innovations ne partent jamais des groupes les plus évolués : elles surgissent, au contraire, des groupes archaïques qui, moins rigidement structurés et « typés » que ceux qui culminent en fin de phylum, conservent de plus riches potentialités évolutives.

La tendance à l'archaïsme social, qui est bien le trait dominant des mouvements hippies, apparaît comme un essai de déspécification. En refusant l'ultra-spécialisation imposée par le monde industriel, en retournant à l'artisanat et à la terre, en recréant de petites économies autarciques, presque tribales, ces mouvements ressuscitent bon nombre de traits des sociétés traditionnelles : ils miment un retour au passé. En régressant ainsi, ces groupes acquièrent-ils de nouvelles virtualités évolutives?

La biologie, nous l'avons vu, aurait tendance à dire non; car elle enseigne qu'on ne revient jamais au point de départ. A n'écouter qu'elle, il faudrait aller beaucoup plus loin, et une nouvelle culture ne pourrait naître que de quelque société traditionnelle – amazonienne, polynésienne ou négro-africaine – sur les ruines d'une civilisation technicienne agonisante. Tel a toujours été le mouvement de l'évolution : repartir du plus ancien pour franchir une nouvelle étape, et laisser sa pointe la plus avancée buter sur une impasse. Comme la marée qui monte, vague après vague, chacune portant plus haut le front mouvant des eaux. Tel semble avoir été aussi, à travers l'histoire, le sort des civilisations, chacune parcourant sa trajectoire et retombant, tandis que la suivante repartait d'ailleurs. D'où ces rebonds, de Sumer à Assur, de l'Égypte à la Perse, de la Grèce à Rome. Et plus récemment de la Grande-Bretagne aux États-Unis. L'évolution n'est pas linéaire; elle est une série de culs-de-sac avec de perpétuels redémarrages, poussant toujours plus avant « la flèche » du progrès.

L'hypothèse d'un renouveau culturel, à partir de ces mouvements aux tendances archaïques, n'est cependant pas à exclure. Il faut ici se garder d'extrapoler sans nuance le modèle biologique, car un fait nouveau intervient : la planétarisation de la civilisation technicienne. Au sein de ce mouvement de diffusion universelle d'une culture standard, de nouvelles combinaisons locales s'ébauchent, des hybridations avec certaines cultures traditionnelles, des réactions de rejet, mais aussi de nouvelles synthèses. Celles-ci s'élaborent notamment aux zones de contact entre courants différents, en lisière, dans ces milieux marginaux dont les écologistes connaissent la richesse et la ressource. Ainsi, ici et là de par le monde, apparaissent déjà les prémices de plusieurs nouvelles cultures possibles, de plusieurs futurs.

En Occident, les tendances marginales apparaissent comme les ferments d'une avant-culture, qui conservera bon nombre des apports des sociétés actuelles. Mais le rêve d'un retour aux sociétés pastorales ou agraires du néolithique n'a aucune chance d'aboutir, sinon à l'issue de quelque cataclysme planétaire.

Meilleurs ou pires qu'hier?

Faut-il s'en désoler? Il n'est nullement prouvé que les modèles du passé aient été plus satisfaisants que les nôtres. Il semble bien que l'homme en tant qu'individu n'ait guère changé, depuis les temps néolithiques. En revanche, tout porte à croire que le champ des considérations morales de l'humanité s'est élargi au cours des derniers siècles.

L'influence du christianisme a enrichi notre patrimoine culturel d'une sensibilité nouvelle, étrangère au monde antique; elle a été déterminante pour l'abolition de l'esclavage, et a conféré à tout homme, à toute femme, une dignité qui ne leur avait jamais été reconnue. Les exigences égalitaristes du socialisme ont contribué à la mise en place de puissants dispositifs législatifs et réglementaires de protection sociale : comme si l'homme voulait conjurer son égoïsme individuel en se donnant des institutions et des lois qui l'obligent malgré lui. Car la loi, c'est le code génétique de la culture : les hommes y inscrivent les déterminismes auxquels ils estiment devoir se soumettre. Depuis la deuxième guerre mondiale, dans les pays les plus développés, l'idée d'un conflit généralisé devient intolérable à la conscience populaire : quel chemin parcouru en moins d'un siècle! Après tout, ce sont nos ancêtres qui, au long des siècles, ont accumulé les crimes et les guerres qui peuplent l'histoire et les histoires...

Enfin, les courants existentialistes et personnalistes, éclairés par les apports de la psychologie moderne, ont contribué à nous libérer de tabous séculaires : on ne lapide plus les femmes adultères, on ne rejette plus les divorcés ou les filles-mères, on ne considère plus les homosexuels comme des monstres, on ne met plus les fous en cage. Mais on cherche à comprendre et parfois à aider, avant de juger. La sanction demeure, mais elle s'est humanisée : le pouvoir ne pend plus ses ennemis en place de Grève, il « suspend » les fonctionnaires qui ont fauté ou lui ont déplu.

N'oublions pas, en remontant beaucoup plus loin encore dans le passé, que les sociétés traditionnelles que nous valorisons tant après les avoir placées si bas ont aussi leurs contraintes : la force des inhibitions et la puissance des tabous y créent des aliénations dont ne rend pas compte le mythe du « bon sauvage ».

La nostalgie du passé, c'est pour les plus jeunes un refus du présent; pour les adultes un défi et comme un rêve d'enfance : le souvenir du bon vieux temps. Tous y cherchent un refuge et, pour certains, ce peut être une aventure personnelle passionnante. Mais pour le biologiste ou l'historien, c'est une impasse, et pour le sociologue, un impossible projet.

3
Un désordre d'où émerge la liberté

« Un naufrage? Non pas, mais la grande houle d'une mer inconnue où nous ne faisons qu'entrer, au sortir du cap qui nous abritait. »

P. TEILHARD DE CHARDIN.

I. INNOVATION ET RÉPRESSION

Comme on ne peut reculer, il faut avancer. Mais comment peser sur l'énorme inertie sociale? Comment créer du neuf dans ce « vieux monde », croulant sous la poussière des siècles et les sédiments de sa très longue histoire? Comment faire converger les multiples réactions individuelles vers une construction cohérente de l'avenir?

Vouloir individuel, impuissance sociale.

L'individu, isolé et impuissant, est écrasé par la complexité de la technostructure et le gigantisme des administrations qui programment, codifient, planifient, informatisent, formalisent, réglementent et finalement régimentent son existence – tout au moins le perçoit-il ainsi. Aucune société n'a sans doute été aussi « libérale » que la nôtre : et pourtant c'est bien celle-là que les jeunes aujourd'hui qualifient de « répressive ». Pressés par leur élan, qui est l'élan même de la vie, ils se sentent désarmés et privés de tout pouvoir d'agir : d'où le refuge dans la contestation verbale, vestimentaire ou politique.

De fait, la société contemporaine a l'art de diluer les responsabilités au point de rendre indéchiffrable la complexité des mécanismes entraînant une décision. Qui saurait vraiment analyser l'incroyable complexité des prises de décision dans une démocratie avancée? Avec tant de facteurs en jeu, intervenant simultanément à plusieurs niveaux, comment identifier avec précision *le* responsable? Au fait, qui a vraiment « voulu », à Paris, la prolifération des tours de la Défense? Face à ce mol édredon, l'individu se sent conditionné, incapable d'imaginer et de créer, sans prise sur le réel. Tocqueville ne s'était pas trompé en annonçant que les sociétés du XXe siècle « ne tueraient pas, mais empêcheraient de naître ».

Cette dilution des responsabilités est la réponse moderne des démocraties aux abus des pouvoirs autocratiques, qui constituent l'une des grandes constantes de l'histoire. Si cette réponse reste insatisfaisante, c'est que la dialectique de l'ordre et de la liberté, de la structure et de la vie, de l'organisation et de la créativité pose un problème qu'il a été jusqu'ici impossible de résoudre.

Des molécules répressives.

On le trouve déjà au niveau cellulaire. Chaque cellule possède dans son noyau toute l'information nécessaire à la construction et au fonctionnement de l'organisme. Mais elle ne développe que quelques-unes de ses potentialités, celles qui correspondent spécifiquement aux fonctions de l'organe dans lequel elle se trouve : contractiles dans les muscles, sécrétrices dans les glandes, conductrices dans les nerfs, etc. Ses autres virtualités ne se développeront jamais : elles sont inhibées par des *répresseurs* appropriés assurant en quelque sorte la police cellulaire. La biologie est donc foncièrement « répressive » : l'impératif de l'ordre et de l'organisation, qui assigne à chacun sa tâche dans le cadre d'une efficace division du travail, ne tolère ni l'initiative ni la fantaisie. La conservation et le fonctionnement d'une structure, d'un organisme, ne s'acquièrent qu'au prix d'une réduction draconienne des potentialités propres à chacun de ses constituants.

Régulations de la nature et choix sociaux

Ce modèle biologique s'impose avec force aux sociétés humaines, où chacun ne développe qu'une part minime de ses richesses créatrices, et où des systèmes de répression, plus ou moins sévères selon les régimes, protègent l'organisation contre les risques d'innovations intempestives : un cadre moral rigide, des comportements stéréotypés et répétitifs, des fonctions soigneusement assignées à chacun et l'élimination des déviants assurent le fonctionnement et la pérennité des grandes organisations sociales. La redoutable efficacité des systèmes totalitaires montre assez l'avantage que de telles organisations possèdent sur les sociétés libérales. Celles-ci, en tolérant une marge appréciable d'initiative individuelle, sont constamment menacées de dislocation. L'augmentation du désordre qui en résulte est un facteur de déséquilibre que refusent les systèmes totalitaires : on le voit à leur manière de réprimer par la force tout déviationnisme.

Où l'ordre naît du désordre.

Or il se trouve que le désordre est créateur. A l'invariance biologique qui tend à l'autoreproduction et à l'autoconservation des structures vivantes, grâce aux chromosomes, s'opposent les mutations génétiques; à l'invariance sociale qui tend à figer les systèmes dans leur logique propre, grâce aux structures du pouvoir centralisé, s'opposent les déviances sociales. L'invariance détermine la multiplication quantitative de la vie : elle est répétitive et cumulative. La mutation, facteur d'évolution, assure la diversification qualitative, qui facilite les adaptations en multipliant les formes et les expériences dont la plupart seront éliminées, mais dont quelques-unes se maintiendront. L'invariance, c'est la structure même de la vie, son artillerie lourde. Mais des tendances à l'innovation, à la complexité croissante, voire au désordre, persistent obstinément. Et voici que contre toute attente, lorsque ces tendances s'amplifient, il arrive soudain que de nouvelles possibilités apparaissent. A la réflexion, on comprend pourquoi.

Si la vie se figeait définitivement dans un mécanisme d'invariance sans déviance, c'en serait fini de l'évolution, donc de la vie elle-même, qui n'existe que par la perpétuation, depuis au moins trois milliards d'années, de ce double mécanisme en apparence contradictoire. Chaque étape nouvelle est atteinte au prix d'un craquement dans l'ordre ancien, d'une faille d'où le neuf jaillit comme un bourgeon éclate; ce qui suppose une période de flou, de désorganisation, de désordre; il faut qu'un cercle vicieux soit brisé – celui de l'invariance précisément qui est répétitive, mais non créatrice. Un exemple : à la belle époque du stakhanovisme, le travail à la chaîne, poussant au maximum la règle de division du travail et de répartition des tâches, semblait devoir assurer des rendements maximaux. Mais cette victoire de l'ordre dans l'organisation du travail n'apporta pas les résultats escomptés. Il fallut tenir compte des « individualités », chacune potentiellement et pratiquement génératrice de désordre. On fit marche arrière et on accentua la tendance décelée; il en résulta l'enrichissement des tâches, la « déspécification », avec des rendements accrus.

L'ultraspécialisation professionnelle, caractéristique de l'époque contemporaine, connaît aujourd'hui le même sort : on tend vers des formations moins strictement spécialisées, laissant plus de souplesse adaptative aux individus, condition indispensable pour s'intégrer et survivre dans une société en constante évolution.

Ainsi contrairement à toute attente, l'apparition de propriétés et de valeurs nouvelles semble naître d'un désordre, d'une rupture d'équilibre, voire de la destruction d'un ordre ancien, par une fluctuation qui atteint un point de non-retour. Marx le pressentait déjà lorsqu'il parlait du saut de la quantité dans la qualité.

Or les lois de la thermodynamique généralisée éclairent singulièrement cette apparente contradiction et méritent que l'on s'y attarde, même s'il en coûte quelque effort.

II. UNE GRANDE LEÇON : LA THERMODYNAMIQUE GÉNÉRALISÉE

L'extension des lois de la thermodynamique aux systèmes vivants ouvre une piste des plus prometteuses. Bien que les recherches en ce domaine soient restées, jusqu'à ces toutes dernières années, fort parcellaires, un certain nombre de questions intriguaient les physiciens et les biologistes depuis la fin du siècle dernier. Comment les organismes vivants réussissent-ils à créer et à faire fonctionner des structures d'une haute complexité, donc à produire de l'ordre, là où les lois classiques de la thermodynamique voudraient que règne le désordre? Comment expliquer ce contre-courant qu'est la vie au sein d'une vaste dérive vers la désorganisation ou l'inorganisation? En d'autres termes, comment est-on passé du gaz hydrogène à l'homme? Les travaux de Prigogine [1] permettent aujourd'hui de répondre, au moins partiellement, à cette question.

L'équilibre dans le « non-équilibre ».

En thermodynamique classique, le deuxième principe prévoit que l'évolution naturelle d'un système fermé se fait dans le sens de l'augmentation du désordre. La règle est le nivellement par le bas, « l'entropie ». La meilleure image que l'on puisse donner de l'entropie est l'évolution spontanée de la chambre d'un étudiant, ou d'un mari pendant l'absence de sa femme : le désordre de l'appartement (entropie) a notoirement tendance à s'accroître jusqu'à ce qu'une certaine quantité d'efforts (énergie) et de matière (poudre à laver) soit dépensée pour y remettre de l'ordre. Les organismes vivants maintiennent leur structure de la même manière. Mais à la différence des systèmes fermés sur l'analyse desquels la thermodynamique a fondé au siècle dernier ses premiers postulats, ce sont des systèmes *ouverts :* ils échangent avec l'environnement matière et énergie, ce qui permet à ces organismes complexes de maintenir leur structure et d'assumer leur fonction.

Reste à comprendre le phénomène. Si l'on s'en tient au deuxième principe de la thermodynamique classique (loi de l'entropie maximale), comment expliquer que l'énergie ainsi introduite dans un système puisse lui permettre de se maintenir dans un état éloigné

1. Illya Prigogine, « La thermodynamique de la vie », *La Recherche,* 1972, nº 24, p. 547-562. – Idem, *in* Glansdorff et Prigogine, *Structure, Stabilité et Fluctuation,* Masson, 1971.

de l'équilibre? Car pour tout système vivant, l'état d'équilibre thermodynamique, c'est la mort : elle produit la désorganisation moléculaire à l'issue d'un processus de décomposition (destruction « matérielle ») et de refroidissement du cadavre (nivellement énergétique avec l'environnement). La mort est un gain d'entropie maximal, l'entropie mesurant en quelque sorte le degré de désorganisation moléculaire. Or les systèmes vivants réduisent l'entropie et semblent ainsi contredire le deuxième principe de la thermodynamique, en différant la mort. D'où cette curieuse définition qu'en donne Atlan [1] : « Ils apparaissent comme des systèmes suffisamment compliqués, redondants et fiables pour réagir aux agressions aléatoires de l'environnement, de telle sorte que l'atteinte de l'état d'équilibre, c'est-à-dire la mort, ne soit possible qu'à travers les détours de ce qu'il est convenu d'appeler la vie. »

On sait aujourd'hui que ce résultat est atteint grâce au développement dans les systèmes ouverts de réactions non linéaires, qualifiées de *fluctuantes*. Un modèle simple en est donné par l'expérience déjà ancienne du physicien français Bénard. Si l'on porte sur une plaque chauffante un récipient contenant de l'eau, on observe bientôt une différence de température entre le fond et la surface. Lorsque cette différence de température atteint un point critique, et grâce à l'accroissement de l'agitation moléculaire qui en résulte, des courants de convection s'organisent dans le liquide, formés d'un grand nombre de molécules d'eau; le liquide passe alors d'un état moléculaire non structuré (homogène) à un état structuré (organisé). Pour passer de l'état homogène à l'état structuré, c'est-à-dire pour parvenir à un haut niveau de « coopération moléculaire », le système doit atteindre un état instable qui se traduit par une accumulation d'énergie. Pour que cet état puisse être maintenu, un apport constant d'énergie doit être fourni au système, dès lors traversé par un flux énergétique continu. De telles structures sont qualifiées de *dissipatives* par Prigogine.

Une structure dissipative augmente son énergie interne et compense la tendance normale vers l'entropie maximale, en uti-

1. H. Atlan, *L'Organisation biologique et la Théorie de l'information*, Paris, Éd. Hermann, 1972.

lisant le flux d'énergie qui la traverse. Prigogine interprète le phénomène de la manière suivante : en chauffant le récipient, de petits courants de convection apparaissent dans le liquide homogène (l'eau) et y introduisent un élément d'hétérogénéité; des flux moléculaires plus chauds se forment sans cesse, mais ces fluctuations s'éloignent peu du point d'équilibre thermodynamique (répartition homogène de la T° dans le récipient). Au fur et à mesure qu'on s'éloigne de ce point d'équilibre, les fluctuations s'amplifient et donnent naissance à des courants macroscopiques, donc à une organisation structurée en réseaux moléculaires aisément caractérisables. Un nouvel ordre apparaît, correspondant à une fluctuation géante stabilisée par le flux d'énergie qui traverse le système en permanence. C'est ce que Prigogine appelle l'*ordre par fluctuation.*

Ce modèle a été étendu avec succès, par de nombreux chercheurs, à divers systèmes biologiques. Il se révèle extrêmement fécond dans la mesure où il postule le principe de fluctuation à la base de l'organisation du vivant, comme système de maintien d'un équilibre non thermodynamique. Cette notion de fluctuation touche au cœur même de la vie.

Le monde vivant : une gigantesque fluctuation.

Au niveau cellulaire, la composition chimique du cytoplasme oscille continuellement autour d'un point d'équilibre. Cette régulation homéostasique est placée sous le contrôle des enzymes qui règlent le volume des synthèses. A la manière d'un thermostat, celles-ci déclenchent les processus synthétiques quand la concentration de telle ou telle molécule vient à baisser, et stoppent ces processus quand une concentration satisfaisante est atteinte; il en est de même dans le plasma sanguin. On retrouve la notion fondamentale d'équilibre, mais d'équilibre par oscillation et fluctuation. Les mécanismes enzymatiques sont donc des systèmes régulateurs maintenant l'intensité de la fluctuation dans des normes déterminées [1].

1. Ces mécanismes sont eux-mêmes régulés par les « informations » qu'ils reçoivent du niveau hiérarchique supérieur de l'organisme auquel ils appartiennent : les réactions enzymatiques s'inscrivent ainsi dans une série de

Au niveau de l'organisme on retrouve également la notion d'oscillation : dans le passage de la veille au sommeil, réglé par de complexes processus chimiques apparentés aux précédents, de la sensation de faim à la satiété, de la soif à la désaltération. Les pulsations rythmiques du cœur et des poumons sont un autre exemple de non-linéarité des phénomènes vivants. Et on exprime une réalité profonde quand on se dit bien ou mal « équilibré », en entendant par là les fluctuations du psychisme, de « l'humeur ».

La régulation des populations au sein d'un écosystème s'effectue selon des processus similaires. Ce phénomène est particulièrement net dans les rapports entre les prédateurs et leurs proies. Ainsi, la compagnie de la baie d'Hudson comptabilise depuis le milieu du XIXe siècle le nombre de peaux qui lui sont livrées chaque année par les chasseurs; en particulier les peaux de lièvre et de son prédateur le lynx. On constate que les populations de chaque espèce fluctuent régulièrement selon un cycle de 9,6 années, les périodes d'abondance du lièvre précédant celles du lynx de 1 à 2 ans. Il est aisé de comprendre que l'accroissement des populations de lièvres offre aux lynx une nourriture abondante. Ceux-ci pullulent alors et font rapidement baisser les populations de lièvres. Puis, par manque de nourriture, les lynx se raréfient à leur tour, ce qui amorce une nouvelle invasion de lièvres. Ainsi les deux espèces se régulent-elles mutuellement par fluctuation.

Ce modèle illustre parfaitement les fluctuations des cours de certains produits agricoles en fonction de l'évolution de l'offre

---

réactions formant les chaînes métaboliques; ces chaînes sont régulées au sein des organites cellulaires dans lesquelles elles se produisent (mitochondrie, ribosome, etc.) eux-mêmes soumis aux régulations du milieu cellulaire. Les cellules sont à leur tour sous la dépendance fonctionnelle des organes auxquels elles appartiennent (foie, rein, cœur) eux-mêmes interconnectés en systèmes régulés (système cardiovasculaire, nerveux, etc.) dont l'ensemble coordonné forme l'organisme tout entier. L'individu enfin vit en interactions dialectiques et régulées avec son environnement. Bref les sous-ensembles sont hiérarchiquement dépendants les uns des autres, les supérieurs déterminant l'amplitude des fluctuations du niveau inférieur. Là encore la biologie apparaît comme singulièrement hiérarchique c'est-à-dire « répressive »; mais tel semble bien être le prix de l'efficacité, en tout cas du maintien des équilibres métastables de la vie. A travers ce modèle transparaissent en filigrane les systèmes sociétaires qui, tant bien que mal, tentent de réguler les tendances, en apparence contradictoires, à l'organisation et à la fluctuation.

et de la demande : les cours de la viande s'effondrent quand le marché est pléthorique, lorsque par exemple les éleveurs sont contraints de vendre après une longue période de sécheresse. La chute des prix dissuade alors les cultivateurs de multiplier leur cheptel : ils préfèrent s'orienter vers la production de céréales, dont les cours sont fixés chaque année et échappent aux aléas du marché. Bientôt le marché du bétail se tend par la chute de l'offre, et les cours se raffermissent. Alléchés, les paysans développent à nouveau leur production de bétail et un nouveau cycle s'amorce.

On pourrait citer encore, à l'appui de cette démonstration, les fluctuations de l'économie entre la récession et l'inflation, l'évolution des mœurs entre l'austérité et la licence, et celle des modes que l'on peut mesurer à l'évolution éminemment fluctuante de la longueur des jupes et de la hauteur des talons. Les pulsions de l'histoire, dans le développement des civilisations et des empires, donnent une autre image de ce concept essentiel de fluctuation, que la pensée dialectique étend à l'univers des mots et des idées.

Ces notions récentes apportées par la thermodynamique doivent leur intérêt au fait qu'elles expriment à la fois le concept d'oscillation dialectique (structure dissipative par fluctuation) et le concept d'évolution (apparition d'ordre nouveau au fur et à mesure que l'on s'éloigne du point d'équilibre thermodynamique). La vie serait en quelque sorte une fantastique excursion, une fluctuation géante et aventureuse très loin de l'équilibre thermodynamique. Elle va toujours plus avant dans son aventure, et néglige un état d'équilibre caractérisé par une structure dissipative stabilisée dès qu'il est atteint dans une espèce ou une société, pour se remettre en marche vers un autre état plus complexe encore. On peut appliquer à la vie ce que d'aucuns disent de l'économie : comme une bicyclette, elle ne maintient son équilibre qu'en avançant.

Les « trois » infinis.

On rejoint ici l'intuition prophétique de Pierre Teilhard de Chardin [1] pour qui l'histoire de l'univers, du très simple (l'atome d'hy-

1. P. Teilhard de Chardin, *La Place de l'homme dans la nature,* Le Seuil, 1963, p. 33-34.

drogène) au très complexe (les sociétés humaines) se joue sur une série de seuils; point de vitalisation ou « pas » de la vie, point d'hominisation ou « pas » de la réflexion. Chaque seuil de complexité franchi fait apparaître des propriétés nouvelles, l'apparition de la vie à partir de la matière inerte, puis de la conscience à partir de la matière vivante, étant les manifestations les plus spectaculaires de ce phénomène universel « d'ultracomplexification continue ».

Teilhard écrivait dès 1950 : « C'est sur *trois* infinis (au moins) qu'est bâti spatialement le Monde. L'Infime et l'Immense sans doute. Mais aussi l'immensément Compliqué. Chaque Infini, nous apprend la Physique, est caractérisé par certains « effets » spéciaux, propres à cet Infini; non pas en ce sens qu'il les possède seul, mais en ce sens que c'est à son échelle particulière que ces effets deviennent sensibles, ou même dominants. Tels les Quanta dans l'Infime. Telle la Relativité dans l'Immense. Ceci admis, quel peut bien être l'effet spécifique des très grands Complexes formant dans l'Univers un troisième infini? Regardons bien. Est-ce que ce ne serait pas tout justement ce que nous appelons la Vie?... Le vivant a longtemps été regardé comme une singularité accidentelle de la matière terrestre, avec ce résultat que la Biologie tout entière reste encore en porte-à-faux sur soi, sans liaison intelligible avec le reste de la Physique. Tout change si la Vie n'est pas autre chose, pour l'expérience scientifique, qu'un effet spécifique (que l'effet spécifique) de la *Matière complexifiée :* propriété co-extensive en soi à l'Étoffe cosmique tout entière, mais saisissable seulement pour notre regard là où la complexité dépasse une certaine valeur critique au-dessous de laquelle nous ne voyons rien. Il faut que la vitesse d'un corps approche de celle de la lumière pour que sa variation de masse nous devienne apparente. Il faut que sa température atteigne 500 degrés pour que son rayonnement commence à affecter nos yeux... »

Quel niveau de fluctuation, quelle tension sociale faudra-t-il atteindre pour que la société manifeste elle aussi « de nouvelles propriétés »? Nul ne le sait. Mais il nous faut admettre en tout cas cette idée neuve que les difficultés dans lesquelles se débattent les sociétés contemporaines, où tout semble se « compliquer » infiniment et indéfiniment, ne sonnent pas nécessairement l'heure de l'anarchie ou de la décadence. L'amplification des fluctuations peut au contraire présager un nouvel état d'équilibre, correspondant à un ordre d'une complexité supérieure.

III. LES CHANCES DE LA LIBERTÉ : PARTICIPATION OU AUTOGESTION

Dans les sociétés modernes, cet ordre tend à développer les initiatives individuelles jusqu'au maximum compatible avec le minimum nécessaire d'organisation sociale, la tension entre les exigences du « maintien de l'ordre » et l'expression constante « des pulsions créatrices » restant essentiellement dialectique.

Les démocraties avancées, dépassant le cadre formel de la démocratie représentative où la participation est réduite à l'utilisation occasionnelle d'un bulletin de vote, sont à la recherche d'un nouvel équilibre, visant à accroître la part des initiatives personnelles, à intégrer la tendance au désordre dans de nouveaux systèmes de vie collective. Mai 68 fut, en France, une poussée en ce sens, mais elle ne suffit pas à faire surgir un nouvel équilibre : on dirait, en langage thermodynamique, que la fluctuation loin du point d'équilibre antérieur ne fut pas suffisante. Chaque révolution donne à sa manière le spectacle d'une puissante poussée loin de l'équilibre : il en résulte une période d'extrême confusion dont l'issue historique est tantôt un retour au *statu quo ante* (le succès de la « réaction » au sens marxiste), tantôt l'instauration d'un ordre nouveau.

De nombreuses tendances actuelles s'inscrivent dans cette ligne de recherche car, lorsqu'une idée est en l'air, elle jaillit partout à la fois, et sous de multiples formes : comme les grandes « inventions » de l'évolution biologique qui, lorsque les temps sont mûrs, surgissent de toutes parts.

Les concepts de participation et d'autogestion, termes empruntés à dessein aux extrémités opposées de l'horizon politique mais qui expriment, avec des tonalités différentes, une même volonté d'extension et de redistribution des responsabilités, portent en eux la force mobilisatrice et généreuse de cette utopie, dans le sens le plus noble du terme. Ils visent à pousser au maximum la part d'initiative personnelle compatible avec l'existence d'un ordre social.

Les exigences du dialogue.

Malheureusement, dans le contexte actuel, ils ne semblent ni l'un ni l'autre vraiment opératoires. Les tentatives entreprises ici ou là n'ont été positives que dans quelques cas particuliers, d'ailleurs généralement cités en exemple. Mais globalement, l'extension des expériences de participation ou d'autogestion se heurte à de multiples difficultés, de forme et de fond.

De forme d'abord. Faute d'une expérience suffisante des relations humaines, et d'un minimum de formation aux disciplines de groupe, trop de réunions s'enlisent dans la palabre et découragent les meilleures volontés. « La bêtise, essentiellement, milite », disait cruellement Paul Éluard. Et dans nos sociétés bavardes où la réunionite sévit, il arrive que cette militance soit particulièrement bruyante. Jean XXIII, instruit de précédents célèbres, avait confié les débats du concile à des « modérateurs ». Le mot, depuis, a fait fortune, même si dans les moments difficiles, lorsque le groupe languit, le modérateur doit savoir jouer aussi le rôle d'animateur!

Il faut pourtant réapprendre l'art de l'échange et du dialogue, ce qui suppose la renaissance de communautés solidaires, là où ne coexistent si souvent que des hommes solitaires. Réapprendre à écouter, à prendre son temps et à perdre du temps quand il faut : la communication est à ce prix.

Ces difficultés pourraient toutefois être surmontées si des obstacles de fond, bien plus difficiles à franchir, ne venaient peser sur le débat.

Les réunions sont d'autant plus frustrantes que les contacts s'établissent souvent, non pas entre personnes, ni même entre groupes, mais entre systèmes et entre idéologies, les temps et les lieux d'échange étant implicitement transformés en tribunes d'expression où la capacité d'écoute est généralement très faible et le temps de parole très long. Qui a vécu de telles expériences, au sein des universités en 1968 par exemple, ne peut que redouter l'efflorescente irréalité du verbe, lorsqu'il n'engage aucune responsabilité réelle et ne court le risque d'aucune sanction par les faits. Il est parfaitement clair qu'il n'y a ni participation ni autogestion possibles entre partenaires qui n'ont pas de langage commun, et qui engagent le dialogue sur une présomption de mauvaise foi réciproque. De ce point de vue, la position des partisans du socialisme autogestionnaire est tout à fait logique : l'aventure de l'autogestion ne peut se développer que portée par un souffle puissant, créant une volonté commune de dialogue dans la vérité. Et l'histoire montre que même lorsque ces conditions sont remplies, en période révolutionnaire, les difficultés de l'autogestion restent considérables : d'où la tendance à la résurgence de l'ordre centralisateur et bureaucratique, menace mortelle de tant d'expériences passées et à venir. En revanche les expériences de participation, voire d'autogestion, sont possibles et souhaitables dans des groupes novateurs de dimension restreinte (petites entreprises, communautés), suffisamment motivés pour échapper aux contraintes des idéologies politico-économiques et de l'anthropologie sociale en vigueur.

Le partage des responsabilités, la participation du plus grand nombre aux œuvres collectives et à la gestion du bien commun paraissent cependant des exigences essentielles à l'épanouissement humain. Ce projet ambitieux est l'une des grandes espérances du futur, un des objectifs essentiels de notre temps. Faute de l'avoir atteint, la société actuelle reste l'affaire d'un petit nombre de « décideurs » surmenés, et demeure étrangère à la majorité de ses membres asservis au travail mécanisé, à l'information de masse et au matraquage publicitaire. Le non-exercice des responsabilités dans le milieu professionnel ou la vie de la cité entretient un vif sentiment de frustration, et explique pour une bonne part l'agressivité sociale. Le besoin d'initiative et de créativité est réinvesti dans la vie personnelle, les temps de loisirs et les hobbies. Bricolage et jardinage sont alors les ultimes recours, véritables soupapes de sécurité sans lesquelles les sociétés industrielles exploseraient sur l'heure.

- *Responsabilité et liberté.*

On ne saurait clore ce chapitre ouvert sur les vastes perspectives d'une plus grande liberté, par des recommandations en matière de jardinage et de bricolage... On notera simplement que le concept de liberté est indissociable de celui de responsabilité : l'enrichissement des tâches, la cogestion d'un atelier ou d'une université suppose une prise en charge effective par chacun du bien collectif. La responsabilité est un fardeau; elle est le prix à payer pour acquérir la liberté d'innover et de créer; elle lie l'homme à l'œuvre entreprise. La liberté est exigeante : quand cesse le temps des discours et que vient celui des décisions, quand il faut trancher entre les thèses et assumer un choix, l'obscure tentation de la fuite resurgit, le désir inavoué de rentrer dans le rang, de se dissoudre ou de se camoufler dans les mille et une contrefaçons de la liberté, dont notre société n'a que trop tendance à faire croire qu'elle consiste seulement à agir à sa guise.

La participation, et l'autogestion davantage encore, ne se dessinent qu'aux horizons lointains. Que de chemin pour y parvenir! Mais l'essentiel est de se mettre en route, car c'est choisir la foi en l'homme, en sa capacité de grandir, de s'épanouir. Seule une pédagogie de la responsabilité, acquise dès l'école, peut y conduire. Une pédagogie étrangère aux valeurs marchandes des sociétés de consommation, dont les finalités implicites ou inavouées ne peuvent être atteintes que par la manipulation publicitaire, l'exaspération des frustrations, la passivité et l'aliénation des masses. Les Masses! Ce mot magique par lequel Marx désignait le moteur de l'histoire a été brillamment récupéré par les sociétés de consommation qui ont, elles aussi, grand besoin des masses pour croître et prospérer. La production de masse, le tourisme de masse et l'aliénation quotidienne des masses par la publicité alimentent une consommation de masse indispensable au bon fonctionnement de la machine économique. Si le monde n'était peuplé que des ultimes représentants de la vieille aristocratie terrienne, de religieuses cloîtrées, de scientifiques perdus dans les nuages et d'écologistes barbus, mauvais consommateurs s'il en fût, notre société aurait de longue date fait faillite. Dieu merci, il y a les masses! Aussi les sociétés de consommation ne tendent-elles pas spontanément, on les comprend, à encourager les aventures individuelles ou à élargir le champ des responsabilités des citoyens.

Les tentations totalitaires.

Une telle finalité est plus étrangère encore aux systèmes totalitaires, où les « fluctuations » individuelles sont réduites au minimum et ne peuvent s'exercer que dans des limites très strictes, grâce à un système constant de surveillance par l'État, mais aussi de contrôle mutuel des individus.

Les régimes communistes au pouvoir sur la planète doivent leur efficacité au-dedans et leur popularité au-dehors à deux traits caractéristiques. Comme l'Église autrefois, le système mobilise tout l'homme : il n'y a plus un domaine profane et un domaine sacré. Le matérialisme dialectique est à la fois une explication du monde et un système de gouvernement. Prenant l'homme dans sa totalité, il est totalitaire. Il satisfait par là le besoin profond de sécurité qui, en chacun de nous, est en constante tension dialectique avec le besoin de liberté.

Le deuxième trait est essentiel : rares sont les sociétés qui ont échappé à la tentation totalitaire au cours de l'histoire, où les démocraties sont l'exception et les totalitarismes la règle. Or le communisme donne à cette vieille tentation une couleur et un contenu en apparence séduisants. Tous les totalitarismes sont honnis, mais celui-ci l'est moins. Pour l'essentiel, il doit son pouvoir d'attraction au caractère « historique » et « scientifique » du marxisme. La référence à l'histoire et à la science, deux valeurs sûres et qui ne peuvent tromper, donne à ces systèmes une puissance d'impact et un prestige considérables auprès des masses, notamment dans les pays encore peu développés où ces valeurs conservent tout leur attrait.

L'appel aux masses.

Si le marxisme – du moins celui de Marx – se proclame l'héritier de l'humanisme classique, il confère à la notion de masse une puissante valeur affective et opérationnelle. Il se défie en revanche des concepts personnalistes, qui lui paraissent aborder les processus sociaux par une approche trop qualitative et individualiste. Les conceptions égalitaristes du marxisme, pendant les sombres années staliniennes, allèrent même jusqu'à nier les fondements biologiques de l'hérédité et l'évidente injustice de la nature, transformant le principe démocratique de l'égalité face à la loi, en un principe biologique d'identité. Dès lors la personne se dissout dans la masse, et le *clone*[1] remplace l'individu. Les staliniens pensaient que les conditions du milieu créées par le régime (l'uniformité culturelle) finiraient par supprimer les fluctuations aléatoires, les « fantaisies » de l'hérédité individuelle (la diversité génétique). Telle est bien la tentation de tous les systèmes totalitaires, mais il arrive que d'y succomber leur coûte cher : on s'en aperçut quand Lyssenko prétendit améliorer les rendements des céréales par la seule mise en valeur des sols, sans aucune sélection génétique : on sait le désastre qui en résulta. La diversité génétique est un fait incontestable qui s'impose à tous les systèmes de valeurs. La culture n'abolit point les lois de la nature : elle les prolonge.

Des thèses analogues alimentent encore sporadiquement, sur les campus des universités américaines, l'obscur et interminable débat sur l'égalité des « races »; débat sans objet, dans la mesure où la richesse de la nature tient précisément à la diversité de ses composants et non à leur identité! Toutes les populations du globe sont évidemment égales en dignité; elles ne sont pas identiques quant à leurs caractéristiques propres, biologiques et culturelles, ou quant à leurs potentialités.

Pour un biologiste qui se veut humaniste et personnaliste, la

1. *Clone :* descendance d'un individu par reproduction végétative, et sans qu'intervienne aucun phénomène sexuel (bourgeonnement, boutures, bulbes, etc.). Il en résulte des populations d'individus strictement identiques.

notion quantitative de « masse » est inacceptable. Ce concept ne rend nullement compte de la diversité individuelle des composantes d'une population, diversités génétiques qui, dans les sociétés humaines, sont puissamment accentuées par les processus éducatifs et culturels. L'idée de masse prend en revanche toute sa signification lorsqu'elle est transposée dans le champ des rapports de forces politiques : pour qui sait manier les masses, celles-ci deviennent rapidement les « masses de manœuvre » nécessaires à la conquête du pouvoir.

Homme ou insecte?

Ainsi, au moment où elles deviennent planétaires, les sociétés humaines semblent étrangement séduites par le monde des insectes, l'autre branche du règne animal, et par l'extraordinaire modèle d'efficacité que nous offrent en particulier les insectes sociaux : termites, abeilles, fourmis. Peu ou prou, ces modèles fascinent, et d'autant plus que notre propre pullulement transforme certaines régions du monde en de véritables fourmilières, appelant de sévères et efficaces régulations. Dans ces systèmes, l'individu ne représente rien; seule compte la société. La sécurité et la permanence du groupe sont la seule finalité, et l'individu n'existe que pour y contribuer par l'exécution de son programme génétique.

On peut alors imaginer une hypothèse : dans un monde voué à l'accumulation et à la diffusion des armes nucléaires, conséquence quasi inéluctable de l'implantation sur la planète entière des centrales mettant le plutonium entre toutes les mains, les risques encourus par l'espèce seront vertigineusement accrus [1].

1. Le recul rapide du programme d'énergie nucléaire aux États-Unis s'explique en partie semble-t-il par la crainte de cette diffusion nucléaire : réaction salutaire car dans ce monde violemment compétitif, qui pourra vraiment empêcher que les pays fournisseurs d'installations nucléaires ne s'affrontent sur les marchés? Et même si l'interdiction de vendre des usines de retraitement productrices de plutonium devait être admise par tous, qui nous assure que cet engagement sera effectivement tenu? Quand l'intérêt national est en cause, les traités ne valent pas cher... Mieux vaudrait évidemment se garantir des effets du plutonium en supprimant les causes qui le produisent.

A l'initiative de René Dubos et de Margaret Mead, treize prix Nobel américains ont, dans un appel solennel, mis l'humanité en garde contre cette « société du plutonium [1] ». Ce radioélément, produit artificiellement dans les centrales nucléaires, n'existe pas dans la nature; il représente sans aucun doute le corps le plus dangereux que l'on connaisse, puisque la dose maximale tolérable est de l'ordre du millionième de gramme, et la période radioactive de vingt-quatre mille ans. De ce risque biologique découle un risque social : comment éviter le vol, le terrorisme, la prolifération des armes et le marché noir du plutonium? Pour maîtriser la « violence nucléaire », ne sera-t-on pas condamné à développer des moyens massifs de contrôle social, allant jusqu'à l'abrogation des libertés civiles traditionnelles? La nature colossale des dangers liés au plutonium risque de provoquer de colossales réponses policières.

Si en outre l'agitation mondiale, le recours systématique à la violence, le déséquilibre entre les nations riches et les autres devaient, comme c'est probable, s'aggraver dans l'avenir, les risques d'erreur, d'explosion par hasard, deviendraient tels que le recours à un système planétaire totalitaire gagnerait en crédibilité. Il apparaîtrait alors comme seul à même de réprimer une « fluctuation » localisée, qui pourrait devenir le détonateur d'un cataclysme universel. Bref, l'humanité devra-t-elle, comme les insectes, sacrifier les libertés individuelles à la sauvegarde collective et à la survie de l'espèce? Sombre hypothèse, mais qui n'est pas absurde. Car l'appel à la contrainte est en proportion des risques qu'une initiative particulière pourrait faire peser sur le corps social tout entier. Quand le risque devient énorme, la régulation s'appelle répression.

Pourtant l'avenir de l'homme, dicté par son développement cérébral, devrait l'éloigner de ces modèles fascinants, mais déterminés par des structures génétiques totalement différentes des nôtres. Car c'est en l'homme qu'émerge la dernière des grandes inventions de l'évolution : après la vie, la mort, le sexe : la conscience. Il se situe ainsi aux antipodes des insectes et autres

1. « Statement of concern », *Bulletin of Atomic Scientists,* décembre 1975.

arthropodes, où seuls comptent les comportements génétiquement programmés.

La vocation humaine à la liberté et à la responsabilité s'inscrit donc dans une perspective authentiquement scientifique, parce que conforme au potentiel génétique et à l'histoire culturelle de l'humanité.

IV. DES STRUCTURES DISSIPATIVES AUX STRUCTURES PARTICIPATIVES

Mais comment favoriser aujourd'hui les chances d'une telle émergence? Quels dispositifs mettre en œuvre pour accroître le champ des responsabilités et donner un sens concret au concept de participation? Comment passer à un nouvel ordre social plus ouvert aux initiatives créatrices des citoyens? Au prix de quel désordre momentané tirer parti d'une nouvelle fluctuation débouchant sur un nouvel équilibre?

Le rêve de la convivialité.

Une piste de recherche s'impose d'emblée : l'urgente nécessité de mettre un terme au gigantisme impersonnel des organisations sociales pour recréer enfin des structures à dimensions humaines. Dans le domaine de l'habitat, on l'a vu, une conception néfaste de la rentabilité, toujours évaluée à court terme, a conduit à entasser les populations au moindre coût, en entraînant la destruction des communautés traditionnelles.

C'est désormais tout l'inverse qu'il faut faire, et l'on préférera les modèles « conviviaux » d'Ivan Illich [1], même s'ils irritent parfois, à ceux de nos technocrates productivistes, car l'heure est favorable aux expériences novatrices. Si surprenantes ou incongrues qu'elles puissent paraître, elles expriment le mouvement immémorial de la vie en période de crise, lorsque la pression d'évo-

1. I. Illich, *La Convivialité,* Le Seuil, 1973.

lution pousse en tous sens. La vie innove à tâtons, elle multiplie les expériences, elle délaisse les modèles du passé pour d'incompréhensibles excursions hors des sentiers battus : mais c'est déjà le futur qui naît de ces fluctuations. Aussi est-ce le devoir des responsables de favoriser l'éclosion de nouvelles synthèses, en laissant la bride sur le cou à l'imagination : et celui des administrations d'assouplir leurs procédures afin d'épouser et d'épauler ces mouvements de vie qui s'expriment notamment à travers la vie associative.

Les sociétés postindustrielles ne réussiront ce nouveau bond en avant que par l'affaiblissement préalable des monstres de la « technostructure », entreprises publiques ou sociétés multinationales, qui conduisent inexorablement l'humanité à l'automatisation et à la programmation des comportements individuels et collectifs, c'est-à-dire au monde des insectes. Aucun critère d'efficacité ne saurait trouver sa justification à ce prix, car la liberté recule lorsque le souci du rendement dépasse la mesure. Faire participer les hommes à l'organisation de leur travail, à l'aménagement de leur cadre de vie, exige du temps et de longues discussions. Mais ce temps n'est pas perdu lorsque l'expérience débouche sur un projet concerté en commun. Il en résulte une tout autre efficacité, qui n'est plus seulement économique.

Des évolutions contradictoires.

Il est curieux de constater avec quelle rapidité les grandes orientations de l'aménagement du territoire ont évolué. Le refus du gigantisme, l'intérêt affirmé pour les villes moyennes et les « pays », la naissance d'un urbanisme de participation où le rôle des citoyens et des associations est renforcé, le souci de la restauration du patrimoine historique et de la réhabilitation de l'habitat ancien, les efforts déployés au profit d'un aménagement plus qualitatif de l'espace, la tendance à décentraliser les décisions et à renforcer les pouvoirs des collectivités locales sont autant d'orientations novatrices. Mais elles contrastent singulièrement avec l'évolution des politiques industrielles, où la « percée écologique » est beaucoup moins perceptible. N'a-t-on pas fondé la relance économique, après la crise de 1974, sur l'automobile et les centrales nucléaires, deux options aussi peu écologiques que possible? Et que dire d'un pays qui développe obstinément ses exportations d'armes et, qui plus est, s'en vante! Mieux, l'encouragement aux fusions et à la concentration des entreprises, l'évident parti pris de gigantisme qui préside à la stratégie nucléaire française, les pouvoirs toujours accrus des grandes multinationales et le maigre intérêt manifesté aux petites entreprises et à l'artisanat relèvent d'une conception de la rentabilité et de l'efficacité digne des années soixante. Mais en matière industrielle la puissance des lobbies, les contraintes de la compétition internationale et, surtout, la rigidité et l'inertie des structures, restent des freins puissants à toute évolution.

Pourtant, c'est dans l'entreprise, dans sa capacité d'inclure dans ses finalités non seulement des objectifs de production, fussent-ils de qualité, mais aussi la possibilité pour l'homme au travail de déployer toutes ses potentialités humaines, que se jouera le sort des sociétés industrielles. Si l'écologie a marqué des points décisifs en matière d'aménagement du territoire, tout reste à faire pour réorienter les stratégies, les structures et les politiques industrielles. Ce qui ne signifie pas la destruction de l'appareil de production, mais plutôt son adaptation aux aspirations contemporaines.

Oser démanteler.

Le désordre, la fluctuation à venir, c'est peut-être dans un premier temps la lente déstructuration, la prochaine désuétude de ces monstres froids, sans cœur et sans âme, dont les tours orgueilleuses scintillent dans la nuit des mégalopoles, témoins d'un temps de démesure et d'égarement. Les moines de jadis avaient grand soin d'essaimer vers de nouvelles fondations autonomes, dès que leurs communautés dépassaient un seuil au-delà duquel les relations interpersonnelles n'étaient plus possibles. On crut voir l'université en faire autant après Mai 68, lorsqu'elle entreprit de se « démanteler » en unités plus modestes. Mais les nouvelles universités ont encore parfois 30 000 étudiants... Démantelé, l'ORTF l'a bel et bien été, et chacun de crier au scandale. Car curieusement, les entreprises de démantèlement suscitent un tollé général, le mot appartenant avec « réaction », « monopole », « répression » « fascisme » à cette famille de termes explosifs qui déclenchent quasi magiquement l'indignation et la colère populaires. Pourtant démanteler ne signifie pas nécessairement diviser pour régner; ce pourrait être aussi : aérer pour ne pas s'asphyxier, ou plus simplement décentraliser pour mieux partager les responsabilités.

Quoi qu'il en soit, participation et cogestion n'ont aucune chance de réussir dans les systèmes bureaucratiques, technocratiques et centralisés. L'ordre nouveau, s'il s'instaure un jour, devra s'inspirer de l'antique principe de « subsidiarité », où les responsabilités sont systématiquement assumées à l'échelon le plus bas, et de ce fait déléguées à un maximum de citoyens. Il suppose donc un affaiblissement de l'état centralisateur, une plus large autonomie régionale, une gestion décentralisée des grands établissements publics et privés, enfin une écoute attentive de « la base ».

Malgré leurs faiblesses, les démocraties, phénomène récent et localisé, continuent d'offrir les meilleures chances de liberté. Mais le goût de la responsabilité ne peut s'acquérir que si un consensus social minimal est rétabli entre les citoyens et entre les familles idéologiques et politiques auxquels ils appartiennent. Les offres de participation ne trouveront de crédit que si elles s'accompagnent d'un ensemble de mesures visant à une correction des injustices sociales, et à l'avènement d'une société plus ouverte et plus fraternelle. Les péripéties de la crise que nous traversons offrent la chance unique de réussir, sur cet objectif capital, une percée décisive. Elles nous contraignent en effet à des choix nouveaux, de haute signification politique.

TROISIÈME PARTIE

Vers de nouveaux équilibres

1
La justice, première exigence de la liberté

> « Le courage, c'est de chercher la vérité et de la dire. C'est de ne pas laisser à la force la solution des conflits que la raison peut résoudre. »
>
> JEAN JAURÈS.

I. D'UNE CROISSANCE A L'AUTRE : CASSER LES CERCLES VICIEUX

Au fur et à mesure que l'industrialisation galopante traduit en courbes ascendantes la progression de nos économies, l'écologiste s'inquiète de voir se modifier l'équilibre séculaire de l'homme et de la terre; cette situation nouvelle pourrait avoir, à terme, des conséquences incalculables. La diminution constante de la population agricole active, dans tout l'Occident, augmente la part de la population vivant des activités secondaires ou tertiaires, celles précisément des secteurs que l'économie baptise de ce nom. Mais l'artificialisation croissante des milieux, des modes de vie et des activités humaines crée des cercles vicieux redoutables, dont nous n'avons pas pris encore une exacte conscience.

Exporter pour survivre?...

Pourtant de troublantes questions commencent à se poser. Faudra-t-il perpétuer, voire subventionner, des activités industrielles sur la seule justification des emplois qu'elles procurent, même si elles ne produisent plus que des objets éphémères ou des gadgets destinés à satisfaire des besoins artificiellement créés par la publicité; ou pire, lorsqu'elles fabriquent des produits notoirement nocifs pour la santé (manufactures de tabac par exemple) et sans aucune utilité véritable? Faudra-t-il redouter un succès des négociations perpétuelles sur le désarmement ou sur le Moyen-Orient, pour cette simple raison que l'interruption de la production massive d'armes mettrait au chômage une part importante de la population active des sociétés avancées? Faut-il fonder l'équilibre économique des pays occidentaux sur les succès d'une politique d'exportation agressive, transférant le surplus de notre production dans des pays moins développés? Et assurer ainsi notre fragile équilibre économique sur l'incontestable déséquilibre écologique provoqué par l'irruption brutale de l'Occident dans ces pays, sans aucun égard pour les traditions, les modes de vie et les valeurs locales? Faut-il réagir à la crise de l'énergie par une fébrile éruption nucléaire sur la planète entière, sous prétexte que la construction des centrales stimulera le développement économique et cela malgré les risques d'un tel pari, pris à une telle échelle et dans une telle improvisation? Faut-il se réjouir des fameux ballons d'oxygène qu'offrent aux économies industrielles les contrats laborieusement arrachés, visant à livrer des installations industrielles « clefs en main », quand on sait que la première de leurs conséquences est de fermer à terme ces marchés à l'exportation? Pour arracher ces contrats, les économies de l'Est et de l'Ouest se livrent cependant une concurrence acharnée. Faut-il oublier l'érosion de la valeur de la monnaie nationale, sous prétexte que les parités qui en résultent sur le marché des changes favorisent l'exportation? Faut-il continuer à encourager l'exode rural et l'industrialisation à outrance de l'agriculture, quand le modèle industriel vacille? Comment admettre l'énorme accumulation du capital, qui nourrit un système bancaire hypertrophié et déséquilibré par la spéculation des marchés monétaires, quand certains équipements collectifs essentiels continuent à faire défaut, et que les nations les plus riches n'ont pas réussi à résorber leurs poches de pauvreté? Enfin, et c'est peut-être la question fondamentale, peut-on continuer à vivre indéfiniment au-dessus de ses moyens en reportant sans cesse la note sur les générations suivantes? C'est postuler la poursuite à tout prix d'une forte croissance qui seule permettrait, moyennant une accélération de l'inflation, de payer les emprunts contractés pour améliorer le niveau de vie du moment, alors même que tout laisse croire que le temps des cigales s'achève. New York et Tokyo, les plus grandes villes du monde, sont au bord de la faillite. Et si les grandes nations industrielles devaient connaître le même sort? Et si finalement la suprématie des valeurs strictement économiques conduisait à la ruine de l'économie?

... ou consommer pour produire?

La croissance industrielle trouve aujourd'hui une justification de poids : le moindre ralentissement de son rythme compromet l'emploi. On le savait depuis Keynes, mais ce qui est nouveau, c'est qu'une inflation persistante s'accompagne d'un chômage structurel. La crise endémique et parfois épidémique de sous-emploi appelle évidemment des mesures appropriées, et les économistes orthodoxes reviennent à leur panacée : une forte relance de la consommation, donc de la production, des investissements et de la croissance. A la limite, il ne s'agirait plus désormais de produire pour pouvoir consommer, comme le font les hommes depuis la nuit des temps, mais bien de consommer ou d'exporter pour pouvoir produire, et de maintenir ainsi le plein emploi. Seule une société de « sur-consommation » pourrait assurer à tous « du travail et du pain ». Voilà la société de consommation prise à son propre piège, et cherchant dans le déséquilibre qu'elle a créé sa propre justification.

Poursuivant sur la lancée des deux dernières décennies, certains rêvent encore d'accélérer les processus d'industrialisation, générateurs d'emplois. Or, c'est précisément cette fuite en avant qui conduit à l'impasse : les courbes exprimant ce processus exponentiel arrivent aujourd'hui à leur point d'inflexion. Poursuivre dans la même voie ne peut qu'aggraver le déséquilibre : le moment est donc venu d'inventer une « nouvelle croissance ».

Vers de nouveaux équilibres

Des dizaines d'ouvrages consacrés à cette nouvelle croissance ont été publiés au cours des dernières années aux États-Unis et en Europe, et on commence à en entrevoir les grands traits. Encore faut-il que ces reconversions soient souhaitées, et pour qu'elles le soient, qu'un accord s'établisse sur de nouvelles finalités collectives, perçues comme nécessaires et voulues par tous : au niveau des peuples comme au niveau des États.

Or, face à une crise qui n'est pas conjoncturelle mais bien de structure, de société et de civilisation, les États n'ont pas su, jusqu'ici, proposer une politique globale et des stratégies cohérentes. Des mesures pragmatiques prises ici ou là visent à résoudre des problèmes ponctuels en conciliant tant bien que mal les exigences de la « croissance économique » et celles du « développement humain [1] »; elles sacrifient d'ailleurs bien souvent celui-ci au profit de celle-là. Mais il n'y a eu jusqu'ici, au niveau des États européens en particulier, ni remise en question fondamentale, ni réflexe de solidarité, ni définition de nouvelles stratégies, ni élan communautaire. A cet égard, la crise de leurs économies n'a pas joué son rôle d'incitateur et de moteur en faveur de nouvelles orientations.

Une reconversion sans casse.

La situation, il est vrai, ne s'est pas dégradée au point où des mesures d'envergure novatrices et concertées s'imposeraient impérativement aux gouvernements. On en est encore au stade des vieux chevaux de bataille des économies modernes : les plans de relance ou de soutien, les stimulations et incitations diverses, lorsque la récession menace; puis l'encadrement du crédit, la modération des revenus quand l'inflation s'aggrave. Malheureusement les deux phénomènes se produisent simultanément, alors que leurs remèdes ont des effets contraires.

Mais les gouvernements tardent à entreprendre de profondes réformes de structures, qui ne pourront pas être indéfiniment différées. Tout se passe en fait comme si, après un choc brutal

1. Jacques Robin, *De la croissance économique au développement humain,* Le Seuil, 1975.

consécutif à la hausse des hydrocarbures, les mécanismes de régulation avaient réussi à rééquilibrer tant bien que mal le système perturbé. Ce qui tendrait à prouver que la dégradation des économies est moins imputable aux conséquences de la guerre du Kippour qu'à un lent mais profond dérèglement de l'ensemble de la machine économique.

Cette lenteur même permettra peut-être une reconversion concertée du système avant que ne se déclenche une crise économique et sociale autrement redoutable; il n'en est que plus urgent de définir de nouveaux objectifs. Ces objectifs impliqueront à leur tour de nouveaux modes d'intervention et d'action et donneront un sens tout différent aux notions de « développement » et de « progrès ». Bref, la crise de l'environnement et la crise de l'énergie appellent instamment un nouveau projet collectif fondé sur une autre vision de l'homme, débouchant sur un nouveau type de société, dont le but ultime ne saurait être ni la production et la consommation conçues comme des fins en soi ni la seule recherche du profit.

A court terme, l'objectif est évidemment de traverser la période de reconversion sans trop de casse : ce qui suppose des mesures « conservatoires », mais non conservatrices. Ce n'est pas impossible à une condition : donner enfin un sens concret à la notion généreuse mais vague de justice sociale.

II. DISTRIBUER LES FRUITS DE L'EXPANSION OU MIEUX PARTAGER LES RESSOURCES ?

Il convient d'abord de dissocier cette notion de celle de croissance économique. On s'est accoutumé à l'idée que la justice sociale est la conséquence quasi automatique de la croissance. Le raisonnement est bien connu : plus on produit, plus on peut distribuer. L'amélioration du sort des moins favorisés dépend directement du taux de croissance, puisque seul un taux de croissance élevé permettra de bénéficier des « fruits de l'expansion ».

Vers de nouveaux équilibres

Mais si l'expansion s'essouffle, ou si l'inflation absorbe l'augmentation nominale des salaires, faut-il se résoudre à figer définitivement la hiérarchie des revenus? Non, à aucun prix.

La croissance des inégalités.

Or, cette hiérarchie reste très inégalitaire dans la plupart des démocraties. Elle l'est particulièrement en France où selon Lionel Stoleru [1], il y aurait encore plus de 11 millions de « pauvres », soit 3 millions de familles.

Bien plus, selon un rapport des Nations unies publié en 1974, confirmé par l'OCDE en 1976 [2], il apparaît que parmi les grandes nations industrielles, la France demeure une des championnes de l'inégalité, les écarts de niveau de vie entre citoyens y étant plus grands qu'ailleurs et s'élargissant au fil des ans. Le coefficient d'inégalité des revenus (dit « de Gini », son inventeur) confirme ce fait avec un taux de 0,52 (un taux de 0 correspondrait à l'égalité totale), contre 0,47 en Allemagne, 0,40 en Grande-Bretagne; les pays scandinaves montrent l'exemple avec 0,36 en Norvège et 0,39 au Danemark [3]. Enfin la hiérarchie des salaires serait sensiblement plus resserrée aux États-Unis qu'en Europe, contrairement aux idées reçues [4].

Or, il est clair qu'on ne sortira pas des impasses de la société de consommation avant que tous n'aient, si l'on peut dire, goûté à ses charmes. Ce n'est pas le lieu ici de discuter des modalités techniques qui permettraient d'atteindre cet objectif : prestations sociales et familiales accrues pour certaines catégories sociales seulement, impôt négatif, abandon du principe de l'augmentation des salaires en pourcentages fixes du haut en bas de la hiérarchie,

1. Lionel Stoleru, *Vaincre la pauvreté dans les pays riches,* Flammarion, 1975.

2. Le gouvernement français a d'ailleurs officiellement contesté les conditions dans lesquelles le rapport de l'OCDE a été réalisé puis publié.

3. Gilbert Mathieu, « L'inégalité des revenus est beaucoup plus grande en France qu'en Angleterre ou en Allemagne », *Le Monde,* 12 mars 1974.

4. Marc Clairvois, « Les Américains champions de l'égalité », *L'Expansion,* mars 1972.

blocage des hauts revenus, impôt sur le capital, réforme de la fiscalité directe et des droits de succession, et surtout chasse à la fraude fiscale, toujours promise, mais jamais maîtrisée, etc. Les moyens de redistribution des revenus sont connus : leur choix est l'affaire des spécialistes et des décideurs. Mais l'impératif de justice sociale apparaît comme une priorité qu'il n'est plus possible de traiter par des discours et des déclarations de bonnes intentions. Une telle stratégie aurait bien entendu pour effet une relance à court terme de la consommation, sans pour autant résoudre les problèmes du long terme. Mais il est clair que seules des mesures très énergiques de partage équitable réduiront les risques d'explosion que toute situation de crise porte en soi.

La mythologie de l'expansion avait jusqu'ici permis d'éluder plus ou moins les impératifs de justice et de solidarité; elle a joué, paradoxalement, comme un facteur de conservatisme social et de maintien des inégalités, comme en témoigne le nombre impressionnant des laissés-pour-compte de l'expansion.

L'entretien des frustrations.

Mieux, ces inégalités sont une nécessité du système qui ne survit qu'en les perpétuant. Car il lui faut entretenir en permanence des frustrations, en créant sans cesse de nouveaux désirs et de nouveaux besoins : dès lors que ceux-ci sont satisfaits chez les plus aisés, ils stimulent l'insatisfaction des autres et aiguisent leur appétit de consommation. La fuite en avant, on le voit, est la conséquence logique de la persistance des inégalités, et leur aggravation ne peut que l'accélérer.

Il ne faut pas se dissimuler les difficultés et les résistances que déclenchera la mise en œuvre de ces nouvelles stratégies. La dialectique propre aux démocraties, et l'excès de concurrence qui en est le trait dominant, veulent que les oppositions, qu'elles soient de droite ou de gauche, ne soutiennent en aucune manière les initiatives impopulaires, quelles que soient la nature ou l'ampleur des mesures qui pourraient être adoptées. Et pour les esprits conservateurs, la tentation des solutions poujadistes, ou même totalitaires, particulièrement vive en période de crise, apparaîtra comme un refuge. Car il ne sera pas facile de faire accepter de bonne grâce aux plus favorisés l'idéologie « partageuse » qui a toujours été leur hantise. Mais nécessité fait loi, aujourd'hui ou demain. Et les démocraties ne survivront que si elles réussissent à franchir ce cap.

III. INDUSTRIALISER A TOUT PRIX OU MIEUX RÉPARTIR L'EMPLOI ?

Un deuxième impératif, toujours dans des perspectives à court terme, est évidemment l'extension de cette exigence de justice à la politique de l'emploi; une redistribution des revenus, en relançant la consommation, aurait des effets bénéfiques à court terme sur l'emploi. Mais cette incidence conjoncturelle ne doit pas cacher le sens de l'évolution fondamentale à moyen et à long terme; il n'est désormais plus possible de considérer que la croissance industrielle est la seule garantie du plein emploi.

Consommer davantage pour donner du travail...

On a déjà montré l'équivoque d'un tel raisonnement; il revient à vouloir guérir la maladie en stimulant les causes qui l'ont produite. La vérité c'est qu'on produit désormais plus qu'on ne consomme ou qu'on n'exporte [1]. Chercher le salut dans une relance artificielle de la consommation ne peut conduire qu'à une impasse. Un jour ou l'autre, inévitablement, les gains de productivité et la saturation de certains marchés (et des consommateurs eux-mêmes) amèneront à réguler l'emploi sur la consommation, c'est-à-dire à freiner, bon gré mal gré, le processus de multiplication des emplois industriels. Dès à présent le rythme des créations d'emplois dans ce secteur est en baisse; il devrait, si l'on en croit

1. Ceci est particulièrement net dans certains secteurs d'activité industrielle, la sidérurgie par exemple, où la croissance du potentiel de production, sur le plan international, a été exceptionnellement rapide : d'où une concurrence sévère.

les prévisions, rester très faible au cours des prochaines années, car beaucoup d'investissements ont un effet récessif, en accroissant la productivité plus vite que le marché. Pourtant dans bien des esprits, la création d'emplois industriels reste le seul remède au sous-emploi, et des sommes toujours plus importantes sont affectées à l'aménagement de zones industrielles, généralement en pure perte. Quelle commune ne brûle d'avoir la sienne? Pourtant une zone industrielle n'est pas une industrie : vide, elle n'embauche personne. Et les fonds ainsi investis trouveraient un bien meilleur usage : par exemple, pour stimuler le développement du secteur tertiaire, qui risque de subir très vite les conséquences de la stagnation démographique.

Face à ces incertitudes, la nécessité d'un meilleur partage et d'une meilleure redistribution de l'emploi s'imposera inévitablement, même si certains efforts urgents sont entrepris par ailleurs (meilleure adaptation de la formation professionnelle, mobilité accrue, revalorisation du travail manuel, etc.).

Ici encore, bien des solutions sont proposées : abaissement de l'âge de la retraite, réduction globale ou partielle du temps de travail, notamment du travail posté, etc. Notons que les gains de productivité enregistrés depuis des décennies seraient sans objet, s'ils n'avaient précisément pour conséquence de permettre une réduction du temps de travail : surtout à une époque où les aspirations à une meilleure qualité de la vie deviennent des revendications aussi primordiales que l'augmentation du niveau de vie. Beaucoup d'hommes et de femmes préfèrent travailler moins pour organiser leur vie à leur convenance, plutôt que d'accumuler de plus en plus de biens matériels. Cette tendance est déjà très perceptible au niveau des jeunes générations. Atteindrait-on cet état stationnaire où, selon Stuart Mill, « les hommes n'emploieront pas leur vie à courir après les dollars, mais cultiveront les arts qui embellissent la vie »? Demain, ou plus tard, c'est bien ce choix que feront nos descendants.

Or, la politique adoptée depuis quelques années visant à rémunérer le chômage de longue durée va dans un sens absolument opposé et conduit à une impasse. Valable à très court terme, pour surmonter une crise conjoncturelle passagère, elle hypothèque lourdement l'avenir, dans la situation nouvelle où nous sommes.

D'abord parce qu'elle aboutit à des injustices criantes : ne rien faire rapporte plus que de travailler à mi-temps. Ensuite parce que le chômage est un mal, qu'il faut combattre et non rémunérer. Enfin, parce qu'en aggravant sans cesse le poids des charges sociales sur les salaires (sécurité et assurances sociales, coût du chômage, taxes et cotisations diverses), on finit par décourager les employeurs qui hésitent à embaucher. Car les effets de certains remèdes rétroagissent étrangement sur les causes des maladies qu'ils sont censés combattre et les aggravent.

Une rémunération en « temps libre ».

Dans une perspective de réduction de la durée du travail, c'est au contraire le gain en temps libre qui devra être considéré comme une rémunération. A condition que l'effort de justice sociale dont il a été question soit conduit avec audace, l'orientation fondamentale pour demain consiste à voir le niveau de vie se stabiliser, pour les plus favorisés en tout cas, et la qualité de la vie, notamment le temps disponible, augmenter pour tous. En d'autres termes, il va falloir se faire à l'idée de cesser de gagner toujours plus, moyennant quoi on mènera une vie un peu moins fébrile et agitée. Qui s'en plaindra? Tout le monde, n'en doutons pas! Puisque chacun veut l'impossible : gagner beaucoup plus et travailler beaucoup moins.

On voit ici combien est importante et nécessaire une lente *dérive* des mentalités vers de nouveaux objectifs individuels et collectifs. Celle-ci ne réussira que moyennant de courageuses mesures en faveur de la justice, seules à même de rendre crédible cette nouvelle vision d'une nouvelle société.

Par exemple, la tolérance des doubles, voire des triples emplois ou des cumuls injustifiés, ne saurait être admise en cas de graves difficultés d'emploi, surtout lorsque ce sont les générations les plus jeunes qui font en premier les frais d'une telle situation. Mais il faudrait toucher au sacro-saint principe des droits acquis, ce qui demanderait de la part des gouvernants beaucoup de courage. Pourtant, en période difficile, le courage est la première vertu des hommes d'État – en tout cas elle devrait l'être.

Enfin, en matière de création d'emplois, priorité devra être donnée désormais aux secteurs tertiaires et « quaternaires », dans les domaines où les aspirations populaires ont le plus de portée : aménagement des conditions de vie, équipements collectifs à caractère sanitaire, éducatif et culturel, sauvegarde de la nature et de l'environnement, recherche, etc. Ce qui suppose un effort considérable pour adapter la formation à ces nouveaux besoins. Mais fonder une stratégie en matière de création d'emplois sur l'effort d'industrialisation n'est plus possible. Il semble que, dans les pays économiquement développés, cette étape historique atteigne ses limites. Déjà se dessinent les sociétés post-industrielles.

Le prix de la qualité de la vie.

Mais ici surgit une nouvelle objection : dans une telle société, qui produira la richesse susceptible de s'investir dans des équipements collectifs, socio-culturels, ou de loisirs? Poser la question en ces termes, c'est s'avouer incapable de dépasser les modèles actuels, d'imaginer de nouvelles alternatives. Il est exact que, depuis la première révolution industrielle, l'industrie productrice de biens est la première pourvoyeuse de richesses. Pourquoi demain la production de services ne viendrait-elle pas à son tour, comme l'industrie qu'il est évidemment hors de question de voir disparaître, jouer ce rôle? Poussons le raisonnement à l'extrême. Si la « demande de nature » augmente, et si ce « service » est vendu par les collectivités qui le gèrent, les fonds ainsi recueillis permettront de réaliser de nouveaux équipements, et d'embaucher plus de monde pour la gestion des parcs et l'entretien du patrimoine naturel. Comme la production de biens, les services devront peu à peu se rentabiliser, et cela vaut tout aussi bien dans le système de comptabilité des sociétés capitalistes que dans celui des sociétés socialistes. La qualité de la vie n'est pas un luxe gratuitement offert comme par surcroît aux citoyens des sociétés à haut niveau de vie. Comme tout bien, nécessitant effort et création, elle a sa valeur propre et mérite son prix.

Un meilleur partage des revenus et de l'emploi, du travail et du pain pour tous, exige une prise de conscience généralisée, un engagement solidaire, un effort de dépassement. Plus que le jeu des petits moyens mis en œuvre par les experts et dont on voit bien que les résultats restent toujours en deçà des espérances, un grand projet politique de justice dans la liberté pourrait faire passer sur nos démocraties fatiguées un souffle neuf.

Pourtant la redistribution des ressources et de l'emploi, le partage des sacrifices ne suffisent pas, même si ces exigences représentent deux impératifs fondamentaux, en régime libéral comme en régime socialiste. Car ces mesures ne débouchent point sur la définition de nouvelles stratégies et de nouvelles approches des processus économiques et sociaux. En ce domaine, l'écologie peut proposer à l'économie de très utiles modèles. Encore faut-il que ces deux disciplines se rejoignent pour un mariage fécond.

2
L'économie à l'école de l'écologie

> « Nous avons abandonné Nature et lui voulons apprendre sa leçon, elle qui nous menait si heureusement et si sûrement. »
>
> MONTAIGNE.

I. DU TRÈS LONG TERME AU TROP COURT TERME

La crise de l'environnement et la crise de l'énergie imposent de réconcilier l'écologie et l'économie. Mais la distance est grande qui les sépare encore, car l'une et l'autre viennent de loin.

Écologie et prophétie.

L'écologie se complait parfois dans le prophétisme de malheur, et il arrive que ses affirmations péremptoires manquent de fondements rigoureux. Tout se passe comme si la menace était d'autant plus appuyée qu'elle est plus malaisément démontrable.

Pour certains, l'accumulation de gaz carbonique dans l'atmosphère, consécutive au développement des combustions industrielles et domestiques, provoquerait un réchauffement du climat par effet de serre, entraînant la fonte des glaces polaires et une remontée des océans qui submergeraient les régions littorales.

Pour d'autres, au contraire, l'accumulation des poussières dans l'atmosphère, en réduisant la quantité d'énergie solaire reçue au sol, entraînerait un refroidissement général des climats. Pour les uns comme pour les autres, ces variations dues au développement des activités humaines pourraient avoir des effets catastrophiques, et l'on discute beaucoup pour savoir lequel de ces effets l'emportera.

Il est certain que les interventions humaines mettent désormais en œuvre des forces dont l'ordre de grandeur peut se comparer à celui des phénomènes naturels : d'importantes incidences sur les climats sont donc plausibles. La biosphère pourra-t-elle compenser ces ruptures d'équilibre? Nous n'en savons rien. En tout cas, il semble bien que, depuis les toutes dernières années, les glaciers progressent à nouveau : la terre se refroidirait. Mais pourquoi, dans quelle mesure et pour combien de temps?

On discute également de l'oxygène disponible : le stock atmosphérique régresse-t-il à la suite des combustions, ou se maintient-il par quelque système de régulation? Il semble que cette deuxième hypothèse soit la bonne.

Quoi qu'il en soit, l'évolution de ces macrophénomènes est extrêmement difficile à prévoir, dans la mesure où ils sont malaisément quantifiables et encore une fois mal connus. A partir de là, on peut évidemment tout craindre et tout dire. Certains écologistes, par leurs déclarations péremptoires, n'engagent qu'eux-mêmes. Les sanctions qui ne viendront qu'à très long terme, et bien après notre mort à tous, ne sauraient mettre en cause leur responsabilité : on peut annoncer les pires catastrophes sans jamais risquer un démenti. Mais en supputant les conséquences d'une croissance exponentielle qui aboutirait aux désastres illustrés par *le Soleil vert* [1], n'oublie-t-on pas précisément les mécanismes de régulation qui sont susceptibles d'intervenir entre-temps? Et ne fait-on pas trop bon marché de l'aptitude non seulement génétique mais aussi culturelle de l'homme à changer et à modifier ses attitudes? Bref, ne procède-t-on pas par extrapolation linéaire, c'est-à-dire en utilisant le type même de raisonnement que l'on reproche aux partisans de la croissance à tout prix?

1. Titre d'un film d'anticipation, accentuant les tendances actuelles en matière de pollution notamment.

Pourtant les prophètes de malheur ne sont pas inutiles. En accélérant la prise de conscience de l'opinion publique, ils déclenchent de salutaires réactions, contraignant les aménageurs et les décideurs à intervenir avec plus de circonspection, et les scientifiques à pousser plus avant leurs investigations pour vérifier ou infirmer ces hypothèses. Résultat positif, et qui montre bien qu'au fond chacun a un rôle à jouer au sein de l'écosystème sociétaire. Ils restaurent en outre, dans un monde platement horizontal, l'antique fonction du devin et de la tradition prophétique qui est de tous les temps. Encore faut-il se garder de la tentation de se réfugier dans les prévisions à très long terme, pour échapper aux dures réalités quotidiennes et aux responsabilités souvent très lourdes qu'il faut assumer dans le présent pour préserver l'avenir. C'est à la recherche laborieuse d'une nécessaire synthèse entre réflexion et action, entre science et conscience écologique, qu'on voit s'employer les bons artisans du futur. Et c'est du dialogue entre les économistes, les écologistes et les politiques que naîtront les nouvelles synthèses.

Économie ou navigation à vue.

L'économie procède selon une méthode toute différente. Science incertaine, elle implique des choix au jour le jour : scruter les horizons lointains n'est pas son fort. Elle tente, tant bien que mal, de maîtriser sa machine emballée aux destinations imprévisibles, en maniant successivement ou simultanément le frein et l'accélérateur. Pratiquant le pilotage à vue, elle navigue au jugé, dans les brumes de la récession ou sous les vents chauds de l'inflation, quand elle ne patauge pas dans le pot-au-noir de la stagnation, voire de la « stagflation ». Toutes situations qui supposent des décisions immédiates, destinées à porter leur fruit à très court terme. Ainsi laisse-t-elle le futur aux futurologues et vit-elle bousculée dans un perpétuel présent.

L'amélioration constante des moyens de l'informatique, mise au service de l'évaluation « en continu » de l'évolution conjoncturelle, contribue à raccourcir encore le délai des prévisions. En économie comme en politique, par la quasi-quotidienneté des sondages, on finit par ne plus agir qu'au jour le jour, au sens propre du terme. Étrangement, alors même que se précisent à l'horizon les menaces à long terme, nos systèmes multiplient les microdécisions quotidiennes, destinées tantôt à « soutenir » tantôt à « ralentir » l'activité afin de maintenir laborieusement de très précaires équilibres. On ne saurait le leur reprocher, l'erreur étant plutôt de ne pas situer ces interventions dans une perspective cohérente et à long terme.

Bientôt un chef d'État verra sur son bureau sa courbe de popularité s'inscrire en continu par ordinateur. Il la gérera alors comme on pilote sa voiture : en fonction de la seule visibilité, ce qui ne favorisera guère les grands desseins; ceux-ci supposent parfois des sacrifices immédiats qui feraient tomber la courbe. La machine économique aurait tendance à se piloter de la même manière, et on voit les décideurs sacrifier aux modes successives qui consistent à privilégier subitement et parfois exclusivement telle activité ou tel secteur industriel, tel type d'aménagement, tel moyen de transport, telle source d'énergie, telle politique de l'habitat, etc. La crise pétrolière montre assez combien il est imprudent de faire dépendre l'avenir d'une seule ressource ou d'un seul facteur, en ne prenant en considération que des avantages purement conjoncturels et négligeant les réalités profondes imposées par le terrain ou héritées de l'histoire : ce qu'on appelle aujourd'hui les *structures*.

On abandonnera donc à l'économie de *conjoncture* la terminologie habituelle des « coups de fouets », des « paris », des « convalescences », des « relances », des « ballons d'oxygène », qui, soit dit en passant, laissent entendre que décidément elle se porte mal. Il y aurait bien des leçons à tirer de ce vocabulaire, et d'abord que cette économie-là est une malade bien exigeante : sa mauvaise santé coutumière tourne aujourd'hui à l'hypocondrie. Chaque jour des milliers de pages sont consacrées, dans tous les journaux du monde, à son bulletin de santé. Chaque jour les financiers se lamentent sur l'étrange maladie de langueur dont elle est frappée. Qu'un plan de soutien hâtivement prescrit annonce enfin sa convalescence, et chacun de s'en féliciter... Mais le remède est souvent pire que le mal, et voici qu'à nouveau elle se grippe ou s'enrhume. Visiblement, la bête est malade! Et son mal est contagieux : ne dit-on pas que, lorsque l'Amérique tousse, l'Europe aussitôt éternue? Curieux vocabulaire, curieuse personnification de l'économie qui révèle l'emprise tyrannique exercée par la production des biens matériels dans les sociétés de consommation.

Il serait vain de prétendre « gérer » la crise. Car à terme, cette crise nous emportera – à moins que nous ne changions à temps de projet et de finalités.

On préférera donc les notions plus traditionnelles d'équilibre, d'harmonie, de diversification, d'enracinement, de permanence, de tradition. On se souviendra aussi qu'un système quelconque, fût-il un système économique, est d'autant mieux équilibré, donc d'autant moins sensible aux aléas de la conjoncture, qu'il est plus riche, plus complexe et qu'il comporte plus d'éléments divers, chacun indispensable par son activité propre à l'équilibre global du système qu'ils constituent tous ensemble. C'est ce qu'exprime à sa manière le langage populaire, lorsqu'il conseille de ne « jamais mettre tous ses œufs dans le même panier ». Et ceci est vrai en matière économique comme pour l'aménagement du territoire. Il importe donc de trouver un nouvel équilibre entre les préoccupations de l'économie, à juste titre soucieuse de gérer le quotidien, et celles de l'écologie, dont la mission est d'explorer les horizons lointains et de sauvegarder les intérêts des générations futures : à commencer par ceux de nos enfants. D'un tel dialogue pourrait naître le monde de demain.

II. LA RÈGLE D'OR DE LA DIVERSIFICATION

L'opposition du structurel et du conjoncturel est une des alternatives classiques de l'économie. L'écologiste aura tendance à s'intéresser en priorité aux structures qui font l'originalité d'un système et lui confèrent plus ou moins de stabilité ou de *redondance* [1].

1. *Redondance :* ce terme, emprunté à la cybernétique, exprime le degré de complexité d'un système, fondé sur la richesse des interrelations entre ses éléments constitutifs, ce qui augmente sa viabilité : un système est donc d'autant plus redondant qu'il comporte plus de relations transversales, plus de relations privilégiées entre ses éléments. Une automobile est peu redondante,

Vers de nouveaux équilibres

L'économiste au contraire, bousculé par le train des affaires quotidiennes, aura tendance à prendre des décisions de portée parfois incalculable et engageant lourdement l'avenir en fonction d'évolutions purement conjoncturelles. Il en fut ainsi de la décision prise immédiatement après la crise pétrolière de lancer de vastes programmes nucléaires en fonction de calculs de coût effectués à une date déterminée, et qui ne peuvent évidemment prendre en compte les aléas de la conjoncture future.

Le choix du tout nucléaire.

Ces programmes trouvaient, il est vrai, une justification supplémentaire en prétendant assurer l'indépendance énergétique, c'est-à-dire l'indépendance nationale. Dans un pays comme la France, dont les ressources énergétiques sont limitées, l'argument ne manque pas de poids.

Pourtant, tout porte à croire que l'énergie nucléaire coûtera fort cher, en raison non seulement des investissements, mais des mesures draconiennes de protection de la santé et de l'environnement qu'elle exige [1]. De plus l'uranium risque de manquer à

---

car la panne d'un organe l'empêche de fonctionner. L'organisme humain est plus redondant, car il possède des capacités de régénération et d'autodéfense qu'un engin mécanique ne possède pas et qui lui permettent de « compenser » une lésion. Un écosystème peut également être très redondant, par exemple lorsque la disparition d'une espèce entraîne son remplacement par une autre espèce à niche écologique très voisine, de sorte que l'équilibre du système se trouve rapidement rétabli. Notons en passant le glissement sémantique de ce terme : avant l'intervention de la cybernétique, la redondance était discréditée comme superfétatoire.

1. Dans une réponse à une question écrite publiée au *Journal officiel* du 10 juillet 1976 le ministre français de l'Industrie note que, « *correction faite de l'érosion monétaire,* le coût d'investissement des centrales a augmenté de 15 % entre 1974 et 1976, en raison de la prise en compte de nouveaux impératifs en matière de sécurité et d'environnement ». Le coût du combustible a augmenté d'environ 30 % pendant la même période. Il apparaît également que les estimations du coût du kWh produit par les centrales au fuel augmentaient moins vite que celles du kWh nucléaire. Et l'avantage apparent de ce dernier (7,5 centimes, contre 11,5 à 12,2) serait fortement réduit si l'on y englobait les sommes énormes investies dans la recherche nucléaire et qui ne sont pas comptabilisées dans ces calculs.

brève échéance sur le marché mondial, et l'évolution de son prix est absolument imprévisible : nous serons en tout cas contraints de nous approvisionner sur des marchés étrangers, ce qui réduit singulièrement la portée des arguments touchant à l'indépendance nationale. On répond à cette objection en insistant sur l'entrée en service des surgénérateurs, producteurs de plutonium obtenu par retraitement du combustible en provenance des centrales de première génération. L'argument est peu convaincant. En admettant même que tous les problèmes techniques soient maîtrisés, la faiblesse des ressources en uranium risque de conduire à l'asphyxie de tout l'appareil de production d'énergie nucléaire aux environs de l'an 2000, c'est-à-dire avant que les surgénérateurs ne puissent prendre le relais, en fournissant du plutonium en quantité suffisante. Les surgénérateurs représentent en outre une technologie extrêmement audacieuse, mettant en œuvre des milliers de tonnes de sodium fondu, et des tonnes de plutonium. Jamais aucune œuvre humaine n'aura présenté, à l'état potentiel, un tel danger. C'est pourquoi aucun pays n'avait osé jusqu'ici prendre un tel risque. En sautant sans transition du surgénérateur Phoenix de 250 MW à Superphoenix de 1 200 MW, la France passe brutalement de l'échelle semi-industrielle à l'échelle super-industrielle, avec les risques inhérents à de tels changements d'échelle. Et on construit ce surgénérateur à moins de 50 kilomètres de Lyon, quand les autres pays implantent de telles installations dans des zones désertiques! Quel pari! Quelle folie!

Pour maîtriser les risques d'une technologie aussi « dure », d'énormes moyens financiers devront être mis en œuvre. Ceux-ci enlèveront tout crédit – et le mot est à comprendre dans ses deux sens – aux recherches menées en vue d'utiliser d'autres sources énergétiques, car les moyens financiers disponibles ne sont pas indéfiniment extensibles. Quant aux conséquences d'un accident survenant à de telles installations, on ose à peine les imaginer. Mais on peut supposer qu'elles mettraient immédiatement un terme à l'utilisation de ces sources d'énergie, tant apparaîtraient subitement redoutables, à juste titre, les installations existantes [1].

1. Leur sécurité continue à faire l'objet de controverses passionnées; ce qui est, en soi, très inquiétant et devrait conduire à n'implanter ces installations

Vers de nouveaux équilibres

On le voit, une orientation fondamentale et irréversible de la politique énergétique a été privilégiée en fonction, pour une bonne part, des variations conjoncturelles du prix des hydrocarbures. Certes les réserves pétrolières s'épuiseront en un demi-siècle : il importe donc de trouver de nouvelles sources énergétiques. Est-il sage pour autant de passer, au moins au niveau des nouveaux investissements, du tout-pétrole au tout-nucléaire, même si l'on s'en défend, alors qu'on a pu mesurer, à travers la crise actuelle, le danger des choix univoques? Qu'on n'aille pas dire qu'il n'y avait pas de choix, car d'autres orientations sont possibles; et d'abord une stratégie plus musclée de lutte contre le gaspillage, qui permettrait en outre de substantielles économies de devises.

La lutte contre le gaspillage.

On s'étonne de constater avec quelle facilité la plupart des pays d'Europe occidentale ont accepté, pendant plusieurs semaines, les week-ends sans voitures : occasion de retrouvailles familiales, déploiement de nouveaux styles de loisirs communautaires, les week-ends sans voitures tournèrent à la fête. Les plus jeunes vivaient avec ardeur l'aventure de la pénurie qui venait rompre la monotonie quotidienne; les adultes évoquaient leurs souvenirs de guerre, et les plus vieux opinaient que « ça ne pouvait pas toujours durer comme ça ». Car l'idée que les vaches maigres suivent les vaches grasses est intégrée au patrimoine culturel et peut-être génétique de l'humanité [1].

On s'étonne aussi de la discipline avec laquelle l'automobiliste américain respecte la limite des 90 km/heure sur autoroute. En matière d'économie de carburant, qui s'accompagne d'une sécurité accrue lorsqu'elle résulte d'une limitation de vitesse, la France s'est classée parmi les plus timides. Pourtant, sous-estimer la capacité populaire d'effort et de solidarité est toujours un mauvais

que loin de toute agglomération. Mais ceci n'est possible qu'en recourant aux systèmes de réfrigération par air, qui n'exigent plus d'implanter les centrales au bord des rivières, où la population est la plus dense.

1. Dans *Les Vaches maigres* (Gallimard, 1975), Michel Albert et Jean Ferniot avouent remettre entièrement en question « l'idée à laquelle tous nous croyions si fort hier encore : la croissance à l'américaine ». Bel exemple de lucidité et d'humilité. En tout cas, signe des temps.

calcul. Et que dire de l'erreur qui consiste à favoriser le transport routier, même pour les produits les plus pondéreux, au détriment du rail, et les moyens de transport individuel au détriment des transports en commun, quand on connaît le coût énergétique, mais surtout le coût en vies humaines qu'impliquaient ces choix!

A ces économies de carburant pouvaient s'ajouter des économies d'électricité. Est-il indispensable d'éclairer intensément, sur des centaines de kilomètres, certains tronçons routiers ou autoroutiers, alors que la réduction d'intensité expérimentée en maints endroits n'a pas provoqué le moindre accident supplémentaire? A-t-on vraiment tout fait pour améliorer l'isolation thermique des bâtiments, récupérer les eaux chaudes industrielles, etc.? Et a-t-on évalué le nombre d'emplois que créerait la mise en œuvre de telles stratégies? Est-il sage de pousser l'effort de climatisation des immeubles modernes, dans un pays tempéré comme le nôtre, quand on sait le coût énergétique de ces installations? Dans un autre ordre d'idées, a-t-on songé que l'utilisation de systèmes à transistors permettrait de réduire dans des proportions significatives, la consommation électrique des engins domestiques et même industriels? Enfin, a-t-on soustrait des bilans énergétiques les énormes quantités d'énergie utilisées pour la construction des centrales nucléaires, des lignes qui les desserviront, de l'usine d'enrichissement de l'uranium et de l'usine de retraitement des déchets? Car l'énergie nucléaire, comme l'a montré Michel Grenon [1], est sans doute la moins rentable et la plus dispendieuse de toutes les sources d'énergie.

N'allons pas plus loin. Constatons simplement que si l'on déployait autant d'imagination et de moyens financiers pour mettre en œuvre une politique hardie d'économie d'énergie que pour tenter d'imposer un ambitieux et coûteux programme nucléaire à des populations légitimement réticentes, il n'est pas douteux que nous gagnerions le temps nécessaire à la réflexion et à la reconversion; ou au moins, que nous irions plus lentement, alors qu'en ce domaine nous sommes le pays du monde qui fonce le plus vite, et qui va le plus loin. Et nous donnerions enfin un contenu au concept, encore fort nébuleux, de « nouvelle croissance ».

1. M. Grenon, *Ce monde affamé d'énergie,* Laffont, 1973.

Des chances à courir : les énergies nouvelles.

Une politique énergétique, comme un écosystème, doit être hautement diversifiée, ce qui suppose l'exploitation complète des ressources hydrauliques (en n'oubliant surtout pas les petits équipements à vocation locale), l'accroissement de la production charbonnière, et la mise en œuvre d'une politique de recherche digne de ce nom en matière d'énergies nouvelles. Il est habituel de dire que c'est là une utopie, dans la mesure où seule l'énergie nucléaire est actuellement disponible à grande échelle. Mais on oublie d'ajouter qu'elle ne l'est que parce que la recherche est polarisée en ce sens depuis près d'un demi-siècle. Qu'en serait-il si les mêmes efforts avaient été orientés vers l'exploitation de la géothermie et de l'énergie solaire, gratuite et inépuisable [1]? Que cette dernière soit exploitée directement ou par l'intermédiaire de la production végétale et de la photosynthèse, elle reste l'une des grandes ressources énergétiques de demain. La transformation de matière première végétale en gaz combustible par fermentation bactérienne pourrait utilement relayer les combustibles fossiles bientôt défaillants. On disposerait alors d'une matière première quasi illimitée et en tout cas indéfiniment reproductible à condition, bien entendu, de mener à temps une politique hardie et vigoureuse de reboisement. Entre autres avantages, on stopperait ainsi la lente hémorragie des sols du bassin méditerranéen dont, contrairement à ce que l'on croit souvent, l'avenir n'est pas seulement touristique mais aussi agricole et sylvicole.

1. En réalité, la mise en œuvre de la stratégie développée ici suppose une forte volonté politique des gouvernants, capable d'affronter puis d'infléchir les stratégies sectorielles des grands *lobbies* privés ou nationalisés. La notion de « nouvelle croissance » n'aura de sens que si de nouveaux moyens matériels, financiers et humains sont affectés à ces objectifs, car on ne fait jamais que la politique de ses moyens. Que représente par exemple l'agence aux énergies nouvelles en face de l'énorme *lobby* politique, administratif, scientifique, militaire qui développe l'utilisation militaire et pacifique de l'énergie nucléaire en France depuis plus de vingt ans? Dériver une part des crédits affectés à cette stratégie dangereusement univoque permettrait de mettre en œuvre une autre politique de l'énergie.

Certes, aucune de ces orientations ne peut à elle seule répondre aux besoins d'énergie sans doute appelés à croître, mais à un rythme plus lent que les prévisions officielles ne l'avaient estimé. En revanche, toutes ces stratégies mises en place simultanément feraient une politique solide et cohérente, qui permettrait d'avancer plus prudemment dans le domaine coûteux et encore incertain de l'énergie nucléaire. On se donnerait le temps nécessaire pour mieux apprécier les effets des centrales en cours de construction, et surtout pour s'orienter vers des installations technologiquement améliorées – capables par exemple d'utiliser les eaux chaudes.

Pas de sécurité sans diversité.

Ainsi en économie comme en écologie, la règle d'or est celle de la diversification, de l'exploitation simultanée de plusieurs possibilités, du déploiement concomitant de plusieurs tactiques choisies en fonction d'une stratégie déterminée.

On pourrait développer d'autres exemples : si en période normale les grandes métropoles ne connaissent guère de problèmes de reconversion et d'emploi – du moins dans les pays développés –, c'est parce qu'elles forment des ensembles extrêmement diversifiés, des écosystèmes complexes aux régulations multiples et aux riches interrelations. A l'inverse, les zones d'industrie lourde, souvent très peuplées, un bassin sidérurgique ou charbonnier par exemple, constituent des systèmes ultrasimplifiés asservis aux aléas du marché d'une seule catégorie de produits : que la demande fléchisse, et l'ensemble est aussitôt déséquilibré. La pauvreté de la structure fragilise ces systèmes, alors totalement soumis aux fluctuations de la conjoncture.

On peut évoquer aussi les risques de la monoculture, aberration économique dont les viticulteurs du Midi font tristement les frais; le phylloxéra jadis, et aujourd'hui la mévente du vin montrent combien il est dangereux de ne dépendre que d'un seul produit. Sauf impératifs catégoriques imposés par le terrain (vignobles de grands crus, pâturages de haute montagne par exemple), la polyculture reste la clef de l'équilibre agricole, ce qui évidemment ne met pas en cause les vocations propres à chaque région. Mais à vouloir s'ultraspécialiser comme tout l'y invite dans une société technicienne, le paysan court les risques inhérents à la dépendance d'un seul marché et d'un seul produit, comme c'est le cas dans les régions de mono-industrie. Car chaque jour davantage, le modèle industriel s'impose au monde agricole et lui impose sa loi.

L'économie classique séparait traditionnellement le secteur primaire, agricole et minier, du secteur secondaire essentiellement industriel, le second dépendant des productions du premier qu'il transformait. En moins de vingt ans, une curieuse inversion s'est produite qui a placé l'agriculture sous la tutelle de l'industrie : que deviendrait le paysan sans tracteurs, sans fuel, sans engins mécaniques, sans engrais, sans pesticides, sans l'affreuse tôle ondulée dont il fait ses hangars? Le principe de *solidarité des écosystèmes*[1], bien connu des écologistes, a joué à plein; mais il a totalement inféodé – et ce mot est également emprunté au vocabulaire écologique – la production agricole à la production industrielle. Combien d'années faudrait-il en cas de guerre, ou de crise sévère, pour reconstituer le parc des animaux de trait, seule garantie d'une véritable indépendance du monde agricole? Privée d'engrais et d'insecticides, combien de temps la nature mettrait-elle pour restaurer ses équilibres? Bien plus, l'industrialisation massive de l'agriculture a considérablement augmenté le « coût » réel des produits agricoles. Dubos a montré que les quantités d'énergie investies dans les machines, les engrais et les pesticides par un producteur de blé américain étaient supérieures à l'énergie solaire fixée par les céréales produites. L'augmentation de la productivité agricole n'est donc pas un gain : c'est une perte, concevable seulement dans un système économique dont les calculs de coût sont viciés à la base par le fait qu'ils ne tiennent pas compte de l'usure des ressources et

1. Selon ce principe, entre deux écosystèmes voisins et en interrelations (milieu terrestre et milieu marin dans une zone littorale par exemple), toute modification importante survenant dans l'un des systèmes retentit immédiatement sur l'autre (exemple : une forte urbanisation du littoral accroît la pollution marine).

de l'environnement. On retrouve ici le procès du produit national brut, déjà instruit ci-dessus.

Comme l'industrie a asservi l'agriculture, la ville a asservi la campagne : les villages « s'équipent » en reproduisant servilement le modèle urbain; le béton et le macadam y règnent en maîtres, des réseaux d'assainissement sont mis en place, des stations d'épuration des eaux sont construites. Comme elles fonctionnent mal, faute de débit et de surveillance, les eaux usées concentrées dans les collecteurs modernes sont directement évacuées dans le ruisseau, d'où une pollution croissante des petits cours d'eau, que les fosses septiques permettaient d'éviter. Par ailleurs, les mêmes critères de rentabilité s'appliquent aux villes et aux villages; les bureaux de poste, les lignes SNCF ont été systématiquement supprimés, appauvrissant les campagnes que l'industrialisation et l'urbanisation galopante vidaient de leurs habitants. Et pourtant que deviendraient les villes et les usines sans les produits et les charmes de la terre?

Dans les systèmes ouverts et hautement complexifiés qui caractérisent les économies modernes, l'indépendance est un mythe, car des interrelations complexes régissent les coexistences. Il est bon de s'en souvenir, au moment où l'on voudrait nous faire croire au mythe de l'indépendance nationale. Il n'est d'indépendance que dans la richesse et la diversité des interdépendances. La seule voie de l'indépendance, pour les matières premières comme pour l'énergie, c'est la diversification des sources et la multiplicité des fournisseurs : la carte géopolitique étant ce qu'elle est, il est peu probable que nous subissions le chantage de tous les pays à la fois, ou que brusquement nous nous fâchions avec tout le monde.

Une répartition des tâches à l'échelle planétaire.

La visée écologique, orientée vers le long terme, conduit aussi à sélectionner les projets et les pistes les plus riches d'avenir, à dégager les valeurs les plus sûres ou les moins soumises aux caprices de la conjoncture. Lorsque dans vingt ou trente ans, au plus tard dans un demi-siècle, l'industrialisation aura atteint la plupart des pays du monde, lorsque le Brésil, la Chine, l'Inde, l'Indonésie auront pris rang à leur tour parmi les grandes puissances industrielles, lorsque les marchés se fermeront à l'exportation, soit en raison de la rigueur de la compétition, soit en raison de leur saturation, il est raisonnable de penser que la demande s'orientera, pour chaque pays, vers ce qui correspond le plus profondément à la fois à ses traditions ancestrales et aux capacités spécifiques dont il aura su faire preuve. L'Europe continuera sans doute à être privilégiée en matière de tourisme parce qu'elle reste, pour beaucoup, le berceau de la civilisation planétaire. La France, pays d'ancienne tradition agricole, continuera à vendre ses vins et ses champagnes, ses produits gastronomiques, ses parfums, mais aussi sa mode, ses avions et ses technologies de pointe : espérons qu'elle aura renoncé à exporter ses armes et ses centrales nucléaires. L'Allemagne conservera une puissante vocation industrielle, mais exportera aussi sa bière. La Suisse restera le fief du médicament et de l'orfèvrerie fine, mais continuera sans doute aussi à vendre son chocolat...

Chaque pays doit donc songer à sauvegarder comme la priorité des priorités ce qui fait son originalité. Sacrifier la moindre parcelle du vignoble bourguignon ou champenois à la voracité de l'industrialisation ou de quelque grand projet d'aménagement serait une erreur impardonnable. Et le scandaleux gaspillage de terres agricoles, amputées sans ménagement au profit d'équipements qui pourraient souvent trouver leur place sur d'anciens sites industriels laissés à l'abandon, risque de nous coûter très cher dans l'avenir.

Bref, ce qu'il convient de développer, ce sont les caractéristiques propres de chaque milieu, ses richesses spécifiques; ce qui n'exclut pas les productions quantitatives, lesquelles ne sont d'ailleurs pas nécessairement médiocres. Si ces valeurs du terroir sont à nouveau si prisées, c'est par réaction contre l'excès d'un productivisme quantitatif et simplificateur. L'uniformité débouche sur la monotonie, la pauvreté; la diversité au contraire sur l'échange, la richesse. Dans une économie planétarisée, chaque pays offrira ainsi ses ressources et ses valeurs propres, lorsqu'aura pris fin l'effrayante et épuisante compétition industrielle. Celle-ci n'aura marqué sans doute – l'avenir le dira – qu'un moment de l'histoire humaine.

III. LES IMPÉRATIFS DE LA COMPLEXIFICATION

Dans le domaine de l'aménagement, l'écologie conduit à des remises en question de même nature. Elle tend à prendre en considération des paramètres multiples, et s'oppose au gigantisme simplificateur et monofonctionnel, conséquence logique de la priorité donnée au quantitatif.

Nos grands ensembles expriment d'abord une certaine vision de l'homme, réduit à une seule de ses dimensions, analysé en fonction de ses besoins élémentaires et immédiatement évaluables, dans un mépris total des biens et des valeurs immatériels. Aucune fantaisie dans ces aménagements, aucune place pour le rêve et l'imagination. Ainsi, dans l'architecture moderne, la ligne droite a-t-elle définitivement supplanté les courbes sophistiquées de la Belle Époque ou, plus loin de nous, du gothique ou du baroque. La nature ignore la ligne droite; mais le technicien, fût-il polytechnicien, ignore souvent la nature. Car l'intime fréquentation de la règle à calcul, de la table de logarithme et de l'ordinateur, n'implique pas nécessairement une bonne connaissance des lois fondamentales de la biologie, et moins encore des espaces intemporels et infinis de l'imaginaire humain. Nos grandes écoles n'ont pas pour mission, il est vrai, de cultiver l'imaginaire : elles enseignent les techniques de l'efficacité, de la rentabilité et de la gestion.

De plus l'invasion des mathématiques en biologie et en sciences humaines peut être dangereuse. Car « les hypothèses initiales, inexactes mais acceptables, se transforment en grossières erreurs après quelques tours de manivelle de l'appareil logique; les simplifications engendrent les paradoxes [1] ».

1. Kostitzin, cité par Yves Le Grand, « Nécessité de faire naître un esprit biologiste chez les futurs ingénieurs », *Cahiers des ingénieurs agronomes*, 1956, n° 110.

De « terribles simplificateurs[1] ».

Or chacun simplifie à sa manière : l'ingénieur de circulation ne pense qu'aux voitures et perce les villes par de vastes « pénétrantes » urbaines; tant pis pour les enfants, les piétons, les vieillards, la pollution, l'ambiance des quartiers, l'habitat ancien, le patrimoine historique et le reste. Ce n'est pas son problème. L'ingénieur de sécurité ne pense qu'au feu, et mettra s'il le faut de spectaculaires dispositifs de protection au milieu des galeries d'un cloître du XIIe siècle. L'aménagement des monuments n'est pas son problème. Le responsable des services d'hygiène applique à la lettre les règlements qui interdisent l'implantation d'un débit de boisson à moins d'une certaine distance d'une école, d'un cimetière, d'une église, d'un établissement de soins ou de sport, d'une caserne; ce qui achève de déshumaniser les grands ensembles en les privant automatiquement de ces seuls lieux de rencontre. Tableau à peine forcé, où les élus reconnaîtront leurs difficultés quotidiennes, contraints qu'ils sont de naviguer entre les subtiles arcanes administratives et les règlements foisonnants et contradictoires, pour mettre un peu d'humanité, de chaleur et de vie dans les réalisations technocratiques.

Il en va de même lorsqu'il s'agit de réaliser de grands équipements industriels : centrales nucléaires par exemple. Chaque organisme, chaque spécialiste étudie consciencieusement son problème. Dans la meilleure des hypothèses, l'étude de l'impact sur l'environnement s'effectuera au sein de comités techniques naturellement spécialisés eux aussi : réchauffement des eaux, effets atmosphériques, émissions radioactives, gestion des déchets, insertion dans les sites, etc. Quant à savoir comment le projet sera reçu par la population, il n'en est généralement pas question : ce n'est pas un problème d'expert. De plus jamais, à aucun niveau, le bilan global « avantages-risques » à court terme et à long terme ne sera évalué. On ne retient que les avan-

1. Pour reprendre l'expression de Talleyrand, qui visait les Jacobins.

tages à court terme, qui sont d'ailleurs la justification du projet. La totalisation des inconvénients ne s'effectue nulle part, chaque technicien donnant le feu vert dans son seul domaine, après avoir réduit les risques au mieux. L'accumulation de risques réduits peut néanmoins représenter un handicap global très important qui ne sera jamais apprécié. La vision de synthèse fait désespérément défaut. Ainsi, le problème du réchauffement des rivières est-il résolu partiellement par transfert dans l'atmosphère de quantités énormes de vapeur d'eau, dont les effets microclimatiques sont inconnus : car l'eau est défendue par les agences de bassin, mais personne ne prend la défense de l'air.

L'uniformité passe-partout.

L'uniformité et la répétitivité semblent aujourd'hui remises en cause, sinon dans la production en série des centrales nucléaires, du moins en matière d'habitat collectif et de grands ensembles. Mais comment redonner visage humain à cette architecture rigide qui marquera nos paysages urbains pendant des décennies?

Aujourd'hui encore, la diversité des visages dans une foule nous donne quelque idée de ce que pouvait être la richesse patrimoniale d'une ville ancienne, où chaque maison était différente. Chacune représentait une cellule d'un organisme vivant, la ville, que le *métabolisme* [1] de la vie sociale conduirait un jour à renouveler. Ici, puis là, on démolissait, on reconstruisait, on restaurait : le visage de la ville était sans cesse remodelé au cours des siècles. Mais qu'en sera-t-il de ces grands ensembles, à l'architecture définitivement figée? Comment pourront-ils évoluer en fonction de goûts et de besoins sans cesse changeants? Sans doute vieilliront-ils et mourront-ils tels qu'ils sont, sans pouvoir s'adapter aux nouvelles formes de culture urbaine, lorsque sonnera l'heure de leur obsolescence, puis de leur complète désuétude.

Construire sa maison, ce devrait être au contraire affirmer

1. *Métabolisme :* ensemble des transformations biochimiques qui s'opèrent dans un organisme vivant. On parlera d'*anabolisme* dans le cas d'élaboration, de synthèse de molécules, et de *catabolisme* lorsqu'il y a dégradation, destruction moléculaire.

l'originalité d'un projet, face à l'uniformité ambiante. Mais voici que celle-ci resurgit comme un mal contagieux au niveau de la maison individuelle, désormais « industrialisée ». La fabrication de ces maisons en série illustre parfaitement le paradoxe d'une société qui, malgré une crise endémique de l'emploi, s'obstine à propager le modèle industriel, en l'occurrence à importer de la main-d'œuvre étrangère pour fabriquer des maisons en pièces détachées, destinées à durer quelques décennies tout au plus. A quand le retour aux maisons solides, personnalisées au goût de leurs futurs habitants, avec l'apport créatif des corps d'artisans, des vieux métiers? Elles s'inscriraient d'autant mieux dans le paysage et la tradition des pays que les procédures d'assistance architecturale se généralisent.

La cuisine locale est concurrencée de la même manière par la restauration industrielle, dont la nourriture standard évoque les menus aseptisés de tous les aéroports du monde. Et tandis que les villes installent des rues piétonnières, et veulent réhabiliter leurs centres historiques, le même mobilier urbain les envahit aussitôt : on y voit partout les mêmes bancs et les mêmes lampadaires, les mêmes « abris-bus » et les mêmes panneaux publicitaires.

Savoir tout sur rien.

L'aménagement n'est certes pas le seul domaine où le monofonctionnalisme fait des ravages. A force de spécialisation, chacun finit par ne plus voir qu'un aspect infime du réel. Selon l'aphorisme célèbre de Bernard Shaw, on finit « par tout savoir sur rien ».

La médecine souffre des mêmes maux : soucieuse avant tout de cloisonner les organes et les fonctions, elle ne voit plus l'organisme, et moins encore son environnement; elle a beau s'équiper d'engins hautement sophistiqués, l'homme lui échappe, dans son unité et dans ses interactions avec son milieu. Or bien des troubles fonctionnels ne font que refléter la dégradation de nos conditions de vie et de travail. Nombreux sont heureusement les médecins qui s'en avisent aujourd'hui.

De l'analyse à la synthèse.

Certes, le passage de l'analyse à la synthèse est un exercice périlleux. Car, contraint de se familiariser avec d'autres disciplines, le spécialiste est amené à *étendre et élargir* le champ de sa compétence, qu'il aurait au contraire tendance à vouloir *approfondir* toujours davantage. Entre le risque de se cristalliser dans une microspécialité, et celui de se dissoudre dans le vaste univers du savoir, la marge est étroite. Une timide excursion hors du domaine familier, du « territoire », et nous voilà débordés, déconcertés, insécurisés.

Il est éprouvant d'affronter des langages ou des modes de pensée dont la logique et les fondements nous échappent : l'écologiste est payé pour le savoir. Pour un physicien ou un biologiste, ce qui compte c'est le fait brut : « ce qui est ». Mais pour le sociologue, ce qui compte plus encore, c'est la manière dont le fait est interprété en fonction d'un système de valeurs : « ce qui est perçu ». Ces deux points de vue, en opposition dialectique, montrent l'abîme qui sépare les sciences dites exactes des sciences humaines : d'où les risques de court-circuit, mais aussi la fécondité de leur dialogue.

La pluridisciplinarité est un appel au dépassement, une épreuve nécessaire mais puissamment enrichissante, comme un long voyage d'où l'on revient transformé dans sa terre natale. Elle s'impose en matière d'aménagement, son banc d'essai privilégié. Aucun domaine en effet ne fait appel à des spécialités aussi multiples et diverses.

Les premières tentatives de planification écologique [1] telles qu'elles s'expérimentent aux États-Unis, et qui cherchent à mettre en harmonie les équipements envisagés et les caractéristiques physiques et humaines des milieux et des espaces dans lesquels ils seront implantés, sont les premiers balbutiements des futures méthodes d'aménagement. Elles font dès maintenant appel à des

1. Ian Mac Harg, *Design with nature,* New York, Double Day and Co Inc., Garden City, 1969.

dizaines de spécialistes et permettent ainsi d'intégrer les principaux facteurs en cause : géologiques, climatiques, biologiques, techniques, esthétiques, psychologiques.

Parmi les facteurs humains, l'avis des populations concernées doit être recueilli en priorité, ce qui suppose l'ouverture des dossiers. Les études d'impact, telles qu'elles seront désormais pratiquées, instaurent de larges débats sur les projets, ce qui conduira parfois à les rejeter, mais plus souvent à les améliorer. Malgré le temps qu'exige inévitablement le dialogue entre les décideurs et les populations, le consensus populaire reste un critère essentiel d'une bonne planification écologique.

Le raisonnement non linéaire.

L'aménagement postule enfin l'acquisition d'un nouveau mode de pensée et d'une nouvelle sensibilité. Nos raisonnements, fondés sur le principe de la causalité linéaire et sur la stricte logique cartésienne, sont peu aptes à prendre en compte la complexité écologique et l'imaginaire humain. Notre culture ne nous familiarise guère avec les méthodes de raisonnement propres à l'écologie, que seule la cybernétique, ignorée par nos programmes scolaires, permet d'approcher : car les notions de régulation, de rétroaction, de *feed-back* positif et négatif, de pluricausalité, de servomécanisme sont étrangères au mode de pensée traditionnel. Par exemple, il est bien clair pour chacun que les plantes ne poussent pas dans les déserts parce qu'il n'y pleut pas. En revanche, l'affirmation inverse selon laquelle l'absence de pluie est une conséquence immédiate de l'absence de plantes paraît tout à fait invraisemblable. Et pourtant une bonne connaissance du cycle de l'eau conduit à mettre en rapport les deux propositions et à les compléter l'une par l'autre. Car les plantes transpirent, augmentent l'humidité de l'air et la pluviométrie, comme on le voit pour les micro-climats forestiers, toujours plus humides que ceux des régions voisines non boisées.

La nécessité de développer l'enseignement de la biologie et de l'écologie s'impose, car elles représentent véritablement, après la langue nationale, les mathématiques et l'anglais, un quatrième langage. Il faut aussi constituer des équipes qui pratiquent la pluridisciplinarité sur le terrain et pas seulement sur le papier, et qui ne se réduisent pas à une simple juxtaposition de spécialistes. Seule l'intégration de paramètres multiples permettra d'éviter, dans les grands projets d'aménagement, les erreurs dues généralement à une exploration insuffisante des nombreuses conséquences possibles d'un projet.

Il faudra se souvenir aussi que l'écologie, très heureusement définie par Haeckel, son fondateur, comme la science visant à appréhender « l'économie de la nature », ignore les courbes exponentielles; ce qui exclut absolument la croyance naïve en un progrès économique illimité. Il n'existe dans la nature que des courbes de Gauss et des courbes en S (sigmoïdes) qui signalent, à leur point d'inflexion, l'intervention de mécanismes correcteurs et régulateurs. Et comme l'économie n'est que l'expression de ces phénomènes fondamentaux dans le cas particulier des sociétés humaines, elle obéit de toute évidence aux mêmes lois. Il est vrai qu'on avait failli l'oublier, car rien ne ressemble plus à une exponentielle qu'une courbe en S, quand on parcourt le segment ascendant qui leur est commun; c'est ce que font les sociétés industrielles depuis la fin du XIXe siècle. On conçoit qu'elles aient pu être abusées par l'apparente pérennité du phénomène de croissance matérielle. Mais qu'est-ce qu'un siècle, comparé à la profondeur du temps?

En ne considérant, comme le fait l'économie, que le très court terme, la vision est totalement déformée. On n'apprécie pas une tapisserie le nez sur la toile, c'est un regard de taupe. On ne discerne pas le cours d'un fleuve au ras du courant : mais d'une colline, la vision s'élargit et d'un avion, plus encore. Aux astronautes, il livre d'un coup son dessin, de la source à la mer. Pour y voir clair, il faut donc prendre du recul, qui seul permet de saisir l'allure d'une courbe dans son ensemble.

IV. DÉVELOPPEMENT QUALITATIF ET RECYCLAGE

L'histoire de la vie nous enseigne ce paradoxe que le seul progrès véritablement continu est qualitatif : il résulte de la complexification croissante des êtres vivants au cours des temps géologiques, et de leur aptitude constamment accrue à réaliser des performances nouvelles, domaine dans lequel l'homme excelle plus que tout autre. Mais la quantité globale de matière vivante sur la planète, la *biomasse,* n'a sans doute guère évolué : c'est à peine si les déboisements des derniers millénaires l'auront entamée. Car c'est avec les quantités de matériaux existant dès l'origine que l'évolution biologique réalise ses prodiges. La vie crée, détruit, recycle sans repos. Elle n'accumule jamais au point de s'étouffer : elle régule soigneusement en fonction des ressources disponibles.

La récupération des déchets par la nature.

Il en est ainsi depuis les origines. Jamais, en effet, les processus biologiques n'auraient pu se développer sans que soit résolu le problème fondamental du recyclage des déchets et du renouvellement des ressources disponibles. Tout laisse penser que la fermentation en l'absence d'oxygène libre (anaérobiose) est le processus le plus primitif mis en œuvre par les organismes vivants pour produire l'énergie nécessaire à leur vie : cette forme particulière de métabolisme conduit au dégagement de gaz carbonique. Or, la fermentation s'alimentait des molécules élaborées dans l'atmosphère primitive de la terre et concentrées dans les mers et les lagunes sous forme de bouillon riche en matière organique : la « soupe chaude » de Haldane [1]. La fermentation aurait consommé toutes les ressources disponibles et transformé l'atmosphère en une épaisse couche de gaz carbonique, bloquant l'ensemble des processus de synthèse des molécules biologiques, si un remarquable système de recyclage ne s'était mis en place avec l'apparition des premiers organismes chlorophylliens, capables d'effectuer la photosynthèse. Ces organismes, des algues primitives, utilisèrent l'énergie solaire pour fabriquer de nouvelles molécules organiques complexes, en combinant précisé-

1. On pourra se reporter sur les origines de la vie à J. de Rosnay, *Les Origines de la vie, de l'atome à la cellule,* Le Seuil, 1966, coll. « Microcosme ».

ment le gaz carbonique accumulé dans l'atmosphère par la fermentation avec l'eau des océans, et en rejetant de l'oxygène libre.

La teneur en gaz carbonique de l'atmosphère commença alors à diminuer (recyclage d'un déchet), tandis qu'elle s'enrichissait en oxygène, devenu à son tour le « déchet », de la photosynthèse. Ce déchet fut enfin recyclé avec l'apparition d'un nouveau mode de consommation d'énergie : la respiration.

Les grands équilibres de la biosphère.

Ainsi s'établirent, dès les origines, les équilibres fondamentaux qui sont à la base de tous les processus vivants : les plantes rejettent de l'oxygène et absorbent du gaz carbonique pendant toute la durée de leur ensoleillement, enrichissant l'atmosphère en oxygène. Les animaux et les plantes, dans leur respiration nocturne, absorbent de l'oxygène et dégagent du gaz carbonique. Enfin, la fermentation produit également du gaz carbonique. Les trois phénomènes s'équilibrent en maintenant constantes les teneurs respectives des deux gaz dans l'atmosphère, et le volume global des plantes et des animaux, désormais éternellement solidaires.

Indispensable à la permanence des grands équilibres écologiques, le recyclage s'imposera pour le maintien des équilibres économiques. Dès à présent, des mesures sont prises en ce sens et témoignent de l'évolution rapide des mentalités.

Les récupérateurs assistent à l'ennoblissement de leur statut : tout comme les « décomposeurs » en écologie (rapaces, insectes ou carnivores nécrophages, micro-champignons, bactéries), ils réinjectent dans le cycle de la production les matières usées après les avoir décomposées, simplifiées et ainsi rendues réutilisables. De nouvelles installations industrielles seront créées dans ce domaine, jusqu'ici totalement abandonné à l'improvisation et aux marginaux, mais qui deviendra un secteur clef des économies futures. Des incitations financières auraient ici des effets doublement bénéfiques : à court terme pour soutenir l'emploi, et à long terme pour économiser les matières premières.

Le recyclage prendra sans doute une ampleur inimaginable aujourd'hui : il est probable que la démolition de nos HLM, inhabitables dans quelques décennies, fournira le sable et le ciment des constructions futures, quand toutes les gravières des vallées alluviales auront été épuisées, faisant place à de longs chapelets de « plans d'eau ».

La science économique trouve donc dans les modèles biologiques matière à renouveler ses concepts et à franchir une nouvelle étape de son histoire. Car l'économie n'est qu'un sous-système de l'écologie : elle est soumise aux mêmes lois.

V. ÉCOLOGIE ET ÉCONOMIE : UN MÊME LANGAGE

L'écologie et l'économie ont d'ailleurs en commun, outre leur étymologie grecque, de pouvoir s'analyser selon les mêmes concepts. Haeckel, on l'a dit, voyait dans l'écologie « l'économie de la nature », étendant aux sciences biologiques un concept des sciences humaines. Un mouvement inverse nous conduit aujourd'hui à resituer l'économie dans le cadre plus large de l'écologie. Mouvement bien naturel puisque, si l'économie reste étymologiquement l'art de « gérer la maison », l'écologie évoque le « discours », c'est-à-dire la « connaissance de la maison ». La maison dont il s'agit est naturellement notre environnement et, au sens le plus large, notre maison commune : la terre. Or n'est-il pas naturel de la gérer – économie – conformément aux lois qui règlent son fonctionnement – écologie? Ainsi, au fur et à mesure que ces lois seront mieux connues, le fossé qui sépare ces deux disciplines pourtant voisines devrait peu à peu se combler.

Ne sont-elles pas d'ailleurs l'une et l'autre soumises aux déterminismes rigoureux de tous les phénomènes vivants? Ce sont des systèmes en équilibre métastable [1], fluctuant. L'économie produit des biens et des services à partir des matières premières agricoles ou minérales et des ressources énergétiques disponibles – ces dernières constituées pour l'essentiel par des énergies fossiles non

1. Systèmes dont l'équilibre, loin d'être stable comme c'est souvent le cas pour les objets physiques, est susceptible d'évoluer dans le temps, comme c'est le cas pour tout phénomène vivant.

renouvelables, pétrole et charbon. L'information nécessaire est assurée par le savoir scientifique et technologique emmagasiné dans les livres et les ordinateurs; enfin le volume des productions dépend d'un certain nombre de facteurs liés aux conditions générales de l'environnement humain : disponibilité en main-d'œuvre, régulation par le marché, « climat » social, etc.

Parallèlement l'écosystème terrestre « produit » des individus et des espèces vivantes en fonction des ressources alimentaires disponibles, minérales et organiques, et d'une source d'énergie inépuisable : le soleil. L'information nécessaire à ces synthèses est contenue dans le code génétique inscrit dans les chromosomes de chaque espèce. Enfin le volume global des productions est régulé également en fonction des conditions générales de l'environnement : nature des sols, climat, et naturellement interventions humaines.

Dans les deux cas, il y a structuration d'énergie et de matière par de l'information, telle étant d'ailleurs la définition de toute structure vivante, à quelque degré de complexité qu'elle se situe. Aristote pensait déjà que les êtres vivants étaient le fruit d'une rencontre entre un principe passif : la matière inerte, et un principe actif : la forme immatérielle, caractéristique de chaque espèce. Intuition prophétique, puisqu'il suffit de remplacer la notion de « forme » par celle, toute proche, « d'information » pour actualiser la définition du grand philosophe.

Toutefois une différence fondamentale oppose l'économie à l'écologie : la première s'inscrit dans un schéma de *croissance* linéaire et épuise irréversiblement les ressources minérales et les énergies fossiles, sans trop se soucier de l'avenir à long terme. La seconde au contraire s'alimente à une source d'énergie permanente, le soleil, et recycle sans relâche les matières premières utilisées selon un schéma d'*évolution* cyclique, mais non fermé. A la notion de progrès économique, évoquant une progression quantitative continue, s'oppose le concept d'évolution écologique fondée sur une complexification qualitative. Un jour viendra où le premier modèle devra nécessairement s'inspirer du second, en s'assurant lui aussi des ressources énergétiques durables par le recours à l'énergie solaire, et en valorisant les matières premières et les déchets par le recyclage.

Vers de nouveaux équilibres

Si l'économie n'intégrait pas dans ses concepts la notion fondamentale de régulation, si elle devait poursuivre sa course chimérique à la croissance quantitative ininterrompue, c'est alors l'écologie dont elle n'est qu'un sous-système, qui veillerait au rétablissement des mécanismes délicats que nous n'aurions pas su maîtriser : mais elle le ferait avec la brutalité coutumière de la nature dans de tels cas. Les scénarios imaginés par Alvin Toffler [1] nous présentent plusieurs variantes de ces « éco-spasmes » caractérisés par une crise économique mondiale, voire un effondrement des sociétés industrielles. Quant aux explosions démographiques, la nature, comme l'observait Malthus, sait y mettre fin à sa manière par les méthodes les plus cruelles qui soient : famines, épidémies, guerres.

Mais déjà nous planifions les naissances, pas toujours il est vrai où il faut et trop souvent dans les pays où ce serait le moins nécessaire; nous songeons au recyclage; nous recherchons un consensus mondial pour la gestion des matières premières. Bref, les grands processus de régulation commencent à se mettre en place, par la volonté des hommes et sous la contrainte des nécessités. Oserons-nous aller assez vite et assez loin dans cette voie, avant qu'il ne soit trop tard?

Une « fuite » dans l'intelligence inconsciente.

Tout se passe comme si les apports de la cybernétique, de la thermodynamique, de la biologie et de l'écologie nous donnaient aujourd'hui une nouvelle vision de la vie et du monde, en même temps qu'ils nous permettent d'en mieux comprendre les mécanismes et d'y trouver, pour nous-mêmes, des modèles d'organisation et de comportement.

Comme le remarque pertinemment Edgar Morin [2] : « L'homme, jusqu'à présent, ne fait que remettre partiellement en activité une intelligence qui avait déjà organisé et créé les êtres vivants, y compris lui-même; son intelligence redécouvre les inventions, processus, techniques, trouvailles qui, il y a deux

1. A. Toffler, *Éco-Spasme,* Denoël, 1975.
2. E. Morin, *Journal de Californie,* Le Seuil, 1970.

milliards d'années, ont déjà constitué l'organisation cellulaire...

« Comment y a-t-il un tel hermétisme entre le système de notre vie consciente et celui de la structure biologique, avec parfois seulement une trouée, une plongée?... Il y a une intelligence qui nous précède, qui nous a fait, qui est en nous. Pourquoi est-elle totalement aveugle? Elle à nous? Nous à elle?...

« L'intelligence de l'homme semble provenir d'une fuite dans les conduites de l'intelligence inconsciente. »

On rejoint ici l'intuition fondamentale des gnostiques, brillamment réactualisée par Raymond Ruyer dans *la Gnose de Princeton*[1], et selon laquelle un « comportement intelligent » s'observe à tous les niveaux dans l'univers, de la particule élémentaire jusqu'à l'homme.

C'est cette intelligence des régulations naturelles que l'écologie s'efforce d'injecter dans l'économie. Elle introduit, en même temps, une vision très différente de la vie et du monde : dynamique et synthétique, suivant le mouvement même de l'évolution.

Il faudra un temps très long pour que ces idées pénètrent la mentalité populaire et débouchent sur de nouveaux comportements. Ce qui supposera un effort considérable de formation et d'information, dans une société où l'éducatif et le culturel occuperont une place de plus en plus importante.

1. R. Ruyer, *La Gnose de Princeton,* Fayard, 1974.

3
Nouvelle culture et vieille école

« Je m'esquivai en dérivant souterrainement vers les insoumis [1]. »

R. SULLIVAN.

I. LE REGAIN DU CULTUREL

Le rôle de l'éducation et de la culture dans les sociétés post-industrielles est difficile à imaginer. Il sera en tout cas bien supérieur à ce qu'il est aujourd'hui. Les options prises dans ce domaine auront des retombées multiples sur le plan social, rejoignant les aspirations de fractions toujours plus larges de la population, à la recherche de biens autres que matériels.

La réduction de la durée du travail laissera plus de temps aux loisirs, ce qui contraindra les hommes à s'ouvrir à la dimension culturelle et spirituelle, sous peine de sombrer dans la pire des disgrâces humaines : l'ennui. L'univers culturel est sans limites. L'océan du savoir, la richesse des arts et des productions intellectuelles de l'humanité ouvrent des perspectives infinies. Les trésors des bibliothèques et des musées constituent le patrimoine culturel de l'espèce, comme les chromosomes son patrimoine génétique; là s'accumulent les acquisitions des sciences, des lettres et des arts, sédimentation sans fin des œuvres de l'esprit.

1. L'auteur est enseignant, et mesure l'audace des thèses défendues dans ce chapitre : Sullivan parle en son nom...

Mais l'accès à ces trésors exige un certain style d'éducation, allant bien au-delà de la simple formation professionnelle. Celle-ci vise légitimement à adapter les hommes aux exigences de l'emploi; elle deviendrait la pire des aliénations si elle conduisait à l'asservissement total de l'homme à l'outil et à l'appareil de production. Elle doit donc s'accompagner d'un puissant effort éducatif poursuivi bien au-delà des bancs de l'école.

Ainsi le rôle des organismes parascolaires, des mouvements d'éducation populaire, des musées et bibliothèques, des maisons et foyers de jeunes et des médias ne pourra que se développer. Et bien entendu celui des parents, car l'environnement familial reste, un siècle après Jules Ferry, et malgré la scolarité obligatoire jusqu'à seize ans, le plus puissant facteur de formation — ou de déformation — sociale : trop souvent, hélas, il aboutit à la ségrégation. Tout démontre en effet que notre système éducatif reste incapable, malgré les discours, de casser les barrières sociales et d'assurer une égalité des chances qui soit autre chose qu'un mythe : la France reste un pays de castes.

Si la culture est dans l'esprit et dans le cœur, comme « un besoin de ferveur [1] », elle est aussi dans la rue et dans la pierre. Restaurer un monument ancien, une cathédrale, n'est pas un luxe, que pourraient seules se permettre des économies en pleine expansion. Ne sont-ils pas le fruit d'économies à très faible croissance? De telles restaurations répondent au contraire à un besoin essentiel, et qui sera reconnu comme tel dans les sociétés post-industrielles. Est-il concevable que le budget des affaires culturelles ne représente que 1 % du budget national?

Reste l'école, et c'est sur ce terrain que la partie sera la plus difficile. Les notions d'école et de culture se sont curieusement dissociées dans l'opinion publique, en moins d'une génération, et il est probable que la force d'inertie du système scolaire favorisera l'éclosion d'autres initiatives. Car l'école présente toutes les caractéristiques des sociétés productivistes : division du travail poussée, spécialisation, sélection et même présélection, compétition, hiérarchie, consommation scolaire de masse, gigan-

1. Jacques Rigaud, *La Culture pour vivre. L'art du temps,* Gallimard, 1975.

tisme de nombreux établissements, planification, uniformisation, critères systématiquement et exclusivement quantitatifs, etc. Elle est à l'image de l'architecture que l'Éducation nationale a sécrétée : la plus raide, la plus laide et la plus triste de notre histoire. Pas une seule école n'est une œuvre d'art ou un monument classé ou digne de l'être – même si d'heureuses tentatives commencent à pointer, ici ou là.

Il est vrai que pèsent sur l'école de lourds déterminismes. Car, contrairement aux apparences, un ordre rigide se cache sous l'agitation endémique du monde de l'enseignement. Son analyse s'impose dans la mesure où tout progrès exige le dépassement de ces pesanteurs. Commençons par les universités.

II. LE CODE GÉNÉTIQUE DE L'UNIVERSITÉ

L'université est caractérisée, dans tous les pays, par une rigidité et une invariance exceptionnelles. C'est ce qui lui a permis en France de demeurer presque inchangée malgré l'énorme ébranlement de Mai 68 et la promulgation d'une loi modifiant profondément ses structures.

En 1965, un observateur écrivait : « Les hommes peuvent déplacer les montagnes, détourner les fleuves, modifier le climat sur des continents entiers et peut-être bientôt quitter la planète; ils sont, jusqu'à présent, demeurés presque sans défense face à la rigidité des structures universitaires[1]. »

On sait que les structures, et la biologie nous le rappelle opportunément, ont tendance à se maintenir et à s'autoreproduire, identiques à elles-mêmes. C'est la loi bien connue de l'invariance. En l'occurrence, l'invariance est sous la dépendance du déterminisme génétique, c'est-à-dire des acides désoxyribonucléiques (DNA) formant les gènes contenus dans les chromosomes.

1. Michel Vermot Gauchy, *L'Éducation nationale dans la France de demain,* Sedeis, 1965.

A la recherche de l'invariance.

On est tenté de se demander où, à l'intérieur d'un système comme l'université, se niche le mécanisme ou la structure déterminant une telle invariance. Il semble bien que ce soit dans les processus et les organismes chargés du recrutement des universitaires : en France, les comités consultatifs des universités (CCU).

Ces comités ont pour mission de gérer les carrières du personnel enseignant, ce qui leur confère naturellement un grand pouvoir. La carrière de chaque universitaire en dépend entièrement. En vertu de traditions anciennes et au demeurant respectables fondées sur les libertés et les franchises de l'université, ces comités sont exclusivement composés d'enseignants, désignés pour l'essentiel par leurs pairs : il en résulte, en contrepartie, une fâcheuse tendance à la consanguinité, qui obère le système et le porte à freiner l'innovation et l'originalité : en termes biologiques, on dirait qu'il est « répresseur », en termes sociologiques, qu'il est « conservateur », comme le furent les corporations de jadis fondées sur le même principe.

Les critères d'avancement étant fondés sur les seules activités de recherche, et la recherche exigeant, pour être rentable à court terme, ce qui est bien le critère essentiel en début de carrière, une forte spécialisation, l'impétrant est contraint de s'installer dans une niche écologique extrêmement précise et limitée. Il ne doit en sortir sous aucun prétexte, sous peine de se voir accuser de dispersion, faute impardonnable! Au clair comme au figuré, la nature des choses veut donc que rien ne soit moins universel qu'un jeune universitaire...

Voilà, on l'avouera, qui ne facilite guère l'audace pluridisciplinaire et les grandes visions de synthèse. D'autant plus que les comités sont étanches, garants pointilleux de l'orthodoxie.

La tradition contre l'innovation.

En contrepartie, il est vrai, l'universitaire dont la carrière est faite dispose d'une liberté absolue. Malencontreusement, les carrières sont lentes, et l'aptitude à l'innovation n'est pas indexée sur l'âge. Aucun système sans doute ne juxtapose aussi curieusement, dans une même carrière, une longue période de totale dépendance suivie par une seconde période de totale liberté.

Hélas, la liberté vient tard, quand les structures mentales sont déjà fortement imprégnées par l'habitude ou la routine. Un tel système, on le comprend, favorise plus la tradition que l'innovation... Il apparaît comme le meilleur garant des valeurs traditionnelles : la plupart des universitaires ont une vive conscience professionnelle et s'occupent de leurs étudiants bien qu'il n'en soit tenu aucun compte, dans l'évaluation de leurs mérites et le déroulement des carrières; ce qui n'est pas un mince paradoxe. Certains acceptent même, contre toute attente, d'assumer les tâches de direction des établissements universitaires, ce qui confine à l'héroïsme, vu les circonstances dans lesquelles s'exerce cette mission : double et absolue dépendance à l'égard de leur Conseil qui parle, et du ministère qui paie — d'ailleurs assez mal. Lorsque enfin il s'agit des facultés de médecine, à l'invariance des structures universitaires s'ajoute celle d'une profession particulièrement attachée à ses traditions, et dont le premier mérite n'est pas d'encourager la joyeuse et féconde liberté de l'élève vis-à-vis de son maître.

Bref, l'université persiste dans l'académisme. Pourvoyeuse d'une science trop souvent coupée du réel, elle stocke le savoir et reste, comme on a pu le dire, un « parking de la connaissance », malgré les efforts de tant de ses membres pour échapper à la rigueur de ces déterminismes sociaux, en l'occurrence aussi contraignants que des déterminismes génétiques. Réformer l'université consisterait donc à commencer par modifier les comités, à toucher au code génétique du système. Pourquoi ne pas y injecter à parité des représentants des administrations, de la vie culturelle, économique et sociale? Ce qui amènerait un grand courant d'air... Mais les comités sont sacrés. Et les professeurs adorent se noter entre eux, évaluer comparativement leurs mérites... une déformation professionnelle en quelque sorte...

III. LE CODE GÉNÉTIQUE DE L'ÉTAT

L'étude de l'invariance dans les systèmes éducatifs serait incomplète si elle ne s'étendait pas à certaines grandes écoles, et plus particulièrement, en France, à l'École nationale d'administration. L'ENA sécrète une élite parfaitement rodée au maniement interne de la machinerie administrative. Chaque jour, l'idée que l'ENA c'est l'ÉTAT s'affirme davantage. On trouve encore quelques hommes politiques de l'ancienne génération qui n'ont pas été nourris de ce nectar; mais déjà ils s'effacent, pressés par les jeunes loups d'abandonner le terrain. Car l'ENA est à l'organisme national ce que le DNA est à l'organisme tout court : une structure puissamment conservatrice, uniformisante et invariante.

Telle est bien l'une des plus lourdes hypothèques qui pèsent sur ce pays. L'inévitable sélection naturelle des élites s'y effectue désormais de manière univoque : si la filière n'est pas prise à vingt ans, elle ne le sera plus jamais. Ce mode de sélection favorise la consanguinité, concentre le pouvoir entre les mains de quelques-uns, empêche la confrontation entre des élites et des responsables de formations et d'origines diverses, uniformise les esprits, centralise sur le modèle parisien, et finalement prive la haute administration et les cercles dirigeants d'hommes de valeur dont le seul défaut est de n'avoir pas été orientés à temps vers l'unique canal qui conduit au pouvoir. Il en résulte une ségrégation fort dommageable.

Il en résulte aussi une étrange homogénéisation des mentalités, des attitudes, des réflexes. Ces jeunes gens, très tôt confrontés aux intrigues des antichambres du pouvoir, perdent prématurément l'idéalisme et la ferveur de la jeunesse, qui ne sont guère de mise en si haut lieu. La brillante qualité intellectuelle de nos « énarques » s'acquiert au prix d'un fort coût humain, et d'un sérieux refroidissement des élans du cœur. A quoi s'ajoute un étrange phénomène de mimétisme, qui les conduit à calquer leurs attitudes, leur vocabulaire et jusqu'à leurs intonations sur ceux des plus hauts personnages de l'État.

Les soins attentionnés apportés aux jeunes stagiaires de l'ENA qui fréquentent les préfectures évoquent irrésistiblement l'éducation de la reine dans les sociétés d'abeilles. Ces jeunes gens toujours polis, fort convenablement vêtus et de bonne compagnie, apprennent l'art de servir l'État comme on apprenait jadis aux rois leur métier : dès l'enfance. Leur formation les situe d'emblée du côté du pouvoir, qu'il soit de droite ou de gauche, mais jamais du côté de la rue. Tandis que la masse des jeunes à cheveux longs et à jeans délavés s'active à l'entretien de l'économie de la ruche, comme de parfaites ouvrières, quelques individus hautement sélectionnés s'apprêtent, dans les salons feutrés, à assurer quoi qu'il arrive la continuité des pouvoirs publics et la pérennité de l'État. Comment seraient-ils attentifs à la prolifération des bourdons et à la multiplication des frelons?

La première mesure à prendre par un gouvernement révolutionnaire serait de supprimer l'ENA, et de puiser démocratiquement les cadres de l'administration dans les riches pépinières que constituent les facultés : celle de Droit et les autres. Ce qui permettrait un brassage continu et enrichissant des compétences et des mentalités. L'écologie s'obstine, on le voit, à plaider pour la diversité...

Il y aurait, il est vrai, une autre solution : elle s'inspire d'une savoureuse anecdote qu'on raconte dans les milieux universitaires. Le Père Éternel, mû par un élan impétueux, aurait un instant interrompu son repos du 7e jour pour créer le chef-d'œuvre des chefs-d'œuvre : l'Universitaire. Mais très vite, celui-ci acquit un tel savoir et prit un tel ascendant sur ses frères inférieurs, les humains, que Yahweh lui-même craignit pour son pouvoir : « car c'est un Dieu jaloux que notre Dieu ». Que faire : anéantir la plus noble des créatures, ce savant superbe? Mais il est écrit : « Tu ne tueras point. » L'ingéniosité divine trouva la solution... et Dieu créa le « collègue ». La compétition qui en résulta sur-le-champ le mit immédiatement hors de danger, à l'abri de toute concurrence. On pourrait, en s'inspirant du même principe, créer plusieurs ENA : le système se régulerait aussitôt.

IV. LA NOUVELLE ÉCOLE

Quant à l'enseignement du premier et second degré, il ne souffre que d'une seule maladie, mais elle est mortelle : c'est l'extraordinaire dégradation, en quelques décennies, du rôle et du prestige social des enseignants dans l'opinion publique.

La dégradation d'un statut.

La société productiviste montre ici son vrai visage : lorsque le crédit de ceux à qui sont confiés les enfants, c'est-à-dire l'avenir, est très inférieur à celui dont jouissent les professions qui touchent à l'argent, l'inféodation de l'éducation et de la culture aux impératifs de la technologie, de la production et de la société marchande apparaît en pleine lumière. L'impression de frustration, confusément ressentie par tant d'enseignants, explique peut-être l'état de sécession permanente dans lequel ils s'installent par rapport à la société dominante. Aussi toute réforme de l'enseignement est-elle vouée à l'échec tant que ne sera pas reconnue et revalorisée la dignité de la fonction éducative, et que les enseignants n'auront pas retrouvé la place qui leur revient dans la cité.

A cette désaffection psychologique s'ajoute une sécession politique qui aggrave le blocage du système, dans un pays où, contrairement aux autres démocraties occidentales, l'alternance au pouvoir, attendue par une importante fraction de la population, est différée d'élection en élection dans un avenir toujours fuyant : autre frustration qui traumatise particulièrement le monde enseignant, traditionnellement de gauche.

Comment, devant de telles pesanteurs, réformer l'école? D'abord en se gardant de cette « réformite » qui apparaît comme le principal abcès de fixation du système. Le changement consisterait plutôt à ne plus faire de réformes; mais simplement à travailler à l'évolution des mentalités, à la multiplication et à la diversification des expériences.

Des expériences novatrices.

En matière d'éducation, peut-être plus qu'en toute autre, une décentralisation hardie favoriserait l'éclosion de la vie et de la créativité.

Dès à présent des expériences novatrices sont tentées. Elles ont toutes les mêmes caractéristiques : elles ne réussissent que lorsque l'école quitte son ghetto et s'ouvre à la vie régionale. L'animation d'un musée permet aux jeunes scolaires de suivre, *in situ,* un thème pédagogique, avec démonstration et visualisation à l'appui. Ainsi apprendront-ils, par exemple, comment l'Antiquité romaine approvisionnait ses villes en eau, en visitant les circuits d'adduction, les systèmes de pompage, les anciens thermes, etc. Des cours publics, brassant dans un même auditoire des jeunes et des adultes, connaissent un vif succès. Une université du troisième âge attire les foules. Une vaste propriété, avec étang et forêt, est mise à la disposition des enseignants pour pratiquer l'écologie sur le terrain. Une association de conservation de la nature animée par une communauté de jeunes présente les animaux d'une région dans leur *biotope* [1] naturel, et trouve auprès des scolaires et de leurs maîtres une large audience. Les parcs régionaux aménagent des classes vertes, et l'on voit de jeunes citadins s'émerveiller en s'initiant aux techniques de l'agriculture et de l'élevage [2].

Curieusement, il semble bien que l'école ne puisse se ressourcer que lorsqu'elle éclate et sort de chez elle. Il arrive même que l'on voie alors des enseignants heureux! Ce qui est bien plus qu'une réforme : une révolution; et plus même qu'une révolution : une reconversion.

Car l'Éducation nationale est un monstre : on ne gère pas près d'un million de fonctionnaires sans fabriquer une fourmilière.

1. *Biotope :* milieu déterminé dont les caractères écologiques sont constants et où vit une ou plusieurs espèces. En botanique on préfère le mot station.
2. Toutes ces expériences sont menées en Lorraine et connaissent un vif succès (musées de Metz, Institut européen d'Écologie, zoo de Haye, université du 3e âge de Nancy, parc naturel régional de Lorraine).

La crise de l'école tient pour une bonne part à la rigidité de cette structure qui met face à face, dans une dialectique simpliste, des maîtres et des élèves; encore que les parents y ajoutent leur grain de sel depuis quelques années. Mais le rôle et la tâche de chacun étant minutieusement codifiés, l'épanouissement des charismes personnels se heurte à la rigidité de l'appareil. Ces superorganismes géants possèdent en réalité des structures très pauvres, faites de modules identiques, les classes, indéfiniment reproduits sans aucune interrelation mutuelle : l'ensemble s'apparente davantage à la structure d'un cristal qu'à celle d'un organisme vivant dans son immense complexité.

La solution n'est pas le découpage du ministère en deux ou plusieurs parties; car telle une amibe, chacune d'elles reconstitue promptement sa substance, et le système se complique alors de la concurrence que se livrent aussitôt les nouvelles structures. La solution, c'est la régionalisation et le retour vers la base de l'administration la plus centralisée de France. L'université n'est-elle pas la seule administration où l'on écrit au ministre pour obtenir un poste de femme de ménage, créé et géré à Paris?

« L'équilibre dans le déséquilibre. »

L'école, d'autre part, doit inscrire sa pédagogie dans une vision dynamique du monde. Moins que des réformes de structures, c'est une réforme de l'esprit de l'enseignement qu'il faut promouvoir.

On ne saurait mieux définir les objectifs de l'école de demain que ne l'a fait Robert Lattès, dans un article au titre suggestif : « L'équilibre dans le déséquilibre [1]. » Cet auteur rappelle d'abord les réformes qui se sont succédé pour adapter l'école à la vie : « Les tartes à la crème se sont multipliées et paraissent bien rances à plus d'un; à titre de rappel et peut-être dans l'ordre chronologique : apprendre à apprendre; la formation continue, la formation permanente; l'école, instrument de reproduction de la société et de ses inégalités; le tronc commun; les trois langages,

1. R. Lattès, « L'équilibre dans le déséquilibre », *France Forum,* n° 140, juillet et août 1975.

qui devinrent quatre, comme les mousquetaires, avec le ministre suivant; la revalorisation du travail manuel... » Et il ajoute non sans humour : « Lorsqu'un problème paraît insurmontable, sinon insoluble, on peut toujours recourir à la solution radicale de le supprimer. En l'occurrence, ce serait la société sans école; on y a eu droit et Illich fut son prophète : elle a permis pour un temps une profonde rénovation, sinon de l'école, du moins des colloques ou autres tables rondes, comme des conversations dans les dîners en ville... »

Or, dans un monde en pleine mutation, comment imaginer que le système éducatif puisse échapper à de très profondes évolutions? Si forte est l'accélération des changements dans tous les domaines que sans cesse seront plus nombreuses et plus intenses les différences entre le présent et un avenir toujours plus proche. « Autrefois, il suffisait de transmettre ce qui se dégageait d'évolutions lentes pour comprendre et maîtriser son environnement; aujourd'hui, il faut surtout apprendre à s'adapter au changement, à en comprendre les conséquences, à gérer, pour les traverser en les dominant, les crises..., à garder l'équilibre dans le déséquilibre. »

Voilà qui résume l'essentiel en peu de mots. L'école : une pédagogie de l'évolution, de la crise, du changement. L'objet même de ce livre.

Apprendre à « être ».

Toujours à propos du contenu, de l'esprit de l'enseignement, une question se pose : pourquoi, de la maternelle à Polytechnique, n'apprend-on qu'à « faire », jamais à « être »? Pourquoi ne cherche-t-on qu'à dominer les techniques, non les passions? A gérer l'environnement, non soi-même? Telle est pourtant la tâche essentielle de l'éducation dans les sociétés traditionnelles. Et telle fut, en Occident, la mission des Églises. Une mission qu'il est urgent de redéfinir pour notre temps, et qui consiste à réapprendre la valeur du silence, à méditer le « connais-toi toi-même » socratique, à découvrir ce qui est bon pour soi et qui n'est pas mauvais pour les autres, à trouver le chemin de la liberté intérieure et de la sérénité si chère aux traditions orientales, à vivre l'expérience du partage et de l'échange. L'engouement pour le yoga, les cercles de méditation ou le bouddhisme zen tient à cette carence essentielle des sociétés de consommation, qui ne s'intéressent qu'aux aspects matériels de l'existence.

Or, chacun porte en soi l'épure d'un chef-d'œuvre : un chef-d'œuvre qu'il faut une vie entière pour accomplir, à l'issue d'un long et lent processus personnel de maturation et d'hominisation où se joue en même temps l'avenir sociétaire : ici l'ontogenèse annonce la sociogenèse. On voit à Chartres un bas-relief, représentant la création de l'homme : au second plan, derrière le visage d'Adam, se dessine la figure du Christ – l'épure dont s'inspire le Créateur. Admirable symbole d'une naissance qui ne trouve son sens que dans le devenir d'une vie appelée, comme la biologie en témoigne, à cheminer vers plus grand que soi, et à s'accomplir dans l'Ultime. On ne pense pas ici aux hommes d'affaires, aux managers ou aux technocrates, mais aux sages et aux saints. Bienheureux les saints!

Un champ immense et vierge est devant nous, ouvert à la recherche et aux initiatives. Mais elles n'auront de sens que si elles reposent sur une éthique communément acceptée par tous. Vient donc le temps d'une nouvelle culture. Le moment où les idéologues, perdant de leur superbe, se remettent à l'écoute de l'homme, de la nature et de la vie; le moment où les Églises, secouant la poussière des siècles, cherchent à retrouver la limpide pureté du message initial; le moment où les hommes, franchissant les limites matérielles des territoires balisés, entreprennent d'explorer les espaces intérieurs. Une culture passe, une autre vient...

QUATRIÈME PARTIE

En direct sur le futur

1
De la compétition à la coopération

> « Ce qui compte vraiment, dans la sauvegarde des condors et de leurs congénères, ce n'est pas tant que nous avons besoin des condors, c'est que nous avons besoin de développer les qualités humaines qui sont nécessaires pour les sauver; car ce sont celles-là mêmes qu'il nous faut pour nous sauver nous-mêmes. »
>
> I. MAC MILLAN [1].

I. GUERRE ÉCONOMIQUE, COMBAT POLITIQUE ET LUTTES SOCIALES

La « victoire » décisive de l'homme sur la nature fait surgir une nouvelle menace pour l'espèce : la montée de la compétition intraspécifique, c'est-à-dire entre les hommes. L'humanité croyant n'avoir plus à redouter les périls extérieurs et les menaces que faisait autrefois peser sur elle une nature mal maîtrisée, réinvestit en son sein les forces compétitives. Il est notoire que la paix régnait dans la cité lorsque les loups menaçaient, lorsque la famine ou la peste décimaient les populations. Que la menace s'éloigne, et la zizanie s'installe à nouveau : l'homme redevient alors un loup pour l'homme. Les hommes d'État l'ont bien compris, qui agitent le spectre de la crise et de la guerre pour

1. Ian Mac Millan, cité par René Dubos dans *Les Dieux de l'écologie*, Fayard, 1973.

détourner leurs concitoyens de leurs querelles politiques, déjouer les ambitions de leurs rivaux et régler leurs problèmes intérieurs.

Fondées sur une représentation malthusienne et darwinienne de la nature, héritage, on l'a vu, des idées du XIXe siècle, nos sociétés ne privilégient que le premier terme de la dialectique « compétition-coopération » qui régit les équilibres de la vie.

Les excès de la concurrence.

L'idéal libéral et capitaliste de la concurrence est exclusivement compétitif.

Les sociétés occidentales qui se croient débarrassées du spectre de la faim, des épidémies, et même de la guerre dont les risques paraissent désormais exorbitants, vivent leur existence quotidienne dans un climat de guerre endémique, psychiquement et nerveusement épuisant. La lutte économique, alimentée par le bombardement de la publicité, dissimule mal sa férocité sous la niaiserie de certains messages publicitaires : la France entière ne s'est-elle pas réveillée chaque jour pendant des années au barrissement d'un mastodonte préhistorique? Et c'était pour entendre vanter l'énormité des économies proposées dans telle chaîne d'hypermarchés, où les prix sont piétinés, écrasés, broyés, par le mastodonte en question...

Dans un monde que le progrès a mené à un niveau de richesse matérielle sans précédent, le « malheur aux pauvres » de Malthus reste d'une scandaleuse actualité, en particulier aux États-Unis, société ultra-compétitive, sur le modèle du *struggle for life* [1] de Spencer et du *nothing for nothing* [2] des théoriciens de l'économie libérale. La course au profit et au *cash-flow* [3], cruellement caricaturée par René-Victor Pilhes [4], reste le maître-mot d'un système qui confond émulation et compétition. Ces théoriciens de la lutte à tout prix et de la loi du plus fort se souviennent-ils que dans une harde de loups menacés, le chef règle la vitesse de sa fuite sur le pas des petits, des plus faibles? Car, si l'esprit

1. *Struggle for life :* lutte pour la vie.
2. *Nothing for nothing :* rien pour rien.
3. *Cash-flow :* disponibilités en caisse courante.
4. R.-V. Pilhes, *L'Imprécateur,* Le Seuil, 1974.

d'émulation doit naturellement jouer entre les forts, afin de placer les plus aptes aux postes de responsabilités, appliquer ce modèle aux faibles est inacceptable. La compétition des forts n'a aucune justification si elle ne s'accompagne d'un puissant effort de protection des faibles, et c'est seulement dans cet effort qu'elle peut trouver sa propre modération. Il s'agit là d'un domaine où l'Europe a mieux réussi que les États-Unis; les sociétés « efficaces » qui résultent de la compétition acharnée peuvent devenir affreusement inhumaines.

La compétition exacerbée sécrète d'ailleurs des poisons insidieux, dont le viol des foules est la forme la plus courante. Il est vrai que le viol en question se déguise pudiquement sous le terme de *marketing*, cette science pervertie si nécessaire à l'entretien de l'appétit des consommateurs, mais dont l'inadmissible pression qu'elle exerce sur eux paraîtra, dans quelques décennies ou quelques siècles, aussi désuète que l'est pour nous le souvenir des bastonnades publiques en place de Grève.

En économie de marché, cette pression ne réussit pas cependant à asservir totalement les consommateurs aux impératifs de la production, comme c'est le cas dans les économies socialistes planifiées. Car, par *feed-back*, les consommateurs imposent à leur tour aux entreprises productrices de biens ou de services leurs désirs et leurs goûts sans cesse fluctuants, que les spécialistes du *marketing* tentent de préciser et de satisfaire au plus vite, afin de serrer au plus près la demande. Le marché, par son effet puissamment sélectif, impose donc aux entreprises un constant effort d'adaptation, tout comme le milieu exerce sa pression sélective sur les espèces, en éliminant les moins adaptées et en conservant les autres. Voilà donc la lutte pour la vie effectivement transposée au cœur même de la société, avec l'agressivité et l'insécurité qui en découlent, les fluctuations du marché exerçant désormais sur les activités productrices l'effet tyrannique qu'exercent les modifications du milieu sur les animaux ou sur les plantes, en bousculant les équilibres et en ravivant sans cesse la compétition et la concurrence à tous les niveaux.

La pression de la concurrence conduit naturellement les entreprises à accroître leur productivité; elle joue donc le rôle d'un moteur de la croissance. Mais elle aggrave en même temps le déséquilibre entre le volume des productions et le niveau de l'emploi. Elle aurait en outre tendance à accentuer le rythme des cadences de travail si elle ne se heurtait à la puissante régulation des syndicats. Toutefois, la pression de ceux-ci, si elle joue en faveur de meilleures conditions de travail, s'exerce surtout en faveur d'une rapide augmentation des salaires. Le jeu syndical a donc une incidence directement inflationniste, son effet venant s'ajouter à celui du renchérissement des matières premières déjà évoqué. L'augmentation rapide des charges salariales apparaît ainsi comme un nouveau facteur incitant les entreprises à accroître leur productivité, pour limiter la part des salaires dans le coût de leur production; ce qui contribue encore à aggraver la situation de l'emploi dans le secteur industriel. La *synergie* [1] entre ces phénomènes compétitifs amorce une réaction en chaîne qui contribue à expliquer la persistance simultanée d'un haut niveau d'inflation et d'une forte tendance au sous-emploi.

Certes, les grandes entreprises n'ignorent pas tout à fait les forces coopératives. Mais elles les captent à leur profit, en débouchant sur des monopoles aux pouvoirs exorbitants, capables d'imposer au plus grand nombre la loi d'une minorité toute-puissante. Les fusions au bénéfice des multinationales aggravent ce risque, en favorisant l'organisation de pouvoirs échappant à tout contrôle des États.

Les joutes électorales.

Dans l'exercice de la démocratie, directe ou représentative, l'émulation légitime tourne, de la même manière, à la compétition violente. Curieusement, les luttes politiques sont d'autant plus acharnées que leurs enjeux ont tendance à se ressembler de plus en plus : il fallait être orfèvre dans l'art des distinguos pour entrevoir, avant le deuxième tour des élections présidentielles françaises, ce qui différenciait vraiment les deux champions en présence. La sélection naturelle ayant dûment joué, les grands

1. *Synergie :* interaction de deux où plusieurs facteurs, concourant à produire un effet unique, pas nécessairement identique à celui que produirait chaque facteur pris isolément.

fauves seuls restaient en lice. En vérité, ils eussent bien mérité d'être élus l'un et l'autre, tant fut grande leur habileté à prendre leurs concitoyens « dans le sens du poil ». Au-delà des choix de société, il ne restait plus en fin de course qu'un seul objectif, pour le sprint final : ne pas déplaire.

Mais le développement qu'il devient impossible d'envisager sous son seul aspect matériel et économique, les rapports internationaux qu'il est urgent de rendre plus conformes aux exigences de la justice et du droit, les problèmes du sous-développement, la course aux armements, les grandes évolutions de l'écologie planétaire, bref, tout ce qui pèse, et de quel poids, sur notre futur, était entièrement absent des débats, dont l'enjeu était naturellement le bonheur immédiat des Français, c'est-à-dire dans l'heure même qui suivrait l'issue du scrutin. Qui oserait sur la scène politique évoquer la médiocrité de l'héritage que nous léguerons à nos enfants? Et que dire des démocraties anglo-saxonnes où, le pragmatisme aidant, les nuances entre les programmes électoraux ne sont même pas perceptibles à la loupe? Chaque parti a pour unique préoccupation l'échéance électorale la plus proche. On conçoit que dans ces conditions, abstraction faite de l'impact personnel des candidats, le rapport de forces entre pouvoir et opposition oscille aux environs de 50 %.

De telles attitudes venant d'hommes informés, « responsables » et généralement beaucoup plus raisonnables que ne l'imagine l'opinion publique, à travers le prisme qui déforme systématiquement à ses yeux l'image des politiques, n'est que la conséquence logique d'une compétition exacerbée. La constante pression de l'électorat contraint en effet les élus à privilégier exclusivement les réalisations à très court terme, seules susceptibles d'être jugées en fin de mandat, au détriment des choix fondamentaux dont le bien-fondé ne pourrait s'apprécier qu'à long terme. L'avenir est constamment sacrifié aux intérêts du présent immédiat. Et ces réalisations doivent, pour plaire, mais aussi pour affirmer la puissance de leurs auteurs, être « de taille »; d'où le gigantisme inhumain si caractéristique du monde contemporain; d'où aussi le choix systématique des technologies les plus audacieuses et les plus avancées : les centrales nucléaires plutôt que les sources d'énergies douces, le train Paris-Lyon à grande vitesse, plutôt que l'amélioration des transports urbains dans les villes, le Concorde, plutôt que l'avion moyen courrier, etc.

Par son orgueil, par la puissance de ses techniques, par la compétition acharnée qu'il développe en son sein, l'Occident pervertit aujourd'hui ce qui fit son honneur et appartient à la plus constante de ses traditions : l'art de se dépasser.

Alors que les sociétés médiévales insistaient sur les valeurs associatives (les corporations, le compagnonnage, la permanence et l'acceptation du statut social limitant toute forme de compétition, avec d'ailleurs tous les inconvénients inhérents à ce type de société), les sociétés modernes ont à l'inverse puissamment valorisé les vertus compétitives : ne parle-t-on pas de guerre économique, de combat politique, de luttes sociales, de compétition électorale? Les mots, ici, par la charge de violence qu'ils recèlent, expriment une réalité qui devrait nous faire frémir si nous n'y étions accoutumés. Et le vocabulaire guerrier du monde politique donne à réfléchir : ne voit-on pas les *militants,* dûment *mobilisés,* faire *campagne, attaquer* l'adversaire et le *battre?* Vivre il est vrai, « c'est faire campagne », disait Sénèque.

La lutte des classes.

Par d'autres voies, le marxisme aboutit au même résultat — tout au moins dans les pays où il n'est pas au pouvoir. En mondialisant le concept de lutte des classes, Marx a donné un nouveau contenu au vieux manichéisme chrétien, exacerbé par la Réforme et la Contre-Réforme. En effet, l'affrontement immémorial du Bien et du Mal est désormais relancé à l'échelon planétaire. Il n'est plus seulement l'objet d'un débat intime, d'un dialogue de chacun avec lui-même dans le secret de sa conscience, mais au contraire affrontement entre les hommes, de groupe à groupe, de classe à classe : affrontement qui trop souvent dispense l'individu du pénible effort d'avoir à se perfectionner lui-même, puisque le mal désormais, comme Sartre l'a fort bien dit pour l'Enfer moderne, c'est toujours les autres.

Bref, le marxisme conceptualise, systématise et universalise la notion de conflit, car il lui confère ses titres de noblesse et en fait une « valeur ».

La foi politique et les passions qu'elle suscite relèvent des comportements religieux et mobilisent l'homme tout entier. Le militant vit dans la sécurité que confèrent les grandes certitudes. Il défend la cause, sûr de son bon droit, comme le soldat la patrie; et Dieu est avec lui. L'intolérance persiste, les guerres politiques remplacent les guerres de religion, et le militant combat en militaire. D'où la difficulté du dialogue, de l'accord, et la crise des démocraties qui en résulte. Il y a lieu de s'interroger sur les chances d'avenir d'une société où le mot lutte finit par symboliser toutes les vertus, et où l'égoïsme borné des groupes de pression, des clans, des intérêts les plus divers et souvent les moins avouables se camoufle et trouve sa justification dans la nécessité de lutter pour conserver ses privilèges ou en acquérir de nouveaux. Singulier et dangereux retournement de la dialectique!

Les luttes se justifient toutefois, aux yeux des marxistes, par l'urgente nécessité de détruire le système qui les engendre et les perpétue, c'est-à-dire l'économie de marché et l'appât du profit. Soit! Ce système a d'ailleurs été liquidé en URSS et dans les pays de l'Est. Mais le modèle de planification bureaucratique et centralisé qui l'a remplacé n'a pas donné davantage satisfaction. Bien au contraire, il poursuit les mêmes objectifs de croissance matérielle avec moins d'efficacité et plus de contraintes. Et la compétition, inévitable processus de sélection des hommes et des idées, s'y exerce de manière occulte, la grande révolution d'Octobre débouchant sur les révolutions de palais, les règlements de compte souterrains et les luttes clandestines pour le pouvoir. Le modèle compétitif n'a donc été éliminé qu'en apparence, et la nature des hommes et des choses a singulièrement dévoyé le message des fondateurs.

II. DES MODÈLES DE COEXISTENCE DANS LA NATURE

En privilégiant à l'excès les luttes et la compétition, l'évolution actuelle tourne le dos aux apports récents de l'écologie, dont elle ne saisit qu'un des aspects. Tandis que la découverte des lois qui président au fonctionnement des écosystèmes nous conduit à abandonner le concept d'*espèces nuisibles,* l'évolution sociale, au contraire, nous porte de plus en plus à admettre l'idée qu'il faut éliminer ou réduire au silence ses adversaires, ces *hommes nuisibles,* par une lutte sans merci.

L'intuition franciscaine.

Peu d'hommes en vérité avaient perçu, en Occident, les solidarités profondes qui lient les êtres vivants. François d'Assise, qui parlait aux fleurs et aux oiseaux et s'était fait l'ami du loup de Gubbio, était taxé de fou par ses contemporains. Selon la pensée manichéenne, tentation permanente du christianisme occidental subtilement relayé par la logique binaire des Grecs, l'affrontement du bien et du mal qui caractérise notre espèce, s'observerait aussi dans la nature. On trouvait donc tout naturel de parler de plantes ou d'animaux utiles ou nuisibles : les « mauvaises herbes » et les « sales bêtes ». Ce modèle s'imposait d'autant plus logiquement aux hommes d'autrefois qu'ils devaient, avec des moyens limités, se mesurer durement à une nature hostile, et subir précisément la concurrence de ces plantes et de ces bêtes-là.

Rien de tel dans la pensée hindoue et chinoise qui avait intuitivement perçu l'unité profonde du monde vivant; cette unité dans et par l'équilibre, dont l'écologie nous offre aujourd'hui un nouveau modèle. Car le fonctionnement d'un écosystème postule la coexistence dans la diversité. Coexistence non sans conflits certes, et non sans hécatombes, mais qui a fait ses preuves millénaires.

Toutes les communautés vivantes résultent de la coexistence équilibrée d'êtres arrivés à des stades fort divers de l'évolution, et jouant chacun leur rôle spécifique au sein de ces équilibres. Ceci est vrai d'une mare comme d'une forêt, et c'était vrai naguère pour nos villes comme pour nos hameaux. Ne voit-on pas coexister dans une forêt des mousses archaïques dont l'évolution s'est arrêtée depuis des millions d'années (les intégristes du monde des plantes), des fougères moins anciennes, des conifères plus récents encore? Tous ces groupes pourtant régressent lentement – ce sont les plantes du passé – tandis que montent les plantes à fleurs, citoyennes de la dernière grande « civilisation » végétale, contemporaines des mammifères, en constante expansion depuis le jurassique et représentant la « société dominante ». Parmi les toutes dernières venues, les limodores, orchidées sans chlorophylle, sont les hippies du monde végétal : plantes astucieuses qui préfèrent s'alimenter de détritus ou de cadavres d'autres plantes, bref, vivre aux crochets des autres, au lieu de se plier à la loi commune qui veut que les plantes par la photosynthèse vivent d'eau et de gaz carbonique, c'est-à-dire de l'eau et de l'air du temps. Ces limodores, petites herbes grisâtres, poussent au pied des sapins ou des épicéas, au port rigide et à l'alignement militaire, et se nourrissent à leurs dépens.

Hiérarchie, spécificité et complémentarité.

La vie est une sorte de fusée à étages multiples, dont chacun dépend de ceux qui le précèdent : les plantes n'existeraient pas sans les micro-organismes, seuls capables de fixer l'azote atmosphérique. Les animaux dépendent totalement des végétaux qui leur fournissent l'oxygène et la nourriture nécessaire à leur croissance et leur maintenance. Et que serait l'homme sans tous ces « prédécesseurs » dont il dépend entièrement? Une hiérarchie rigoureuse et dynamique préside, on le voit, aux grands équilibres de la nature. Le gui est lié à l'arbre qui le porte, comme tout parasite à son hôte, même s'il l'affaiblit; mais en le tuant, il mourrait avec lui. Les carnassiers s'éteindraient si la nature n'avait doté leur proie d'un taux de fécondité remarquablement élevé, permettant un renouvellement généreux des populations. Les échanges alimentaires créent donc entre les espèces des réseaux d'interdépendance d'une extrême complexité que l'écologie moderne commence seulement à entrevoir, et où la lutte pour la nourriture ne s'exerce jamais au détriment des processus et des forces qui en limitent les effets. Car au quantitatif – les ressources disponibles – s'ajoute le qualitatif : la diversité des espèces qui les exploitent; l'utile, l'économique, l'alimentaire, est au service du gratuit, de l'exubérance, de la fantaisie. En multipliant à l'envi les espèces, la nature assigne à chacune d'elles, avec une imagination sans limites, les conditions particulières par lesquelles elle exploite les ressources du milieu où elle vit, ce qui, évidemment, limite leur concurrence. Dans un milieu donné, il n'y a pas concurrence entre espèces végétales si elles plongent leurs racines à des profondeurs différentes, exploitant chacune sa strate dans le sol. On retrouve ici le modèle des corporations, qui jadis limitaient étroitement la compétition entre professions en assignant à chacune sa mission dans le moindre détail. Peut-être fallait-il que ce soit un homme d'action et de réflexion [1] qui nous le rappelle : hiérarchie, spécificité et *complémentarité* régissent bien davantage les rapports entre espèces que rivalité et concurrence.

Mieux encore : au fur et à mesure que l'on s'élève dans la hiérarchie de la vie, que l'on gravit les étages de la fusée, la dépendance des êtres par rapport à leur milieu semble se relâcher. La plante est totalement inféodée au sol qui lui apporte les éléments minéraux indispensables; l'herbivore consacre beaucoup de temps à pâturer, mais acquiert déjà une autonomie plus grande : il peut se mouvoir, et distraire quelques heures de ses obsessions alimentaires; parmi les grands carnassiers la lionne, mobile, agile, ne consacre qu'une très faible partie de son temps à la chasse, puis dort longuement. Mais une telle autonomie ne s'acquiert qu'après un long apprentissage qui suppose à son tour une plus haute organisation sociale du groupe : les petits doivent acquérir l'art de chasser et de tuer; la dépendance économique devient sociale. Comme le dit pertinemment Maurice Blin, la marche à l'autonomie se paie au prix de la soumission à autrui : « l'espèce s'éloigne du milieu en s'enchaînant à elle-même ».

On est loin, on le voit, du simpliste *struggle for life,* où chacun s'entre-dévore à belles dents. Car les équilibres de la nature sont tels que l'élimination pure et simple d'une espèce par une autre, du prédateur par la proie est pratiquement impensable. La lente dérive de l'évolution conduit à l'extinction, en quelque sorte par langueur, des espèces vieillissantes. Mais la biologie ignore l'extermination brutale par simple compétition entre espèces ou

1. M. Blin, *op. cit.*

au sein d'une espèce. Le génocide et l'ethnocide restent le triste privilège de l'homme, capable, dans sa folie et dans sa furie, de nier totalement les principes de coopération au profit des seuls principes de compétition.

L'aide sociale chez les pâquerettes.

En regardant les choses de plus près, on est fasciné par la subtile dialectique des stratégies de compétition et de coopération dans la nature. Voici un exemple tout à fait éloquent :

G. Deleuil [1] a pu observer dans la région marseillaise la curieuse coexistence de trois espèces : un ail, une chicorée et une pâquerette. Ces plantes occupent des sortes de « tonsures » de 2 à 4 mètres carrés isolées les unes des autres, à l'intérieur d'associations végétales dominées par des graminées. On trouve tantôt les trois espèces à la fois, tantôt l'ail et la pâquerette, ou la pâquerette et la chicorée : en revanche, on ne voit jamais l'ail et la chicorée ensemble. Les expériences effectuées au laboratoire ont montré que l'ail sécrète une substance toxique qui détruit les jeunes plantules de chicorée, aussitôt après leur germination; en revanche, la pâquerette n'est pas sensible aux effets de cette substance. Mieux, elle émet une substance antitoxique neutralisant l'émission toxique de l'ail, de sorte que sa présence conjointe à celle de l'ail, protège la chicorée des effets toxiques de ce dernier et lui permet de se maintenir dans le trio, alors qu'un tête-à-tête avec l'ail lui est fatal.

Étudiant le phénomène plus en détail, on observe que la pâquerette, mise en présence de l'ail, éprouve d'abord quelque difficulté à se développer; puis la plante prend le dessus et émet une antitoxine, ce qui se démontre par la mise en évidence des propriétés protectrices à l'égard de la chicorée qu'elle acquiert alors. Et Deleuil conclut : « Ces observations font penser au mécanisme toxine-antitoxine bien connu des bactériologistes; le

1. G. Deleuil, *Comptes rendus de l'académie des Sciences,* 1954, n° 238, p. 2185-2186; cité par J.-M. Pelt et J.-F. Ferard, dans *Un thème de réflexion biosociologique : les plantes font-elles la guerre?,* compte rendu des XXVe journées pharmaceutiques internationales de Paris.

parallélisme est très étroit : la pâquerette élabore une substance anti-ail qui rend la chicorée insensible au poison sécrété par l'ail, comme le cheval fabrique l'antitoxine diphtérique qui guérit ou protège l'homme de l'attaque diphtérique. »

Il est regrettable que ces études n'aient pas été poussées au niveau de l'identification des principes chimiques en cause; il s'agit en tout cas de phénomènes proprement immunologiques, où une plante en protège une autre contre l'agression d'un tiers, et où l'on voit jouer simultanément des phénomènes de compétition et de coopération.

Le droit à la différence.

L'observation de la nature nous conduit ainsi à prendre conscience de la diversité des êtres et de leur coexistence dans des rapports dialectiques de compétition et de coopération.

L'histoire humaine n'échappe pas à cette règle. N'est-il pas significatif que l'on ait découvert en Colombie une tribu d'âge néolithique, le jour même où l'homme foulait pour la première fois le sol lunaire? Ne suffit-il pas de franchir, en quelques heures, océans ou continents pour trouver des peuples d'un autre âge? Trajectoire dans l'espace qui est aussi une remontée dans le temps. Tandis que les uns entreprennent la conquête du cosmos, d'autres vivent, dans leurs steppes ou leurs montagnes, la vie pastorale et nomade d'autrefois; d'autres encore, dans leurs forêts, n'en sont qu'à l'âge de bronze, voire à l'âge de pierre. Bref, les hommes d'aujourd'hui, comme les espèces animales ou végétales, ont atteint des degrés d'évolution très divers. Mais comme le font les plantes à fleurs, la société industrielle et urbaine s'impose et s'étend. Elle supplante inexorablement les sociétés plus primitives, moins armées pour la compétition. Puis, ayant affirmé son hégémonie, elle retourne son agressivité contre elle-même, étonnamment aveugle aux multiples réseaux d'interdépendance et de solidarité qui assurent, malgré tout, sa cohésion.

Or, c'est précisément le développement d'une compétition acharnée au sein de la société industrielle mondiale qui risque de lui être fatale. Le recul rapide des sociétés traditionnelles, par ethnocide, assimilation ou intégration, laisse le champ libre aux sociétés productivistes, pour propager sur la planète entière leur propre échelle de valeurs. Ainsi les forces de compétition se développent-elles désormais à l'échelon planétaire, comme on le voit bien à l'ONU par exemple, dans les efforts dérisoires entrepris pour instaurer un ordre international.

D'autres modèles existent pourtant sous nos yeux, dans la biosphère et la *noosphère*[1], qui nous invitent à favoriser la coopération dans la diversité et le respect des particularismes générateurs d'équilibre. Bref, à accepter l'autre dans son intégrité et dans son originalité, donc à reconnaître le droit à la différence et à promouvoir l'esprit de tolérance.

L'amour, la haine, l'indifférence...

Il ne s'agit pas de s'égarer dans l'angélisme; simplement de proposer un modèle raisonnable de coexistence. Comme les plantes et les animaux de la forêt cohabitent, bien que « d'origines » et de « cultures » différentes, acceptons enfin comme normale et légitime la coexistence de l'intégriste et du progressiste, du libéral et du socialiste, du réactionnaire et du gauchiste, du juif et du musulman, du catholique et du protestant. On objectera que les animaux se mangent entre eux et que les plantes luttent à mort pour se faire une place au soleil. C'est vrai! Mais les animaux, sauf cas exceptionnel, ne s'entre-dévorent pas au sein d'une même espèce. Et nous ne sommes plus tout à fait des bêtes. C'est peut-être pour cela que nous sommes capables de tant de haine; et qu'après avoir vaincu un environnement hostile, nous pratiquons sur nous-mêmes la guerre intraspécifique, extrêmement rare chez les animaux[2]. Comment d'ailleurs évacuer la haine, quand on n'a pas encore pu mettre

1. Terme utilisé par P. Teilhard de Chardin pour définir la spécificité de l'espèce humaine : au-delà de l'évolution de la matière et de la vie, elle émerge par la conscience au monde de l'esprit (en grec : *noûs*) qui régit l'une et l'autre.

2. Konrad Lorenz, *L'Agression : une histoire naturelle du mal,* Flammarion, 1969.

la guerre hors-la-loi? Et quand on n'a pas su davantage empêcher, au sein de notre espèce, la faim jusqu'à la mort des plus pauvres, en particulier dans le « quart monde »?

Qu'il est long le chemin à parcourir! Et que nos sociétés sont proches encore de ces fameuses lois de la jungle qui leur servent si volontiers d'alibi, elles qui reconnaissent promptement le droit du plus fort, après un coup d'État meurtrier par exemple, au moment même où les faibles sont écrasés! Mais les idéologies contemporaines ne se fondent-elles pas sur des rapports de forces, au point de s'en faire gloire? Il y a des lustres que la bonté, la délicatesse, la générosité ou la charité, assimilées purement et simplement à la faiblesse ou à la couardise, ont été mises « en non-valeur », comme une créance non recouvrable.

Ce monde manque de cœur et de chaleur, sinon de fureurs froides. Curieusement, il tend à se refroidir au fur et à mesure qu'augmentent les quantités d'énergie qu'il consomme!

Assumer les conflits...

Dans un autre ordre d'idées, les invectives et les insultes qui émaillent les campagnes électorales et les discours politiques sont affligeantes : la violence des polémiques entretenues par certains organes de presse ferait sourire si elle ne laissait transparaître une charge épouvantable de haine et de violence.

Qu'en période électorale les passions soient telles qu'elles imposent en quelque sorte aux militants, comme une « ardente obligation », le « devoir de haïr », voilà qui illustre bien l'énervement de nos mœurs. La violence du combat politique n'est certes pas une singularité de notre temps. Les préaux d'école retentissent encore des joutes oratoires de la IIIe et de la IVe République. Mais l'intervention des médias propose désormais ce genre de spectacle à des millions de téléspectateurs, décontenancés par ces foules dont les hurlements interdisent tout dialogue.

La démocratie serait tout aussi opérationnelle et sans doute beaucoup plus efficace sans ces excès. Pourquoi ne pas changer de registre et de vocabulaire, remplacer « affrontement » par « confrontation », « opposition » par « proposition »? A travers un libre débat, visant à proposer des solutions concrètes aux problèmes d'intérêt commun, l'électeur choisit. Une majorité se dégage, respectueuse des droits de la minorité, et la démocratie fonctionne tout aussi bien. Ce qui suppose d'abord une très rigoureuse égalité des droits et des moyens financiers entre les candidats, et une réglementation efficace des campagnes électorales. Bref, une règle du jeu acceptée par tous.

La compétition et le conflit n'en seraient pas éliminés pour autant. C'est même l'honneur des sociétés démocratiques, que de donner aux thèses opposées la possibilité de s'exprimer. Car, il est une méthode simple et efficace de nier le conflit : c'est la répression, arme favorite des régimes totalitaires. Ce serait une autre erreur de croire que les efforts mis en œuvre pour favoriser la participation des citoyens à la prise des décisions qui les concernent, suffiront à désamorcer l'esprit contestataire. Reconnaître les associations comme de nouveaux partenaires sociaux, étendre leurs droits, les considérer comme des forces de proposition est certes une impérative nécessité. Mais l'environnement socio-culturel et les idéologies en vigueur conduiront à une politisation généralisée du débat, à une rapide et fatale « récupération » politique.

Il faut donc commencer par accepter le conflit comme une réalité fondamentale de la vie sociale; puis l'assumer, c'est-à-dire en relativiser la portée, en acceptant loyalement une règle du jeu, en refusant les faux débats, et surtout en évitant d'y voir l'unique moteur et l'ultime valeur de la vie collective. D'où l'impérieuse nécessité, en dernier ressort, d'une nouvelle anthropologie et d'une nouvelle éthique.

Mais comment dépassionner le débat? Comment tuer la guerre des mots pour assurer la paix des cités? Car, comme le disait Montaigne, « les hommes sont tourmentés par les opinions qu'ils ont des choses, non par les choses elles-mêmes ».

...et naturaliser la politique.

Il est significatif que les valeurs démocratiques aient aujourd'hui si peu de défenseurs. Mais on ne découvre leurs vertus qu'après les avoir perdues. Quels que soient les systèmes du futur, ils devront préserver cette valeur inestimable de la libre confrontation des idées, offrant la possibilité de choisir. Le modèle de la coexistence dans la nature, dans la mesure où il est incontestable et indiscutable, pourrait servir de référence commune à tous les hommes, de « tronc commun culturel » en deçà du légitime pluralisme des opinions. Malgré nos pires affrontements et l'âpreté de nos divergences, nous avons tous au moins un héritage en commun : le patrimoine biologique et génétique de l'espèce, notre commune appartenance à la nature, notre soumission à ses lois. Une dose très voisine du même toxique tue le général en retraite comme l'étudiant maoïste...

A l'inverse de Marx qui « politisa la nature », et pour démystifier le débat, ne conviendrait-il pas de réinterpréter la société à la lumière de la nature, donc de « naturaliser la politique »? D'interpréter son agressivité foncière comme un simple avatar social de la compétition biologique, et peut-être comme une étape encore pré-humaine de notre histoire?

Il ne s'agit certes pas de nier la réalité de l'agressivité et des forces compétitives : elles sont l'un des moteurs fondamentaux de l'évolution. Et dans les sociétés humaines, l'émulation demeure un facteur légitime de progrès, faute duquel l'inertie et la passivité conduiraient à la monotonie et à la paresse. Autant qu'on puisse imaginer le futur, les groupes humains, comme les espèces, continueront à coexister dans les tensions et les conflits qui restent au cœur même des lois de la vie. Mais l'homme, en émergeant à la conscience, acquiert le redoutable privilège de pouvoir transcender les pulsions instinctives qui sourdent des profondeurs. L'univers de la culture échappe à la rigidité des déterminismes génétiques qui enferment les comportements programmés dans des limites précises, dont seules les œuvres de l'esprit peuvent s'affranchir. Les pulsions agressives peuvent alors être vécues selon d'autres systèmes de valeurs qui, en les appelant au grand jour de la conscience, les purgent de leur charge affective et facilitent leur intégration dans une vie psychique pacifiée, mais toujours dynamique et active. Et où les chances de la solidarité et de la coopération prennent toute leur dimension.

III. LE GRAND RÊVE DE FRATERNITÉ

Car le grand rêve associatif hante l'inconscient collectif de l'humanité. Société sans classes, socialisme à visage humain, société conviviale : on a beau ressasser ces formules magiques, elles restent chargées d'espoir.

Réconcilier justice et liberté.

Mais s'il est vrai, comme le disait Lacordaire, qu'entre le riche et le pauvre « c'est la liberté qui opprime et la justice qui libère », il est vrai aussi que l'histoire n'a pas encore réussi à réconcilier, dans une expérience concrète de gouvernement, la commune aspiration des hommes à la justice et la liberté. Le grand rêve du socialisme humanitaire ou des démocraties avancées (les idées se rejoignent, même si la symbolique des mots semble les opposer) exprime précisément cette aspiration. Mais il n'a quelque chance d'éclore que dans la mesure où les courants socialistes échapperont enfin à l'oppressive pesanteur que les diverses formes de communisme font peser sur eux. Il faudra bien qu'un jour le socialisme rompe clairement avec les idéologies totalitaires dont tout le sépare. L'impasse des sociétés modernes tient pour l'essentiel à cette difficulté du socialisme à se définir de manière autonome et opératoire, ballotté qu'il est entre les tendances « gestionnaires » des social-démocraties et les alliances ambiguës qu'il contracte, toujours à son détriment, avec les appareils communistes.

Cependant, les expériences associatives supposent des hommes conscients et généreux, capables de passer du « je » au « nous », du « moi » à l' « autre »; donc la naissance et la diffusion d'une nouvelle anthropologie, que n'enfanteront ni les savantes études économiques des experts, fussent-ils internationaux, ni leurs ordinateurs. C'est à un tout autre niveau que se posent ces problèmes.

Ce qui est vrai des individus l'est autant des États. Ici aussi, le rêve associatif est puissant, et la réalité amère. Que d'espoirs investis dans la Société des Nations, l'Organisation des Nations unies, les Communautés européennes... Que d'espoirs déçus!

La persistance obstinée des nationalismes.

Tout porte à croire que le XXe siècle restera, comme le XIXe, le siècle des nationalités. Mais le centre de gravité de celles-ci s'est déplacé. Tandis que les États européens n'en finissent plus de se constituer en communauté, les jeunes nations issues de la chute des empires coloniaux cherchent dans un nationalisme parfois exacerbé le moyen de transcender les luttes intestines et les querelles tribales. Ce qui se justifie encore pour celles-ci n'est plus acceptable pour ceux-là. On conçoit que les jeunes nations soient contraintes de développer le sentiment national pour conjurer les risques de dislocation ou d'éclatement; mais on saisit moins bien les raisons qui freinent interminablement la construction européenne. Ici encore, les forces de compétition l'emportent sur les forces de coopération, au nom du « prestige national » et de son égoïsme « sacré ». Simone Weil disait avec simplicité : « L'orgueil national est loin de la vie quotidienne. » Elle avait raison. Mais plus encore que les individus, les nations parlent en termes de puissance. C'est même leur manière de s'identifier : entre les super-grands et les grandes puissances, les hommes paraissent petits...

La longue marche de l'Europe.

Comme à l'époque de la guerre froide où l'Europe fut soulevée par un élan communautaire, parce qu'elle se sentait menacée, la crise des sociétés industrielles démontre une fois de plus aux Européens leur communauté de destin; elle leur offre donc une occasion unique de renforcer leur solidarité et de rechercher une issue en commun. Bien plus, les valeurs de civilisation postulées par un tel projet sont précisément celles que l'Europe a propagées à travers le monde au cours de l'histoire. La communauté européenne constitue une entité suffisamment puissante pour pouvoir réorienter sa croissance et son économie vers les nouvelles finalités ébauchées ici, en réduisant la compétition économique et politique entre États par un renforcement des mécanismes communautaires, et par la définition d'une volonté commune à l'intérieur et l'extérieur de la communauté ainsi renforcée. Aucun pays ne pourrait envisager seul la nécessaire reconversion de certains processus économiques sans prendre le risque de déclencher une crise génératrice de chômage. Aucun pays ne peut adopter seul des normes en matière de qualité et de sécurité des produits, de protection de l'environnement et de lutte contre les nuisances, sans fausser le jeu de la concurrence, et se placer ainsi en état d'infériorité vis-à-vis de ses partenaires.

Mais l'Europe solidaire peut restreindre en son sein les méfaits de la compétition exacerbée, au bénéfice de ses habitants. Première puissance économique mondiale, elle pourrait, si elle le décidait vraiment, orienter son avenir dans ce sens et amorcer ainsi une évolution exemplaire et de portée universelle. Mais un tel choix suppose à la fois la résolution des gouvernants et l'adhésion populaire, ces deux conditions étant indissociables.

Pour cela, point n'est besoin de supprimer les frontières. Il suffirait, comme le disait Robert Schuman [1] dans des propos qui restent d'actualité, de les « dévaluer », le sentiment de solidarité des nations l'emportant sur les nationalismes dépassés.

Cependant, au moment où la crise de notre civilisation est planétaire, où le Club de Rome alerte l'opinion internationale sur les dramatiques conséquences à terme d'un déséquilibre économique, écologique et démographique accru, la construction européenne ne saurait être qu'une étape sur le chemin de la planétarisation nécessaire des projets et des décisions. La concertation à l'échelle mondiale pour la gestion des ressources naturelles, l'exploitation des matières premières et la sauvegarde de l'environnement devient un impératif auquel on ne pourra plus longtemps se soustraire.

1. R. Schuman, *Pour l'Europe,* Nagel, 1963.

En direct sur le futur

Il n'empêche que la construction européenne demeure une étape indispensable et privilégiée permettant d'expérimenter, dans un cadre géographique et culturel étonnamment riche et diversifié, les valeurs de solidarité et les bienfaits du dépassement des intérêts et des égoïsmes, qu'ils soient individuels ou de groupes, catégoriels ou nationaux. Elle assurerait la seule liberté qui compte vraiment : celle que les hommes et les peuples conquièrent laborieusement, par l'effort imaginatif et créateur, sur les séquelles de l'histoire, la pesanteur des habitudes, la rigidité des déterminismes économiques et sociaux et l'inertie des privilèges et des situations acquises.

La construction européenne est le test permanent de notre capacité, ou plutôt de notre incapacité de dépassement.

La renaissance des régions.

Le dépassement du nationalisme n'exige pas seulement la « dévaluation » des frontières nationales : il suppose aussi l'enracinement régional. La brusque et vive renaissance du régionalisme exprime le besoin des hommes de retrouver leur identité, en réaction contre l'uniformisation et le nivellement universel. La région est le cadre naturel et séculaire du terroir, riche de son passé, de ses valeurs, de ses traditions. Elle est aussi le lieu privilégié où naissent les initiatives et où s'exercent les responsabilités. Face à la capitale lointaine, indifférente, mal informée, à l'impérialisme de ses modes, à la toute-puissance de ses bureaux, les régions renaissent, tandis que se créent de nouvelles communautés et de nouvelles solidarités. L'aspiration à un véritable pouvoir régional est donc fondée, légitime, féconde; car c'est dans ce creuset, au contact du quotidien, que s'élabore le futur. Sous-estimer la puissance du courant régionaliste serait la pire des erreurs politiques; car si la régionalisation comporte des risques, comme c'est le cas pour tout changement important, le centralisme et le jacobinisme en comportent de bien plus graves encore : serrer les boulons pour éviter l'échappement de vapeur pourrait faire exploser la chaudière.

Enfin, la prise de conscience des problèmes d'environnement

fait naître de nouvelles solidarités et redessine, sur des bases écologiques, de nouvelles entités : les agences de bassin représentent les premières structures administratives dont les limites coïncident avec des « frontières naturelles », en l'occurrence les bassins hydrographiques des grands fleuves. De même la rapide dégradation de la Méditerranée crée entre les pays riverains de nouvelles solidarités territoriales. L'environnement, en faisant éclore de nouvelles entités « éco-géopolitiques », pose ainsi une problématique entièrement nouvelle. Après un siècle durant lequel la « question sociale » aura divisé les hommes et les nations, la « question naturelle » qui émerge aujourd'hui contribuera peut-être à les réconcilier en les contraignant à œuvrer ensemble pour sauver leur patrimoine commun. Ainsi seraient jetées les bases d'une nouvelle éthique, moins compétitive et plus coopérative.

2
Pour une nouvelle éthique

> « Être humain implique " vouloir être humain ". Le passage des réactions instinctives à des actions voulues et raisonnées a toujours impliqué des choix et des décisions difficiles et pénibles. C'est par ces choix et ces décisions que l'humanité progressivement émerge de l'animalité. »
>
> RENÉ DUBOS.

I. CLARIFIER LES OBJECTIFS ET PRÉCISER LES PROJETS

Mettre en œuvre une nouvelle politique des revenus et de l'emploi, partager les responsabilités et favoriser l'innovation, réconcilier économie et écologie, promouvoir l'éducatif et le culturel, ouvrir la vie nationale sur la région et sur l'Europe : des objectifs se précisent, un projet se dessine. Restent à cerner les finalités qu'impliquent ces choix.

L'imagination au pouvoir.

A cet égard, le vocabulaire des hommes politiques, des décideurs et des aménageurs laisse rêveur : expansion, investissement, réalisation, équipement sont leurs maîtres mots. Ces concepts très généraux, mais aussi très vagues, évoquent curieusement les « ensembles flous », chers aux mathématiques modernes. On fonce, sans regarder la direction prise, sans se soucier du compteur de vitesse. Comme disait l'autre, « on ne sait pas où l'on va, mais on y va, et vite! ». On « réalise », sans trop se demander pour qui, pour quoi et pour quoi faire. Quelle est l'idée de l'homme qui sous-tend tel ou tel choix? Et, à l'inverse, quelles potentialités humaines seront favorisées ou au contraire inhibées par la réalisation de tel équipement collectif, par tel « *parti* d'aménagement [1] »? En réalité, les grands choix se font moins en fonction d'une certaine idée de l'homme, d'une certaine vision du futur, que de la mode et de la mécanique administrative qui, par le jeu des subventions, privilégient des équipements stéréotypés et normalisés; ceux-ci sont souvent loin de correspondre aux vrais besoins, qui ne peuvent être perçus qu'au contact vivant des populations et des mouvements ou associations qui les représentent. Il en est ainsi par exemple des crèches, souvent ruineuses pour les organismes qui les gèrent, et qu'un système bien organisé de garderie à domicile remplacerait utilement, tout en favorisant le développement des solidarités de quartier.

Aussi n'est-ce pas seulement la planification, mais aussi l'innovation, la créativité et l'imagination qu'il convient d'encourager, afin que soient mis en œuvre les projets les plus riches d'avenir. Très souvent, un projet c'est un homme : c'est cet homme-là qu'il faut savoir découvrir et encourager.

Mais la machine est si lourde qu'il faut beaucoup de chance et d'acharnement pour réussir à créer. D'ailleurs, tout individu porteur de projet est *a priori* suspect aux yeux de l'administration, qui ne conçoit de grossesse légitime qu'en son propre sein.

Et pourtant, sans projet, les hommes végètent, leur vie s'étiole. L'absence d'un grand dessein accordé à la sensibilité actuelle explique sans doute le désarroi de tant de nos contemporains.

De la téléonomie au projet conscient.

Il est significatif en effet qu'à la bourse des valeurs du moment, la cote du technicien l'emporte sur celle du philosophe, de l'artiste ou du tribun. Il n'en fut pas toujours ainsi. A l'époque de

1. Cette problématique est exposée dans l'ouvrage de Roger Klaine, *Qualité de la vie et Centre ville,* Institut européen d'écologie, Metz. (Armand Colin, 1975.)

Jaurès, on portait au pouvoir de grands orateurs, des hommes de prestige et de talent, promoteurs de vastes projets, et mus par de puissantes convictions. On leur préfère aujourd'hui des « managers », des gestionnaires. Sans doute le faut-il bien dans une société dominée par les biens matériels. Mais le mot reste ambigu. Car trop souvent on se contente de gérer en bon technicien, ce qui n'implique aucune finalité, sinon celle de perpétuer aux moindres frais les situations acquises. Gérer n'appelle alors pas d'autre projet que celui de trop d'hommes politiques : durer et se faire réélire. L'invariance simplement! La plus fondamentale et la plus antique des lois biologiques.

Une société pourrait-elle donc vivre et se développer en dehors de tout projet? Oui, certes, si l'on entend par là qu'elle a rarement conscience de sa finalité. Mais celle-ci est inhérente à tout organisme biologique ou social; elle est implicite et immanente, enfouie dans la vie préconsciente. Elle interpelle et sollicite sans relâche le chercheur, maîtresse exigeante et mal aimée que tant de scientifiques croient pouvoir éconduire à moindres frais. Jacques Monod lui-même, en la rebaptisant téléonomie, n'a pas réussi à l'exorciser tout à fait [1].

Car du virus à l'homme, la nature poursuit obstinément un projet : elle tend vers une autonomie grandissante, une liberté émergente – vers la transcendance de la conscience. Haeckel, homme de science, assignait « une âme cellulaire » aux premiers protozoaires. Car, à travers eux, il décelait déjà l'obstination du projet vivant à aboutir à ses fins : croître, se nourrir, se reproduire. Au fur et à mesure que l'on monte dans la hiérarchie des êtres, le projet se précise, s'enrichit, se structure. A partir des animaux supérieurs, de nouvelles potentialités apparaissent : se situer par rapport à un territoire, acquérir un « statut social », être reconnu en tant qu'individu dans un groupe, échanger avec d'autres, explorer et découvrir son environnement. Avec l'homme, c'est l'horizon même de la vie qui éclate; le voici capable d'innover, de créer, d'imaginer, de communiquer... et surtout d'élaborer des projets. La téléonomie atteint le champ de la cons-

1. Dans *le Hasard et la Nécessité*, J. Monod utilise le terme de téléonomie pour désigner le projet implicite de tout être vivant, visant à la « transmission, d'une génération à l'autre, du contenu d'invariance caractéristique de l'espèce ».

cience : elle émerge, devient vision finalisée, projet individuel ou collectif.

Or, nos sociétés qui paraissent gérées en dehors de tout projet finalisé, n'en imposent pas moins leurs valeurs. On le voit par exemple à leur manière de transformer les villes, favorisant le quantitatif, le fonctionnel, le besoin d'abondance, d'appropriation et de possession. Aucune société humaine n'aura, pour le meilleur et pour le pire, aussi profondément marqué l'espace et le temps. « Car l'environnement constitué par un centre ville n'est pas le fruit du hasard ou de la nature des choses... Il est la projection sur le terrain de la société dominante. Cela était vrai pour les cités de l'Antiquité. Cela est vrai également pour les villes actuelles... Le système de valeurs d'une société s'inscrit pratiquement dans la réalité urbaine, dans ses constructions, dans ses rues, dans tout son tissu... La conception productiviste de l'homme et du monde se trouve incarnée dans les réalisations urbaines contemporaines [1]. »

Bref, nos sociétés poursuivent, sans le savoir et peut-être sans le vouloir, des objectifs précis, qu'elles incarnent dans les mentalités et sur le terrain. Ces projets implicites, téléonomiques, inconscients, en font l'équivalent des *biocénoses* [2] naturelles ou des sociétés animales. Malgré les prises de conscience personnelles, trop souvent encore partielles et fragmentaires, la puissante machine sociale poursuit obstinément et inconsciemment ses fins obscures, résultant de millions d'attitudes individuelles programmées et convergentes.

Il arrive qu'un homme d'État donne parfois un contenu concret et mobilisateur aux finalités collectives. Il stimule alors les capacités d'agir et de réagir en vue d'un vaste dessein. Mais bientôt à nouveau le projet s'estompe, et de plates retombées succèdent aux grands élans, comme on le vit avec l'Europe communautaire. Ainsi les grands projets collectifs retournent-ils vers les frontières de l'inconscient, dont ils émergent si laborieusement ici ou là dans l'histoire. Et où, sans doute pour longtemps, ils se confondront avec la téléonomie, dessein obscur de la vie que

1. Roger Klaine, *Qualité de la vie et Centre ville, op. cit.*
2. *Biocénose :* ensemble des êtres vivants qui forment une communauté dans un milieu déterminé (biotope), avec lequel ils sont en interrelations.

n'éclairent encore que les tout premiers rougeoiements de la conscience.

Peut-être après tout vaut-il mieux qu'il en soit ainsi. Car l'histoire est riche de projets grandioses, généralement fondés sur l'ambition d'un homme, et qui aboutirent à d'effroyables catastrophes. On se souvient du fameux discours du professeur Fichte à la nation allemande : « C'est vous, Allemands, à qui revient la préséance dans le développement de l'humanité; si vous sombrez, l'humanité entière sombrera avec vous sans aucun espoir de restauration future. » On sait ce qu'il advint du pangermanisme, un siècle plus tard.

Mais ce que la collectivité n'ose encore qu'espérer, les individus peuvent déjà le tenter : en chacun de nous, la prise de conscience et la réflexion à partir des expériences vécues favorise l'éclosion d'un projet personnel créatif, conscient et finalisé, qui prend alors le relais des conduites téléonomiques programmées. Quel peut être le contenu d'un tel projet? Et comment peut-il contribuer à la naissance d'un projet collectif?

Tentons d'esquisser l'épure d'un avenir plus conscient et mieux finalisé.

Après la croissance, l'épanouissement.

Certes, il ne s'agit que de dégager quelques grandes tendances, quelques objectifs essentiels destinés à se substituer au mythe d'une croissance quantitative et exponentielle, à laquelle d'ailleurs plus personne ne croit vraiment. Il serait sage à ce propos de méditer les paroles curieusement prophétiques de Stuart Mill[1] qui écrivait en 1859 : « Le maintien de la population et du capital à un niveau constant ne signifie aucunement la stagnation de l'humanité. Il y aurait tout autant que par le passé de perspectives offertes au développement de la culture sous toutes ses formes, au progrès moral et au progrès social. Il y aurait toujours autant de possibilités d'améliorer l'art de vivre

1. Stuart Mill, *Principes d'économie politique,* cité dans *Halte à la croissance?,* Fayard, 1972.

et beaucoup plus de chances de le voir effectivement progresser. »

Depuis plus d'un siècle, les sociétés productivistes ont créé la richesse et la sécurité. Dans les pays développés, leur mission s'achève, car leurs objectifs essentiels sont sur le point d'être atteints. D'ici peu, il suffira de maintenir un effort de production, aussi qualitatif que possible, correspondant à l'évolution de la demande, et de mieux répartir les biens entre tous. Dans les sociétés post-industrielles, l'économie continuera à jouer un rôle essentiel, et les processus industriels ne seront pas remis en cause. Ils joueront toujours leur rôle. Simplement, ils auront cessé de nous obnubiler.

Depuis plus d'un siècle, équipements, logements, usines se sont multipliés, formant le corps physique de l'être social en croissance; comme un athlète qui fait « du muscle », comme une plante dont les cellules prolifèrent. Cette croissance s'achève, et vient le temps de la floraison. Déjà pointent les bourgeons; notre société est mûre pour l'épanouissement, et cette crise peut annoncer le printemps, l'éclosion, la mise à fleur. De la chrysalide économique finira bien par éclore le papillon écologique. Il ne tient qu'à nous de le vouloir; de le vouloir ensemble, vraiment.

Philippe Saint-Marc[1] pose clairement l'alternative lorsqu'il écrit : « Nous voici contraints à des choix qui pour longtemps engageront notre conception de l'homme et le destin du monde. Préférerons-nous l'économie de possession ou l'économie d'épanouissement? La recherche d'un “ plus ” qui augmente les biens ou d'un “ mieux ” qui améliore le cadre social et physique de la vie, l'enrichissement ou le dépassement? Miserons-nous sur la faiblesse ou sur la grandeur de l'homme? »

Alors qu'il est décidément impossible de vivre sans projet, qu'il soit individuel ou collectif, imposé par les contraintes sociales ou librement choisi, la mise en œuvre d'un tel projet apparaît comme une priorité essentielle et urgente au service de laquelle se mobiliseraient les volontés et les énergies. Déjà ses grands axes se dessinent.

1. Ph. Saint-Marc, *Socialisation de la nature,* Stock, 1975, 2e éd.

Les grands choix.

La société future devra réduire la domination absolue de l'économie et de la technologie, qui menace de ravaler l'homme au rang d'un producteur-consommateur passif, au profit de l'écologie, de l'éthique, du monde de la culture et de l'esprit, conditions indispensables à l'épanouissement d'une vraie qualité de la vie. Il conviendra donc de faire lentement « dériver » les processus économiques vers ces finalités nouvelles par une série de microchoix ponctuels, tous orientés dans ce sens, en évitant de provoquer de trop graves perturbations sociales.

Reste à prendre la mesure des efforts que ces orientations nouvelles exigeront de tous et de chacun.

Gérer la nature avec sagesse, cesser l'exploitation abusive des ressources, le gaspillage, la gadgétisation, réduire la pollution sous toutes ses formes? Certes. Mais cela suppose que, dans ses rapports avec l'environnement, l'homme adopte une autre attitude; qu'il perçoive à nouveau, comme instinctivement ses ancêtres le sentirent, son étroite dépendance et la solidarité qui le lie à tous les êtres qui peuplent la terre.

Mettre les ressources disponibles au service de tous, par une meilleure redistribution des revenus, au sein de chaque nation et dans les rapports entre les États? Oui. Mais cela suppose que dans ses relations avec autrui, l'individu ou le groupe ne fonde plus d'abord ses comportements sur le modèle compétitif, qu'il apprenne à favoriser aussi les forces associatives et coopératives. Ceci est vrai à l'école comme dans la vie, en famille comme dans la profession, dans le syndicalisme comme en politique.

Privilégier les équipements collectifs et les actions qualitatives au détriment de l'égoïste consommation individuelle? Bien sûr. Mais il y faut une politique de l'aménagement et de la gestion de l'espace, exigeant un plus haut degré de socialisation. Il faudra aussi qu'individuellement ou collectivement, nous ayons assez de courage pour aller au-delà des limites étroites du territoire, pour passer du « je » au « nous » et de « l'avoir » à « l'être ». Ce qui est vrai des individus l'est encore davantage des

États, et l'on voit, aux interminables lenteurs de la construction européenne, combien est paralysante la peur de risquer une parcelle de son héritage au profit d'une plus vaste espérance.

Il n'y aura de nouvelle société que fondée sur une nouvelle anthropologie : ce qui précède aurait voulu en montrer l'urgente et impérieuse nécessité. Une anthropologie utile et opératoire, parce que explicative et progressive, évolutive et prospective.

II. RETROUVER LA PLACE DE L'HOMME

Une anthropologie qui resituerait l'homme à sa place, en lui reconnaissant enfin sa véritable dimension qui n'est pas seulement économique, comme le laisseraient penser tant d'organisations modernes qui fondent sur la parité employeurs-salariés les bases mêmes de l'ordre social contemporain. Comme si les rapports de production et de travail étaient la seule forme concevable des rapports humains. On mesure ici à quel point notre conception des rapports sociaux a été marquée par le marxisme.

A sa place dans la nature, d'abord : ni écrasé par elle, comme il le demeure dans les sociétés traditionnelles, à la merci d'un environnement souvent hostile et rebelle; ni destructeur, exploiteur et prédateur, comme il l'est aujourd'hui dans les sociétés industrielles. Non plus cow-boy conquérant et dévastateur, mais allié d'une nature maîtresse d'harmonie, coopérant avec elle, sur une terre amoureusement jardinée. Engagé dans un système d'interrelations complexes, et solidaire de son environnement; assumant pleinement enfin les responsabilités que lui confère sa capacité quasi sans limites d'agir sur une nature dont il perçoit désormais que les ressources sont limitées. C'est là une problématique entièrement nouvelle qui s'est imposée à cette génération; car nos pères, comme le dit Alain Touraine, ne disposaient que d'une « capacité d'agir finie, sur un monde qu'ils croyaient infini ».

A sa place aussi, face à son œuvre : car il convient de rétablir le lien fécond de l'homme à son travail que la mécanisation à outrance et la parcellisation des tâches, jointes à la critique marxiste de la société, ont totalement détruit en Occident. Le mouvement d'une fraction importante de la jeunesse vers l'artisanat s'inscrit sans doute dans une telle perspective.

A sa place encore, face aux techniques qu'il crée plus aisément qu'il ne les domine. L'idée que tout ce qui est techniquement possible doit être réalisé à tout prix est bien le signe de notre folie. Il conviendra au contraire de s'interroger sur la balance des risques et des avantages économiques et écologiques, avant de décider la promotion industrielle d'une technique nouvelle. En procédant ainsi dans le cas, non seulement du Concorde mais — on l'oublie trop — de leur propre supersonique, les Américains ont frayé la voie à cette reprise en main de la technique qui est celle de notre salut. Essayons d'imaginer par exemple la catastrophe que serait une maîtrise de la météorologie dans une société aussi peu maîtresse d'elle-même que la nôtre : que l'homme soit réellement capable de faire la pluie et le beau temps, et voici agriculteurs et touristes, citadins, ruraux, éleveurs et céréaliers en perpétuel conflit — sans parler des stratèges du Pentagone et du Kremlin — pour décider du temps qu'il fera. Sans un progrès correspondant de la conscience humaine, le progrès technologique se retourne contre ses auteurs.

A sa place dans l'histoire où nous avons à comprendre combien notre situation actuelle est précaire, étape passagère sur le long chemin de l'hominisation, dont nous n'avons sans doute franchi que les tout premiers pas. Car l'avenir ne sera pas la perpétuation des systèmes socio-économiques ou politiques fondés sur les idéologies du XIXe siècle. Les concepts et les maîtres mots des sociétés modernes : capitalisme, libéralisme, marxisme, socialisme imprègnent nos manières de penser, d'agir et de réagir, au point qu'il nous est impossible d'imaginer d'autres valeurs de civilisation, d'autres modes de vie sociale, d'autres options économiques. Tout se passe, pour notre société qui se croit la première à être parfaitement informée, comme si depuis toujours et pour toujours l'humanité avait vécu et continuerait à vivre dans l'environnement intellectuel d'aujourd'hui. Nous baignons dans ce contexte aussi inconsciemment que dans l'air que nous respirons. Pourtant, dans quelques siècles ou quelques décennies, ces concepts et ces mots seront dépassés. Ils paraîtront à nos descendants aussi irréels que le sont pour nous la pensée et le langage des constructeurs de cathédrales. D'autres systèmes, d'autres problématiques, d'autres idées animeront les débats du moment. Et l'émergence de l'écologie annonce sans doute les sociétés futures, comme la naissance du libéralisme et du marxisme aux XVIIIe et XIXe siècles fonda les sociétés contemporaines. Comme l'écrit Roger Garaudy [1] : « Aucune réalisation historique ne peut être considérée comme une fin dernière. Car c'est ainsi que se pervertissent toutes les institutions : lorsqu'une Église croit être une image visible de la cité de Dieu, lorsqu'une monarchie se déclare " de droit divin ", lorsque le capitalisme prétend réaliser " la loi naturelle ", lorsqu'un stalinisme prétend incarner le socialisme, alors, par ce dogmatisme, une société ou un système politique perdent leur dimension humaine essentielle : la possibilité de se transcender. Brecht disait : " Il faut changer le monde. Puis il faudra changer ce monde changé. " »

A sa place, enfin, face au mystère. Pour la fête des Chariots, à Katmandou, on coupe les fils électriques, afin que les chars sacrés, richement décorés, puissent emprunter l'itinéraire rituel. Puis, après la fête, on les répare : symbole émouvant d'une société où la technique s'efface encore devant le sacré; le matérialisme productiviste de l'Est ou de l'Ouest a prétendu ravaler l'homme à sa seule dimension corporelle. Il a négligé l'aura de mystère, le sens du sacré, l'ouverture à la transcendance qui appartiennent pourtant au patrimoine génétique et culturel de l'espèce. La dimension spirituelle est de toutes les civilisations. Elle sera la pierre angulaire des sociétés post-industrielles – de ce que nous appelons encore la « révolution culturelle ».

III. CHOISIR LA SAGESSE

Est-ce à dire que le souci de l'environnement, que la promotion d'une vie meilleure, sinon de la « vraie vie », que la recherche

1. R. Garaudy, *Parole d'homme,* Laffont, 1975.

d'un autre équilibre et d'une autre croissance, que l'éclosion de nouvelles valeurs soient une nouvelle panacée, un remède à tous nos maux? Non pas, certes; mais ils annoncent, en tout cas, un changement de cap dans la démarche toujours zigzagante et chaotique de l'histoire de la vie et du monde. La crise actuelle est d'abord une invitation à la réflexion et à la pause. Si l'écologie éclaire mieux certaines pistes du futur, elle laisse aux hommes la liberté de leurs choix : elle pose les problèmes, à eux de les résoudre. Mais l'interrogation qui domine notre temps ne s'est sans doute jamais imposée de façon aussi radicale : quoi faire et comment faire?

A l'aube du troisième millénaire, l'humanité est enfin sommée de prendre sa destinée en charge. Jusqu'ici, les déterminismes de la nature régulaient l'espèce dans sa démographie et dans ses rapports avec l'environnement. L'homme était, comme toute autre espèce, soumis à sa loi d'airain, qui limite les populations en fonction des ressources disponibles (famines), éliminant les plus faibles par sélection naturelle (mortalité infantile, épidémies), redistribuant les territoires par des crises violentes et des compétitions déchaînées (guerres et révolutions). L'homme, aujourd'hui, peut vaincre ces fléaux, dont il connaît désormais les mécanismes et dont il sait qu'il sera fatalement victime, s'il ne prend pas à temps les mesures indispensables pour les conjurer.

Cette interrogation sur le futur, cette capacité proprement humaine de choisir, c'est l'éclosion de la liberté. Comme l'adolescent seul devant son avenir, comme le couple originel découvrant sa nudité, voici l'homme à nouveau nu et solitaire devant le choix crucial, contraint à vaincre la tentation de la facilité qui mène à l'engrenage implacable des déterminismes.

L'alternative fondamentale est claire : ou bien la discipline délibérée, réfléchie, décidée, librement acceptée, fruit de l'imagination et de la volonté humaines; ou bien la régulation spontanée, brutale, féroce de la nature.

Mais le refus de ces cataclysmes suppose le dépassement des obscures pulsions de l'instinct des individus et des nations; et surtout de l'instinct de puissance, de domination, de propriété et de territorialité, en vue de la seule victoire qui vraiment ait un un sens : celle que l'homme conquiert sur lui-même, dans un combat intérieur jamais achevé et qui reste le vrai moteur du progrès.

Plus que la science du bonheur, l'écologie pourrait bien être, dans une telle perspective, la science de la sagesse, vertu de tous les temps et de tous les peuples, fruit de la longue expérience accumulée par l'humanité au cours de l'histoire, valeur naturelle et culturelle transcendant tous les pouvoirs et tous les savoirs. Car elle exprime la capacité de faire des choix justes et pondérés, non seulement dans des décisions à court terme, mais dans ce qui engage l'avenir du groupe, c'est-à-dire l'avenir de nos enfants. La sagesse, célébrée par toutes les civilisations et qui fut si chère au judaïsme, a trouvé en Georges Friedmann [1] un avocat de talent : seule, elle peut conjurer les excès et les risques de la puissance.

Comme l'écrit Denis de Rougemont [2] : « La puissance, c'est le pouvoir sur autrui; le pouvoir sur soi-même : c'est la liberté. » Une fois de plus, nous en revenons à ce viatique auquel l'homme a toujours eu recours, à la veille de ses plus grands départs : l'appel à la liberté.

1. G. Friedmann, *La Puissance et la Sagesse,* Gallimard, 1970.
2. D. de Rougemont, *Journal d'un Européen,* Genève, Centre européen de la culture, nº 2/3, 1974.

3
La porte étroite

> « Changer son cœur, c'est changer sa vie. Réussir ensemble ce changement, c'est changer la vie. »
>
> PIERRE EMMANUEL.

I. LES SECRETS DU CERVEAU

Les perspectives qui précèdent appellent une révolution, ou plutôt une conversion des esprits et des cœurs. Entre la pente du pourrissement et la tentation du durcissement, la voie est étroite qui mène au-delà de la crise.

Nul déterminisme biologique ou culturel, nulle régulation automatique ne rétablira magiquement l'équilibre; car les hommes sont les seuls auteurs de leur destin. Les comportements innés ne suffisent plus à l'animal humain pour conduire sa vie avec sécurité; et les automatismes biologiques ne garantissent pas davantage une régulation sans heurt. Qui dit régulation biologique d'ailleurs évoque implicitement l'ébranlement des forces sauvages qui périodiquement ravagent la nature, déciment les populations et bouleversent l'ordre social. Il est possible que nous n'y échappions point, ou que notre seul recours contre la catastrophe naturelle soit la catastrophe politique : la dégradation des mœurs démocratiques et l'aggravation de l'entropie sociale peuvent conduire à un raidissement autoritaire, voire totalitaire au cours des prochaines décennies. Mais il existe une troisième voie : celle de la porte étroite qu'on voudrait entrouvrir sur un autre futur.

Jeter les bases d'une nouvelle éthique et d'une nouvelle anthropologie serait pur jeu de l'esprit si l'homme n'était en mesure de les faire siennes. Or, tout laisse penser que nous en avons les moyens, inscrits dans notre programme génétique et plus précisément dans notre cerveau.

Trois cerveaux en un.

Selon Paul D. MacLean [1] et Henri Laborit [2], le cerveau de l'*homo sapiens* résulterait de la superposition de trois couches distinctes, successivement acquises au cours de l'évolution : le tronc cérébral, héritage du cerveau reptilien, hautement archaïque, siège des fonctions nécessaires à la survie : la faim, la soif, la reproduction, la défense du territoire; le système limbique que l'homme partage avec les mammifères, siège de la mémoire, des automatismes qui règlent la vie quotidienne; et le cerveau associatif, ou néocortex, qui émerge lentement à travers l'histoire des hominiens, capable d'innovation, d'imagination, de création et pour tout dire de liberté : c'est le cerveau de l'imprévisible et de l'improbable, grâce auquel l'homme peut faire face à des situations nouvelles, adopter des attitudes originales.

Ces trois cerveaux sont en constante interrelation, mais aussi en interférence. Ce sont, comme l'écrit Edgar Morin [3], « ces interrelations faiblement hiérarchisées entre les trois sous-ensembles qui nous permettent de situer le paradoxe de *sapiens-demens,* le jeu permanent et combinatoire entre l'opération logique, la pulsion affective, les instincts vitaux élémentaires, entre la régulation et le dérèglement ».

Régulation ou dérèglement? Explorons ces deux voies, et d'abord le dérèglement.

Le prodigieux développement du cerveau humain serait-il un danger pour l'espèce? L'homme, doué d'une exceptionnelle adaptabilité à l'environnement, dépourvu d'organes hyperspécialisés,

1. P.-D. MacLean, Centre Royaumont pour une science de l'homme, *L'Unité de l'homme,* Le Seuil, 1974.

2. H. Laborit, *Les Comportements. Biologie, physiologie, pharmacologie,* Masson, 1973.

3. E. Morin, *Le Paradigme perdu : la nature humaine,* Le Seuil, 1973.

ce qui lui ouvre de larges perspectives d'évolution, se singularise par le volume et l'organisation de son cerveau. Ce formidable ordinateur aux 14 milliards de neurones, avec des possibilités d'interconnection qui défient l'imagination, est à l'origine de ses performances et de ses succès : l'incroyable progrès des sciences et des techniques depuis le siècle dernier en témoigne. Mais cette merveilleuse machine n'est-elle pas en train de s'emballer sous nos yeux? N'amorce-t-elle pas une réaction en chaîne impossible à maîtriser, dont la croissance de nos économies et le déséquilibre de nos sociétés ne seraient que la projection dans le monde extérieur? L'animal humain serait-il mal programmé?

Un cerveau hypertélique?

Cette aggravation des déséquilibres évoque curieusement le phénomène d'*hypertélie* dont l'évolution offre maints exemples [1].

L'hypertélie, c'est-à-dire le développement exagéré d'un organe ou d'une fonction, est une aberration des processus évolutifs. Les exemples abondent dans la nature : le port et le développement de ses bois entrave le cerf dans sa course et affaiblissent l'un de ses moyens de défense, la fuite. Les pattes démesurées des tipules rendent leur démarche maladroite et difficile : en les coupant d'un coup de ciseau, on améliore la locomotion de ces diptères, qui naissent en quelque sorte infirmes. Bien des espèces handicapées par des organes hypertéliques ont disparu ou sont menacées (encore qu'il soit imprudent d'affirmer que l'hypertélie soit la cause, ou tout au moins l'unique cause, de leur extinction) : éléphants accablés par la taille de leurs défenses, dinosaures au crâne alourdi de tubérosités, insectes à mandibules énormes comme les lucanes. Qu'en sera-t-il de l'homme?

Le jeu des trois cerveaux, fussent-ils en conflit, ne pouvait avoir que des conséquences limitées, tant que l'enjeu restait individuel. Mais les productions du cerveau associatif, en donnant

1. L'hypothèse de l'hypertélie du cerveau humain a été évoquée au cours d'une conversation avec mon collègue le professeur Stanislas, de la faculté de pharmacie de Toulouse. Je m'autorise de son amitié pour la développer ici [J.-M. P.].

à l'homme le formidable arsenal des armements et des technologies modernes, ont fait monter les enchères. L'enjeu est de taille, d'autant que le néocortex n'a guère accru son pouvoir d'intégration sur les autres couches cérébrales. Voilà donc l'humanité menacée de destruction, pour n'avoir pas réussi l'évolution harmonieuse, coordonnée et sans heurt de l'organe qui précisément fait son originalité. Finira-t-elle asphyxiée sous le poids des productions du cerveau? L'artificialisation croissante de l'environnement mettra-t-elle en péril les équilibres de la nature et de la vie? Quelque fou, particulièrement inapte à réguler sa « machine à penser », déclenchera-t-il un cataclysme planétaire? Les paris sont ouverts et tout est possible, y compris les pires dérèglements.

Mais la régulation, elle aussi, est possible, et cette possibilité est inscrite dans notre organisation cérébrale. Pour bien en comprendre le mécanisme, il faut suivre la montée du cerveau à travers l'histoire.

Du stimulus-réponse à l'acte conscient.

Commençons par la grenouille. Cet amphibien proche encore du monde des poissons est soumis à des déterminismes rigoureux. Certaines grenouilles se nourrissent de petits vers rouges. Analysant l'excitation que la vue de ces proies produit sur les grenouilles, des expérimentateurs à l'esprit pervers imaginèrent de remplacer l'appât naturel par un appât simulé, fait de verre pilé soigneusement coloré de rouge. Le pauvre animal se laisse abuser par ce piège, et se met très vite la bouche en sang. Pourtant, il continue obstinément à se précipiter sur l'appât sans qu'à aucun moment la douleur n'intervienne comme signal inhibiteur et ne brise le cercle vicieux d'un système où la réponse à un stimulus donné est totalement automatisée [1].

La tortue appartient à la classe des reptiles. Elle se situe donc à un palier supérieur de l'histoire de la vie animale, et son cerveau est plus évolué; elle « interprète » le signal douloureux pour inhiber la réponse à un stimulus alimentaire. Placée dans des

1. Système dit du « stimulus-réponse ».

conditions expérimentales similaires à celles de la grenouille, la tortue abandonne la proie mortelle dès que la douleur ressentie lui révèle son erreur. Un processus de régulation s'amorce, une réponse originale s'ébauche, brisant le déterminisme rigoureux du système stimulus-réponse.

En franchissant un nouveau seuil dans la hiérarchie du monde animal, on arrive au niveau des mammifères, dont les primates représentent la lignée la plus évoluée. En soumettant des singes à des drogues susceptibles de provoquer chez l'homme des toxicomanies, on assiste à l'acquisition très rapide de nouveaux comportements chez ces animaux. Découvrant le geste qui lui permettra de s'injecter une dose de produit, le singe ne tarde pas à en faire l'apprentissage en raison du plaisir qu'il lui procure. Mais ce comportement nouveau, au-delà des sensations de plaisir, entraîne à terme une accoutumance à laquelle l'animal est incapable de se soustraire. Celle-ci se traduit par les malaises caractéristiques ressentis en période de manque, et qui le conduisent immédiatement à s'injecter une nouvelle dose de produit; ce qu'il fait jusqu'à mettre sa santé en grave péril. Car son cerveau ne lui permet pas d'associer la sensation de manque à la drogue qui en est la cause première; il ne fait pas le lien entre deux séries de sensations différentes : le plaisir que procure la drogue, puis le malaise qu'entraîne sa privation.

L'homme culmine au sommet du monde animal. Placé dans des circonstances analogues à celles du singe, il attribue rapidement à la drogue, au-delà du plaisir immédiat qu'elle lui procure, l'état angoissant et douloureux que déclenche le sevrage ou le manque. S'il en a le courage, et le cas échéant avec l'aide d'une thérapeutique appropriée, il rompra l'asservissement auquel il est soumis, abandonnant l'esclavage de la drogue. Car l'homme, comme le rappelle Ludwig Von Bertalanffy [1] « n'est pas le récepteur passif de stimulus venant du monde extérieur; très concrètement, il crée son univers ».

On mesure le chemin parcouru depuis les comportements stéréotypés de la grenouille. D'étape en étape, le cerveau se perfectionne, se complexifie, améliore ses performances. Il acquiert avec

1. L. Von Bertalanffy, *Théorie générale des systèmes,* Dunod, 1973.

l'homme des potentialités nouvelles et originales qui, dans le prolongement même des grandes régulations naturelles, l'ouvrent à la créativité, à l'imaginaire et à la liberté.

A la recherche du sens de la vie.

Mais l'homme est un produit de la culture. A la naissance, l'animal humain est un prématuré, dont les potentialités, bien que génétiquement programmées, ne se révéleront que dans un environnement matériel, affectif et culturel adéquat, et au prix d'un effort continu. A nous de créer les conditions favorables et de stimuler cet effort pour que « chaque homme qui porte en lui le génie de Mozart ou de Raphaël puisse le déployer pleinement », comme le voulait Marx.

Ce qui est vrai de l'individu l'est aussi de l'humanité. L'homme de Néanderthal était encore proche de la bête. Mais depuis la révolution du néolithique, qui semble bien avoir éclaté simultanément en différents points du globe, toutes les civilisations « traditionnelles » se sont interrogées sur le sens de la vie humaine; sans exception, elles l'ont trouvé dans son accord avec l'univers, qu'elles interprétaient d'ailleurs de diverses façons.

Plus proches de nous les Grecs se posaient déjà les grandes questions qui nous agitent sur la vie, la mort, l'amour, la liberté : les stoïciens, pressentant les exigences de la montée humaine, tentèrent d'apporter une « juste réponse »; juste dans le sens de justesse, de droiture, de courage.

Vint le christianisme qui projette dans une vision dynamique et eschatologique les exigences de justesse et de justice. Pour les chrétiens le sens de la vie, qui était resté une énigme pour les hommes de l'Antiquité gréco-romaine, apparaissait en pleine lumière. Pourtant le judéo-christianisme marque, à travers son évolution historique, une rupture avec la nature : ne se sentant plus d'obligations qu'envers Dieu et envers ses frères, l'homme entreprit de se libérer des contraintes naturelles; mais il trouva aussi, consciemment ou non, dans cette démarche un alibi à sa propre pulsion de domination; d'où le fréquent dévoyement du message évangélique, qui reste pourtant le grand hymne à la liberté.

Aujourd'hui, où nous sommes menacés de mort par nos propres œuvres, et où c'est de nous-mêmes que nous avons à nous libérer, allons-nous trouver, dans le juste équilibre entre les forces de la nature et celles de l'esprit, l'usage salutaire de notre liberté?

II. L'ÉCLOSION DE LA LIBERTÉ

Certes le mot est équivoque. Comme l'amour, si diversement perçu selon qu'il s'agit de le faire ou d'y puiser l'inspiration de sa vie, comme la démocratie si différente selon qu'elle est libérale ou populaire, comme le socialisme si riche d'acceptions et d'espérances contradictoires, la liberté fait partie du cortège de ces mots pervertis qui, par souci de clarification, gagneraient à être évacués du vocabulaire. La liberté des libertaires n'est pas celle des libéraux et la liberté des rois n'est pas celle des saints; les puissants l'invoquent pour s'offrir ce qui leur plaît, les humbles – les moines par exemple – pensent au contraire la servir et la mériter en se privant de tout. Pour un adolescent, elle est le droit de transgresser les interdits, et pour un philosophe kantien, l'obéissance rigoureuse à la loi. Pourtant ces trois syllabes magiques soulèvent l'espoir de millions d'êtres humains qui, avec Paul Éluard, continuent de dire « ...sur les murs – j'écris ton nom, liberté ».

« Liberté chérie. »

La liberté désigne ici l'aptitude à dépasser, généralement à travers une situation de crise, le poids des aliénations qui conditionnent nos automatismes et nos habitudes. Elle brise les cercles vicieux. Elle appelle imagination et créativité. Elle rend brusquement crédibles à nos yeux étonnés de nouveaux modèles de comportements individuels ou collectifs. Elle pousse nos destinées au-delà des frontières que leur assignent les systèmes, et débouche sur un futur ouvert. Elle dépasse les fausses alternatives dans lesquelles les sociétés piétinent et s'emprisonnent. Bref elle étend à l'infini, dans un mouvement d'intériorité et d'approfondissement, le champ du possible.

La liberté c'est l'aptitude, lentement mûrie, à recoder les valeurs, à prendre du recul, à ne plus se situer par rapport au système politicoéconomique, qu'il soit agi ou subi, chéri ou honni. On ne cherchera pas à aggraver la crise, en accentuant les contradictions sociales, pour casser les automatismes économiques et les systèmes politiques qui les engendrent; car *la liberté n'est pas révolutionnaire.* On ne cherchera pas davantage à sauver le système en l'amendant, en le bricolant par une série de réformes appropriées : car *la liberté n'est pas réformiste.* Elle se situe d'emblée en dehors de cette problématique et de cette dialectique, et ne choisit plus ses référents dans les systèmes existants. On parlerait en cybernétique d'un changement d'échelle.

Cette nouvelle sensibilité se décèle dès à présent chez bon nombre de nos contemporains. Elle annonce l'éclosion d'une nouvelle culture. Car voici le temps des remises en cause, et chacun de s'interroger sur le sens de la vie, sur le sens de sa vie. Mais cette interrogation resterait vaine si elle n'engageait de profonds changements d'attitude et de comportement. Or ces changements sont possibles, car l'homme détient l'insigne privilège de pouvoir sinon modifier son programme génétique, du moins choisir ses environnements et se placer librement dans des conditions qui favorisent de nouvelles manières de vivre, de sentir et d'agir.

L'appel au dépassement.

La liberté apparaît alors comme la capacité de dépasser les limites étroites de l'avoir et du pouvoir, c'est-à-dire, pour l'animal humain, de son territoire. En d'autres termes, elle lui permet de ne pas se crisper, comme il le fait parfois jusqu'à la névrose, sur le patrimoine hérité, les biens accumulés ou les droits acquis, auxquels il arrive que les nécessités d'un projet collectif, ou plus simplement les exigences de la simple justice, nous contraignent de devoir au moins partiellement renoncer.

Certes, il est peu d'hommes qui le fassent de gaieté de cœur. Pourtant l'accumulation des privilèges, toujours acquis au détriment d'autrui, conduit à une impasse; et dès à présent à une intolérable tension dans les rapports sociaux, que seule une plus grande ouverture aux autres pourrait apaiser.

Cette vérité élémentaire fut proclamée par toutes les philosophies, toutes les morales et toutes les religions. Elle mérite d'être rappelée à une époque où les sociétés de consommation, boulimiques et égoïstes, tournent imprudemment le dos aux impératifs moraux qui règlent, depuis la nuit des temps, l'art du « vouloir vivre ensemble »... Et pour ceux qui ne le voudraient pas, la nécessité de coexister.

René Dubos, dans *Choisir d'être humain* [1], note qu'elle est la pierre angulaire de toutes les grandes religions :

« Ainsi, tout ce que vous désirez que les autres fassent pour vous, faites-le vous-mêmes pour eux : voilà la Loi et les Prophètes. » Matthieu, 7,12 (christianisme).

« Ce que tu tiens pour haïssable, ne le fais pas à ton prochain. C'est là toute la Loi : le reste n'est que commentaire. » Talmud, Sabbat 31 a (judaïsme).

« Telle est la somme du devoir : ne fais pas aux autres ce qui, à toi, te ferait du mal. » Mahabharata, 5, 1517 (brahmanisme).

« Voici certainement la maxime d'amour : ne pas faire aux autres ce que l'on ne veut pas qu'ils nous fassent. » Analectes, 15, 23 (confucianisme).

« Nul de vous n'est un croyant s'il ne désire pour son frère ce qu'il désire pour lui-même. » Sunnah (islam).

« Considère que ton voisin gagne ton pain, et que ton voisin perd ce que tu perds. » T'ai Shang Kan Ying Pien (taoïsme).

« La nature seule est bonne qui se réprime pour ne point faire à autrui ce qui ne serait pas bon pour elle. » Dadistan-i-dinik, 94,5 (zoroastrisme).

On s'inquiète de ne plus retrouver ce précepte dans les grands systèmes idéologiques contemporains. Comme si le progrès

1. R. Dubos, *op. cit.*

technique nous dispensait d'agir selon un code moral qui reste la règle d'or de l'espèce : sans elle, nous retournerions à la loi d'airain...

Au moment où nous risquons de voir revenir, sinon les cavaliers de l'Apocalypse, au moins les vaches maigres, il convient de mettre en question nos acquis, qu'il s'agisse de nos attitudes ou de nos habitudes, de nos droits ou de nos biens; et d'abord dans les gestes les plus humbles de la vie quotidienne.

L'arrachement.

Un fumeur sait ce qu'il en coûte de renoncer au tabac. Pourtant cet effort volontaire, beaucoup ont su se l'imposer au nom d'un impératif individuel de santé – le plus souvent, il est vrai, sous la contrainte d'une pressante nécessité, une alerte cardiaque par exemple. Des efforts analogues ne peuvent-ils être consentis au profit de la collectivité, c'est-à-dire du bien commun? Il est certes irritant d'être contraint de modifier ses habitudes, par exemple lorsqu'une rue piétonnière cesse d'être accessible à la circulation et au stationnement. De plus, une part du budget familial devra être affectée à la location d'un parking. Pourtant la résurrection des villes est à ce prix.

Ce banal exemple illustre parfaitement nos attitudes : lorsqu'une situation devient intolérable, en l'occurrence l'encombrement, le bruit, la pollution, les embouteillages permanents, une réglementation nouvelle est acceptée, malgré les efforts d'adaptation qu'elle suppose.

Car l'homme ne cède qu'à l'extrême limite : il retarde délibérément les mesures nécessaires jusqu'à ce qu'un blocage, un court-circuit fatal les imposent. Tel est bien l'enjeu de la crise actuelle. Prendra-t-on le tournant à temps, ou frôlera-t-on le bord du gouffre? Certes les prises de conscience se multiplient, les mécanismes d'adaptation se mettent en place. Mais nous ne pouvons oublier la formidable machine de mort – de Méga-mort – qui accumule ses armes diaboliques, ni l'énormité du risque découlant du pari nucléaire qui disséminera ces armes dans tous les pays du monde.

L'acharnement à pousser toujours plus vite et toujours plus loin nos technologies les plus dangereuses appelle une régulation rapide et vigoureuse. Il est des orientations auxquelles il faut savoir renoncer : c'est là une des formes les plus difficiles mais les plus nécessaires du dépassement.

III. LES FERMENTS D'UNE AVANT-CULTURE

Cet appel au dépassement, si souvent lancé et si peu écouté dans l'histoire des hommes, trouve aujourd'hui un écho favorable grâce à deux séries de phénomènes concomitants qui rendent plus crédibles qu'en d'autres temps les chances d'un renouveau.

D'abord la gravité de la crise qui atteint l'Occident dans ses idéologies et dans ses œuvres. Elle contraint à une prise de conscience croissante, facilitant la mise en place de nouveaux dispositifs et l'éclosion de nouvelles façons d'être, impensables hier encore (meilleure distribution de l'emploi, solidarité des cadres et des travailleurs dans les entreprises en difficulté, renversement d'attitude à l'égard de la nature, de l'argent...). On devine à travers les projets qui germent spontanément ici ou là un nouveau dessein de solidarité et d'organisation collective, annonçant déjà les sociétés post-industrielles. Et on regrette que ces finalités ne soient pas plus nettement affirmées en haut lieu. A tenir le langage du courage, les responsables politiques de tout bord nous aideraient à franchir la passe difficile où nous sommes, qui dépasse, et de loin, l'alternative idéologique sommaire dans laquelle on voudrait nous enfermer.

Bien plus, une fraction non négligeable de la jeunesse écarte spontanément les modèles productivistes, à travers la multiplicité des ébauches et des expériences qui sont les signes annonciateurs d'une « avant-culture ». Les nouveaux marginaux américains, qui ont pris le relais des hippies, affirment leur singularité en se baptisant eux-mêmes « Freaks » c'est-à-dire monstres. Les monstruosités étant dans la nature le fruit des mutations génétiques, faut-il en déduire que déjà « les mutants sont parmi nous »? Sans aller jusqu'à des solutions aussi extrêmes, les attitudes nouvelles de la jeunesse face à la nature, à l'argent, au travail, à la technique, à la vie relationnelle et communautaire, à l'amour et même au sacré, sont le signe d'une nouvelle sensibilité qui, éclose aux États-Unis [1], se diffuse aujourd'hui dans l'ensemble du monde industriel. Qu'adviendra-t-il de ces expériences où la vie jaillit à l'état brut, comme elle le fait toujours aux grands moments de l'évolution biologique ou de l'histoire, et naturellement avec toutes les ambiguïtés qui caractérisent les périodes de transition et les expériences novatrices? Nul ne le sait! Tandis que les systèmes économiques et sociaux se disloquent sous nos yeux, que leurs automatismes et leurs déterminismes sont remis en cause, des hommes et des femmes, chaque jour plus nombreux, inventent leur émergence à une nouvelle liberté et s'éveillent à d'autres valeurs.

Il en fut sans doute ainsi à chaque grande époque de l'histoire. Maurice Blin [2], analysant le monde féodal du haut Moyen Age, a montré comment ces courants marginaux que furent à l'origine le monachisme, l'amour courtois, l'alchimie finirent par l'emporter. « Cet élan culturel longtemps marginal s'épanouira dans l'entreprise missionnaire, mystique et mercantile qui aboutira, à la fin du XVe siècle, à la découverte du Nouveau Monde. Il annonce l'explosion scientifique et technique de la Renaissance et l'érotisation si particulière de l'art et de la littérature européennes. A l'orée du XVIe siècle, il déferlera irrésistiblement et de ses eaux mêlées surgira un monde nouveau. »

Le courant écologique, dans la riche diversité de ses « eaux mêlées », pourrait bien être à son tour le signe annonciateur de la découverte d'un nouveau monde où l'homme, élargissant le champ d'application des valeurs traditionnelles de l'humanisme à la nature et au cosmos, se réconcilierait du même coup avec lui-même. D'ailleurs, ces valeurs ne sont bien souvent que la redécouverte des permanences fondamentales, un instant oubliées dans la poussée fébrile d'une croissance et d'un développement

1. Ch. Reich, *Le Regain américain*, Laffont, 1971.
2. M. Blin, *op. cit.*

matériel mal contrôlés : permanence des grands équilibres de la nature aujourd'hui menacés; permanence du don renouvelé de la vie dans sa totale gratuité, son éphémère fragilité, son infinie diversité; permanence des grandes aspirations humaines, non seulement à l'avoir et au pouvoir, mais aussi au partage, à l'échange, à la fête, à la joie, à l'amour.

Dès lors s'ébauchent les chances d'une société plus juste et plus humaine.

« *Plus est en vous*[1] »

Les solutions à la crise planétaire ne sortiront pas des ordinateurs. Leur concours pourtant ne fera pas défaut. Des milliers de futurologues de par le monde consultent leurs oracles. Des chiffres s'alignent à l'infini. L'auscultation des tableaux de bord, les extrapolations, les anticipations, les scénarios ouvrent à « l'imagination technique » de l'*homo faber* des horizons sans fin. Diagnostics et pronostics s'accumulent sur les bureaux des chefs d'État, tandis que les experts se pressent à leur table. Toujours péremptoires, toujours démentis.

Il est une autre dimension enfouie au cœur de l'homme : la dimension oubliée. La découvrir, la faire éclore, l'épanouir, tel était le propos de ces pages. Et tel est sans doute le vrai sens de l'Histoire : celle de notre lente émergence à la liberté. Réussirons-nous à temps ce changement ou mourrons-nous écrasés par nos propres œuvres, tués par l'audace de nos technologies, déchirés entre la fureur de ceux qui n'ont rien et l'âpreté de ceux qui ont tout? C'est l'hypothèse pessimiste; elle n'est pas certaine; mais elle n'est pas non plus impossible. Car l'homme reste bien, comme le disait Schopenhauer, « cet animal tragique qui n'a plus assez d'instinct pour agir avec sécurité et pas encore assez de raison pour assumer les tâches de l'instinct ». L'homme accompli, « l'homme parfait » comme on disait jadis, ne se profile qu'aux horizons du plus lointain futur. Aujourd'hui demeure cet être incomplet, bâtard, plus tout à fait animal, mais pas encore divin, prisonnier des pulsions agressives et possessives

1. Devise de la maison de Bruges.

qu'il a héritées des primates ses ancêtres et multipliées par les armes de son savoir.

Heidegger sent la fragilité et l'ambiguïté de notre condition lorsqu'il écrit : « Nous arrivons pour les dieux trop tard, mais trop tôt pour l'Être, dont le poème commencé est l'homme. »

Un poème commencé depuis l'origine et en train de se réécrire, si l'on en croit Edgar Morin[1] : « Toute notre philosophie s'écroule, déclare-t-il, mais un être nouveau peut être procréé. Le vrai problème, le seul problème non technique, c'est celui du modèle d'homme, ou plutôt de posthominien qu'il faut édifier... Ce modèle devra être la réalisation concrète de l'humanisme, au moment même où celui-ci tombe en miettes. »

Ce modèle d'homme s'élabore depuis des millénaires. A tout instant, et surtout aux heures chaudes de l'Histoire, la pression irrésistible que la vie impose à notre somnolence nous chasse de nos habitudes et de notre confort. Comme un aiguillon dans notre chair, elle nous pousse plus avant. Démarche laborieuse et cahotante... Mais si telle n'était pas la loi de l'univers, les éléments inertes continueraient à flotter éternellement dans un nuage d'hydrogène, sans conscience et sans vie. Pourtant l'homme est venu. *Ecce homo*. Et le voici sommé d'avancer encore. « Toujours en avant! » disait Teilhard de Chardin. Pressé par la crise de la civilisation technique, il est contraint de franchir un nouveau cap, de renoncer une fois de plus, comme il le fit souvent, à l'amour de ses traditions... Et si c'était pour promouvoir enfin la tradition de l'amour? Car le seul besoin vraiment incoercible que tout homme porte en son cœur, au-delà des désirs matériels que tente de satisfaire notre fébrile activité économique, n'est-ce pas d'abord d'« aimer et d'être aimé »?

Au moment où désespérément crispée sur son passé, l'humanité scrute l'avenir avec angoisse, un texte admirable de Kazantsakis, anthropologie et anthologie tout à la fois, ouvre la marche : « Il souffle, dit-il, dans le ciel et sur la terre, dans notre cœur et dans le cœur de chacun, un souffle immense que l'on appelle Dieu, un grand cri, une voix. La plante voulait dormir

1. E. Morin, *Journal de Californie, op. cit.*

immobile au bord des eaux stagnantes, mais le cri jaillissait et secouait ses racines : va-t'en, lâche la terre, marche! Pendant des milliers et des milliers d'années, le cri a poussé sa clameur et voici qu'à force de désir et de lutte, la vie a quitté la plante immobile; elle s'est libérée. Le cri terrible s'est planté impitoyablement dans ses reins, quitte la boue, dresse-toi sur tes pieds, engendre plus grand que toi! Cela a duré des milliers et des milliers de siècles et voici qu'est apparu, tremblant sur ses jambes encore mal affermies, l'homme. Il s'est efforcé encore pendant des milliers d'années de sortir comme une épée du fourreau, de la bête. Où aller? crie l'homme avec désespoir. Je suis arrivé au sommet, au-delà s'étend le chaos, j'ai peur! Lève-toi, crie la Voix, marche, c'est moi qui suis au-delà! »

Table

I. La fin d'un monde

II. Régulations de la nature et choix sociaux

III. Vers de nouveaux équilibres